فئران أمي حِصَّة

طبع في لبنان

فئران أمي حِصَّة

رواية

سعود السنعوسي

منشورات ضفاف
DIFAF PUBLISHING

الدار العربية للعلوم ناشرون ش.م.ل
Arab Scientific Publishers, Inc. S.A.L

الطبعة الأولى: شباط (فبراير) 1436 هـ - 2015 م
الطبعة الثالثة عشرة: نيسان (أبريل) 1437 هـ - 2016 م

ردمك 978-614-01-1544-6

الدار العربية للعلوم ناشرون
Arab Scientific Publishers, Inc.

عين التينة، شارع المفتي توفيق خالد، بناية الريم
هاتف: 786233 - 785108 - 785107 (1-961+)
ص.ب: 5574-13 شوران - بيروت 2050-1102 - لبنان
فاكس: 786230 (1-961+) - البريد الإلكتروني: asp@asp.com.lb
الموقع على شبكة الإنترنت: http://www.asp.com.lb

منشورات ضفاف
DIFAF PUBLISHING
هاتف الرياض: 966509337722+
هاتف بيروت: 9613223227+
البريد الإلكتروني: editions.difaf@gmail.com

لوحة الغلاف للفنانة مشاعل الفيصل

كلمة

أنا التاريخ كله، وأحذركم من الآن؛ الفئران آتية، احموا الناس من الطاعون!

فؤادة

زُور..

اِبن الزَّرزور..

اِللي عُمره ما كذب ولا حَلَف زُور:

(1-)

إذا ما ألحقت والدتي كلماها بـــ: "والله"، صار الأمرُ إلهيًّا!

كنت في السابعة من عمري عندما اشترى لي والدي درّاجـــتي الهوائية الأولى، هدية تفوّقي في المدرسة. منعتني والدتي من قيادها في حوش بيتنا ظهرا، خوفا عليّ من درجة حـــرارة تتعـــدّى، أحيانـــا، الخمسين مئوية. هذا ما كانت تقوله. ربما هو سبب حقيقي، ولكنـــه ليس السبب الوحيد.

كانت والدتي قد تغيّرت. لم تعد كما يصفها والدي مناكفًا "ناظرة في المدرسة وفي البيت". صارت قلقة، تنتفضُ كلما ارتطم بابُ الحـــوش الحديديّ بفعل الرّيح، وتردَّدَ دويّهُ في الشارع. تصرخُ إذا ما أطلق صِبية الحيّ ألعابهم النارية، احتفالاً بفوز فريق كرة قدم، أو لسببٍ آخر، أو لغير سبب. تتسمَّر أمام التلفزيون لساعاتٍ، تترقَّب نشرة الأخبـــار. تتصـــل بوالدي عشرات المرَّات في اليوم الواحد. تقضم أظفارها، تغمغم، تمسح دموعها خلسة. هذا هو ما صارت عليه والدتي، منذ تفجيرات المقـــاهي الشعبية عام 1985، قبل شهرٍ واحدٍ من حصولي على تلك الدرَّاجة.

كان من بين ضحايا التفجيرات جارنا المسنّ. خرج من بيته و لم يعد، تقول والدتي التي بكته كثيرا طيلة أسبوع: مـــات المســكين.. ترملت حِصَّة، مرضت ابنتها.

كنتُ أتحيّن لحظة استيقاظ والديَّ من قيلولتهما، لأحصل منــهما على مفتاح البيت، حتى يتسنى لي الخروج واللعب بدرَّاجتي. طرقــتُ، ذات ظهيرة، باب غرفتهما الموصد. "ها؟!"، ردَّت والدتي بعد طرقــات متكررة. سألتُها: "متى أسوق القاري؟". جاءني صوتها مثقلاً بالنُّعــاس: "إذا غابت الشمس". قرَّبتُ شفتيّ إلى ثقب الباب. وعدتها بألا أتجــاوز سور الحوش بالدرَّاجة. لم ترد. عدتُ إلى غرفتي، أطلُّ من النافذة علــى سبب إقامتي الجبرية داخل البيت، تلك المشرقة أبدا وقت لهفتي للخروج. نظرتُ إليها بعينين نصف مغمضتين. لا تتحرك! كنت أعــرف بــأن الشمس محض حجَّة، وأن والدتي تخشى أن أخرج من البيت أثناء نومها، وأتعرض لحادث مثل جارنا، ولا أعود، رغم أن المقهى الشعبــي بعيــدٌ ناحية البحر، ولا يمكنني الوصول إليه حتى مع الدرَّاجة. كان خروجــي إلى الحوش مرهونًا بأوقات صحوها، حتى تتسنى لها مراقبتي من نافــذة غرفتها، ما دمتُ أدورُ حول البيت بدرَّاجتي.

أدرتُ للنافذة ظهري. اقتعدتُ الأرض، أعبث بأغلفــة أشــرطة الفيديو. لا شيء يستثير اهتمامي بين أفلام كارتون ومسرحيات أطفــال أحفظها كاسمي. أهملتُ ميكي ماوس على شاشة التلفزيــون الصــغيرة. بنيتُ بيوتا ودهاليز من أغلفة الأشرطة. أمسكتُ بدُمية هولك هوغــان المصارع، أدسّها في قلب مدينة الأغلفة قبل أن أهدّها فوق رأسه خرابًا. دأبــي كلما سئمتُ أو غضبتُ، أن أبني مُدنا لأجل تــدميرها علــى رؤوس دمى المصــارعين والحيوانــات البلاســتيكية. دقــائق مــرَّت كالساعات. عاودتُ النظر عبر النافذة. كل شيء يتحرَّك في الســماء، التي تُقسِمُ والدتي بمن رفعها؛ نتف غيوم وزرازير وحمام، وطائرة ورقيــة

زرقاء عَلِقَ خيطها في أغصان سِدرة الجيران. وحدها الشمس ثابتة في مكانها. لمحتُ، في حوش الجيران، فهدًا يحمل كرة بحجم كرة تنس، ينحني يجمعُ حجارة. لعلّه يتجهَّز للعبة "عنبر" مع صِبية الشارع. في مكان آخر من الحوش يكسر صادق بيضة على غطاء البالوعة الحديدي، يراقب نضوجها ببطء على سطح الحديد الملتهب بحرارة الشمس.

تركتُ غرفتي سالكا الممر نحو غرفة والديّ. عاودتُ طرق الباب مجددا: "يُمَّه! متى أسوق القاري؟". تناهى إليَّ صوتها: "أففف!". ألصقتُ أذني على الباب. تسلل صوتها، عبر الخشب، متموِّجا مع هدير "الكنديشة"، مكيِّف الهواء الـ جنرال، كأنها محشورة داخل قوقعة. هدَّدَت: "يا ويلك إذا سألت عن القاري وآنا نايمة". ليتها اكتفت عند تهديدها الأول دونما استطراد: "والله، إللي رفع السما، إذا سألتني عن القاري وآنا نايمة ما تسوقه طول عمرك! اِصبر لَمّا تغيب الشمس!". مرَّت دقائق أخرى أقف فيها أمام الباب. احتفظتُ بسؤالي داخل فمي خائفًا. أدريها إذا ما أقسمت بالله، صار الأمرُ يخصّه، ولا رجعة لوالدتي فيه.

نفاد صبري، إزاء تلك الثابتة في السماء، دفعني لطرق الباب مرة ثالثة. انطلق صوتها عاليا: "وبعدين!". ازدردتُ ريقي. عاودتُ المحاولة: "يُمَّه!". تلكأتُ قبل أن أسأل: "متى تغيب الشمس؟!". ارتفعت ضحكات والدي من وراء الباب. سمعتُ صرير سريرهما. "ما في نوم!"، سمعتها تغمغم. فتحتْ الباب بعنف، نظرتْ إليّ بعينين متورمتين، وابتسامة زمَّت عليها شفتيها غصبا؛ أنتَ تجيد طرح الأسئلة، قالت، ثمّ مدَّت كفَّها إليَّ بالمفتاح: "خذ".

***

لا تقدح شرراً
لا تكشف سرّاً
فتثير زوابع ليس لها حدٌّ
والراحة تحت يديكَ
ولديك المجدُ..
والحكمة في ظل الصمتِ
والأمل المنشود.. لدى الموتِ!

أحمد مشاري العدواني

الفأر الأول

شَرَرْ

يحدث الآن 12:00 PM

أستعيد وعيي. أشعة الشمس، المتعامدة فوقي، تستحيل فضاء أحمر داخل جفنيّ المطبقين. خيوط سائلة تنزُّ من مفارق شعري الأشعث، تصنع بقعة أسفل مؤخرة رأسي. أفتح عينيّ ببطء قبل أن أطبقهما بشدّة بفعل أشعة الشمس. وخزُ الحصى تحت ظهري.. جفاف ريقي وشفتيّ ومذاق التراب في فمي. شيءٌ يعيدني إلى مشهد أخير يراوح بين حلم ويقظة. ألمٌ ينبض فوق حاجبي الأيسر. أتحسَّس السائل أسفل رأسي بأطراف أصابعي: "دم؟!". أُقرِّبُ كفّي إلى وجهي. ظِلُّها المرسوم على وجهي يُبدِّد الفضاء الأحمر. أفتح عينيّ بحرص أعاين لون السائل على أناملي، آملا ألا يكون أحمر هو الآخر. أطلقُ زفرة ارتياح؛ "عَرَق". أطبقُ جفنيّ.

خدر كتفيّ وتنميل ظهري يشيان بطول مدَّة بقائي على حالي هذه. أمدُّ كفّي أتحسس جيب دِشْداشَتي الأيمن. هاتفي المحمول وعلبة سجائر فارغة. أتحسَّس الجيب الأيسر. شعور بالطمأنينة ينتابني لوجود مفتاح السيارة. "الصندوق ما له مفتاح"، الأغنية إياها، بأصواتنا.. أطفالا. ما الذي يستدعيها من أين؟ أنهضُ بصعوبة. أعتدل جالسا. لريقي مذاق غير مألوف. أكاد أبتلع شيئا ظننته حجرا. أبصقُ دمًا بُنِّيًا مثل بانٍ خلَّفه الهنود بصاقا على الأرض يوم كانوا في بلادنا. أسعل. ألفظُ سنّي العالقة في حنجرتي. أصوات

الأطفال في رأسي تخبو وترتفع: "المفتاح عند الحدَّاد". ساقاي ممدودتان على حالهما كأنهما لغيري. الدِشْداشَة مرتفعة إلى ما فوق ركبتيّ. أنظرُ إلى قدميّ، إحداهما بنعل، والأخرى بلا. صورة نعلي المفقودة، مقلوبة في مشهدها الأخير، لا تبارح مخيلتي. أستلُّ نَفَسا عميقا. أُعبئ رئتيّ هواءً نتن الرائحة. أُطلقُ آهةً طويلةً. أهزُّ رأسي. ألتفتُ حولي في الساحة الترابية أتأكد من سلامة ذاكرتي. أجدني مقابل حديقة جمال عبدالناصر. أطلال مطعم ماكدونالدز أمامي. حسنا.. أنا في منطقتي، في الروضة. أهزُّ رأسي مطمئنا. تعاود الأصوات الغناء: "والحدَّاد يَبي فلوس".

سيارتي هناك، كومة خردة على عجلات، بالكاد أتعرَّف هيئتها الجديدة، في مكان ليس ببعيد عن سيارة فهد، في حين لا أجد سيارة صادق. الناس هنا كل يمضي في وجهته دونما اكتراث لي، رغم ساعات أمضيتها خارج وعيي ممدَّدا على الأرض. تتشكل في مخيلتي صور لعادة كانت.. ما عادت. اجتماع الناس حول ضحايا الشجارات أو الحوادث بدافع الفضول أو المساعدة أو التصوير بواسطة كاميرات هواتفهم المحمولة، أما والحالة هذه.. فلا رغبة لأحد بتوريط نفسه بأي شيء. والدتي كانت دائما تقول: "من خاف سلم!". أما أمي حِصَّة فتكره الخوَّافين. سَلِمَت الأولى. ماتت الأخيرة.

أنظرُ إلى حالي؛ الخوف، الناس برؤوسٍ لا تلتفت. ومع ذلك فإن أحدا في هذه البلاد، رغم الخوف، لم يسلم. أُلصِقُ باطن كفيّ على الأرض المتربة أدفع جسدي للنهوض. أضربُ كفيّ ببعضهما ما إن أنتصبُ واقفا قبل أن أضرب مؤخرتي بحركة تلقائية أُزيل الغبار

الرمادي عن ثيابـــي. أضغطُ ركبتي أُسكّنُ ألمًا. أعرجُ نحو ســـيارتي. ألمُ ساقي لا يُحتمل. جوقة الأطفال في رأسي تغني: "والفلوس عنـــد العروس". عروس الخليج. أتلفَّت حولي. لا شيء يشبهها. أهرب من تسمية قديمة. أهرب من كل شيء. أعاود النظـــر باتجـــاه ســـيارتي: "والعروس تَبـــي عيال". عيال فؤادة ربما! أقول لنفســـي. أتوقـــف. أُحرِّر قدمي من نعلها. أواصل مشيتي العرجاء. أفتحُ باب الســـيارة. شظايا زجاج النوافذ تكسو المقعد تتلألأ انعكاسا لأشعة الشـــمس. أجرُّ خطواتي إلى صندوق السيارة الخلفي أفتحه. أبحث عن شيء. أي شيء. الصندوق فارغ إلا من عجلة احتياطية. أنزعُ عنها غطاءهـــا الجلدي السميك قبل أن أعود حيث كنت. أُزيـــلُ قطـــع الزجـــاج الكبيرة من فوق المقعد بحذر. أفرشُ الغطاء الجلدي على ما تبقى من شظايا قبل جلوسي. الزجاج الأمامي للسيارة متماسك رغم تهشمه. خطوط شبكية لا تسمح برؤية ما وراءها. أترجل. أبحث عن حجـــر أزيل بواسطته الزجاج. في هذا الوطن، في هذا الوقت، الحجارة هي أسهل ما يمكن العثور عليه. لا يُخلِّفُ الهدمُ إلا حجـــارة لا تصـــلح للبناء! حجارة كبيرة، أو صغيرة كتلك التي جمعناها صـــغارا للعبـــة الشعبية؛ عنبر، أو التي ننتقيها بعناية، تليق برأس يهودي عند تقمُصنا دور أطفال الحجارة الفلسطينيين، عندما كان اليهودي، بتلقين مـــن أمي حِصَّة، يعني إسرائيليا. عندما كانت إسرائيل، بـــتلقينٍ جمعـــي، عامل كره مشتركًا.

"والعيال يَبون حليب.. والحليب عند البقر". تتشكل في مخيلتي صورة بقرة في طرحة زفاف، جافٌّ ضرعها. يبـــدو أن للكدمـــة في

رأسي دورًا في هذه الصور والأصوات. أنحني. أمسكُ بحجر مناسب بين التراب الرمادي. أرفعه بيديّ. أهوي به على الزجاج.. مرة تلو أخرى.. هذا جيد، أقول بعدما أفرغ من عملي. أعود إلى مقعدي ثانية. أجدُ شظايا الزجاج الأمامي متناثرة فوق الغطاء الجلدي. أُفلتُ ضحكة في فورة غضبي، هذا سيئ! أسحبُ الغطاء برفق. أنفضه خارج السيارة. أعيده إلى مكانه قبل جلوسي خلف المقود. أنظر إلى واجهة السيارة الخالية من الزجاج أمامي. لا مفرّ من الرائحة! أتحسَّس هاتفي المحمول في جيبي. عشرات اتصالات ورسائل هاتفية من أصدقاء. من والديّ في لندن. أخرى من مجهولين يسألون عن خللٍ في إذاعتنا وتكرار أغنية وطنية واحدة عوضا عن بثّ برامجنا اليومية المعتادة. رسالة بريد إلكتروني من الناشر في بيروت: "فرغنا من تصميم غلاف روايتك "إرث النار". أنصح بحذف أربعة فصول. هذا من أجل سلامتك، ومن أجل مصلحة الدار. أنتظر موافقتك لأرسل الرواية إلى المطبعة". بعضنا، خشية منع الرقيب، يصيرُ رقيبا عن طيب خاطر. أُهملُ الرسالة والاتصالات. أُهملني. أُهمِلُ كل شيء. أمسكُ هاتفي المحمول أتصل بصادق: "الجهاز مغلق"، أتصل بفهد. يجيبني الرَّد الآلي: "أنا حاليا غير موجود.. الرجاء ترك رسالة". يُلحقُ جملته المسجلة بأغنية لعبدالكريم عبدالقادر: "بيني وبينك غُربةٍ كنَّها الليل، ما عاد يذكرنا مكان التلاقي.. اِرحل مع النسيان وبَرْحَل مع سهيل، ما عاد في قلبي لك اليوم باقي". في كل مرة يترك أغنية لعبدالكريم عبدالقادر أعرف مزاجه، مع زوجته، من خلالها. هذه المرة تحيلني الأغنية إلى زمن جدَّته، في شارعنا القديم، وحكاياتها

الشعبية حول نجم سهيل وأساطيره. زمنٌ شَخَصَ فيه بصري نحو السماء البعيدة الصامتة حاضنة الأسرار، مكمن الإجابات عن أسئلتي المستعصية. أنتبه إلى صوت الصفّارة يقطع الأغنية. أترك رسالتي بصوت لولا خروجه من حنجرتي لما تعرَّفتُ إليه: "ألو فهد.. أرجوك اتصل". أُجري اتصالا ثالثًا: "ألو أيوب! أي أخبار عن صادق وفهد؟". يجيب سؤالي سؤالا عما جرى. أجيبه: "ولا شي.. أكلمك بعدين". أُمَنِّي نفسي بإجابة في اتصال رابع: "ألو ضاوي!". يسبقني يسأل: "اِنت وينك؟ عمّتي اتصلت من لندن تسأل عنك! وين فهد وصادق مختفين من الصبح؟!". أجيبه بفم يابس ولسان مُر: "ما أدري وينهم". يطلق زفرة طويلة. يُطمئِن بلازِمته: "يجيب الله مطر". تنشط الأغنية: "والبقر يَيون حشيش.. والحشيش يَيي مطر". أرفعُ رأسي إلى السماء الخالية إلا من الشمس، وتبَّاع الجِيَف، نذير الشؤم الأسود يحوم مثل موتٍ مؤجل. يفردُ جناحيه الكبيرين، يُحلِّقُ عاليًا، يتحرَّى أسباب نزوله، قبل أن يحُطَّ على الأرض بجسد العُقاب ورأس البومة ولون الغراب، يستمد حياته من موت الآخرين. ألتفتُ حولي. الناس كجياد العربات كأبقار السواقي. شيء يحجب رؤيتهم عما حولهم. لا ينظرون إلى شيء سوى.. الأمام. أديرُ محرك السيارة. ينطلق صوت الإذاعة فجأة: "الله أكبر.. الله أكبر.. أنتم تستمعون إلى إذاعة أسود الحق..". صوت غليظ يضغط على مخارج الحروف أثناء الحديث. ينقبض صدري. أنظر إلى الشاشة الإلكترونية الصغيرة في مذياع السيارة. رقم المحطة الإذاعية يذكرني بما كانت تبُّثه من أغانٍ وبرامج منوعة قبل استحالة الحال إلى غيرها. أديرُ مؤشر المذياع أنتقل

بين المحطات. وشوَشة البحث تفضي إلى أصوات جماهير غفيرة تردِّد: "هيهات منا الذلة.. هيهات منا الذلة.. هيهـــــــــــــ..". أضـــربُ بقبضتي مكبس المذياع أُخرسه. "آاااخ!". أُرخي أصابعي، أُحرّكهـــا في الهواء كأني أنفض الألم عن يدي. أضغط موضـــع الألم بكفّـــي الأخرى أُسكّنه. أستلُّ نفسا عميقا. أعاود تشغيل المذياع مرة أخرى، أبحث عن محطة رديئة الصوت تبثها مجموعتنا من مقرّ أولاد فؤادة في الجابرية. كفّي ترتجف ككفٍّ مدمن يبحث عمّا يسد حاجته لشـــيء يتعاطاه. تشوشات المذياع تزيدني عصبية. ها هو المؤشر يتوقف عند رقم المحطة. رغم التشويش تلتقط أذناي موسيقى مألوفـــة. أحـــبسُ أنفاسي قبل أن أطبق جفنيّ. يصبح الصوت أكثر وضـــوحا. تنطلـــق أغنية قديمة: "هذي بلادٌ تطلب المعالي..". أهزُّ رأسي حسرةً. أطلـــقُ زفرة طويلة أحاكي الصوت في المذياع: "تُسابِقُ الأيامَ والليالي".

أسندُ جبيني إلى مقود السيارة..

.. أنخرطُ أبكي بمرارة.

وصوت الأطفال يتردَّد داخل رأسي خاتما:

"والمطر عند الله!"

* * *

يحدث الآن 12:17 PM

أقود سيارتي بوجه ثابت إلى الأمام شأن الناس من حولي، إن لم يكن خوفا، فلأن شيئا في الجوار لا يحفّز على الالتفات. تربة رمادية أحالت البلاد إلى منفضة سجائر عملاقة. دخان حرائق. حجارة بحجوم متفاوتة. كلاب سائبة. ريشٌ أسود. طوابير طويلة أمام فرع مفوضية الاتحاد الأوروبي في الروضة تطلب اللجوء. المتاريس المُعَدَّة من أكياس الرمل على جانبيّ شارع دمشق، والأوساخ المتكدسة منذ فرَّ عمال التنظيف خارج البلاد. كأن يدا ضخمة هوَت على البلاد أحالتها خرابا مثل مدينة الأغلفة التي عبثتُ بها صغيرا. أصدُّ كل تلك المشاهد بعدم الالتفات إليها. ولكن الرائحة! تردُني رسالة نصِّية من والدتي: "شغلت بالنا آنا وابوك.. أرجوك اتصل". أترك هاتفي المحمول فوق المقعد إلى جانبي. أسلك طريق الدائري الرابع. الروضة عن يساري. أشجار الكونوكاربوس يابسة، خاليةُ الأوراق فوق الرصيف بين الشارعين. أنعطف يمينا نحو مدخل منطقة السُّرَّة. ينقبضُ قلبي. أسترجع قول والدتي: "والله، اِللي رفع السما، ما تدخل السرّة وآنا موجودة!". هي لم تعد موجودة.

مضت سنوات طويلة يا سُرَّة! صرتِ مدينة أشباح. مطعم ماكدونالدز المهجور يشبه شقيقه في الروضة، بزجاج نوافذه المهشَّم، عن يميني إلى الأمام. وإلى يساري بيت حياة الفهد وسعاد عبدالله،

عندما كانتا محظوظة ومبروكة، في مسلسلهما التلفزيوني "على الدنيا السلام". من أين لهذه المنطقة قدرتها على الاحتفاظ بذاكرتها رغم أن كل شيء فيها لا يشبهه في الأمس؟! يستوقفني النُصب الرخامي القديم، جهة اليمين، بالقرب من مطعم البيتزا المحلي، الذي آلَ فرعا من سلسلة فروع بيتزا هَت، مهجور هو الآخر. زالت الحروف السوداء عن رخام النُصب. أزالتها الشمس. ربما اعتراضا. ربما شفقة. ربما خوفا من أن تبقى الحروف في مكان قذر. تبرقُ الذكرى في ظلمة النسيان. أستعيد الكلمات على سطح الرخام الصقيل بخط رقعة، أو ربما نسخ، لستُ أدري: "اللهم ارحم الشهيدين: جاسم محمد المطوَّع وعبداللطيف عبدالله المنير". لو أنهما، قبل ثلاثين عاما، علما بما سوف تؤول إليه الأمور، أتراهما يموتان من أجلنا؟ أطرد تفاصيل زمنٍ ما جاء في ذاكرتي إلا وأخذني إليه، يعزلني عن كل شيء عداه، يفتحُ لي نافذة على أمسي، يُريني طفلا كنته، مسكينًا أشفقُ على حاله أمس، وحاله اليوم. أنتبه إلى صبي صغير، بـ دِشْداشَةٍ رثَّة وغترة يلفها بإهمال على رأسه، يقتعد كرسيا قرب النصب الرخامي. يبسطُ على الأرض قماشا يحمل بضاعة، مثل الباعة اليمنيين قبل سنوات طوال. أفتح زجاج نافذتي اليُمنى. ألوِّحُ له بعلبة سجائري الفارغة. يهرعُ إليَّ يحمل أنواعا. أختارُ واحدة. "ثمان دولارات"، يقول. أسلِّمه أربعمئة دينارًا. يسألني ممتعضا: "ما عندك دولار؟!". أهزُّ رأسي نافيا أنظر إلى دنانيري المسكينة. "الدينار طايِح حظ!"، يقول وهو يتسلَّم النقود يعدُّها صامتا. أمضي في قيادتي أتجاوز الشارع الدوَّار عند مفترق الطرق. ناحية اليسار مدرستي

الثانوية القديمة، ثانوية صباح السالم. كنت فخورا بانتسابـي لهـا. أول ثانوية مقرَّرات في الكويت. كنا كمن يجمع نقاط التميز لصالح منطقتنا. في السُّرَّة.. أول مدرسة ثانوية بنظام المقرَّرات تشبه الجامعة. في السُّرَّة أول سوق مركزي في دورٍ علوي تصعد إليه السيارات في مواقف مفتوحة. في السُّرَّة أول شارع مخصص لرياضة المشي، وأول منطقة ينتهي أحد شوارعها بجسر يربطها بمنطقة أخرى. أنظر إلى مدرستي الثانوية الآن تهزأ بذكريات لا تعترف بها. لا أعرفك يا أنتَ. أنا ثانوية جابر المبارك. لا أسألها كيف صرتِ، لماذا ومتى؟!

أتجاوز الثانوية ولا تتجاوزني ذكريات استفاقت للتوّ من غيبوبتها. عند أحد المنعطفات، في قطعة 3، حيث كنت أسكن، مدرسة متوسطة كان اسمها "النجاح"، ومثل كلِّ شيء في هذه المنطقة، تغيَّر اسم مدرستي إلى مدرسة حمود برغش السعدون، كما تقول اللافتة أعلى سورها. التحقتُ بصفوفها الدراسية عام 1987، قبل حوالي ثلاث وثلاثين سنة. أوقفُ السيارة أمام المدرسة لسبب أجهله. المكان مسرح لحدث سابق. واجهة السيارة أمامي، الخالية من زجاجها، شاشة تعرض صورا لزمن بعيد. هناك، بالقرب من مبنى محوّل الكهرباء سقطت لي سِنٌّ وبضعة أزرار من قميصي المدرسي الأبيض في مشاجرتي الأولى. أمرِّرُ سبّابتي على أسنان فكي العلوي أحصيها. فراغ جديد اكتسبته بعد حادثة اليوم. أمعن النظر في مبنى محوِّل الكهرباء. حرفا الـ F والـ H، والكلمات البذيئة، والرسومات الفاضحة التي أَلِفتُها تلميذا استحالت اليوم حروفا وبقايا كلمات، اختفى بعضها تحت أصباغ رشٍّ محايدة. أميِّز من بينها حربا

كلماتية؛ أم المؤمنين رغم أنوف الحاقدين؛ اللعنة على النواصب، الموت للروافض، وهابيّة، مجوس، وكلمات أخرى لم أتبينها. وباللون المحايد، في أماكن متفرقة على جدار مبنى محوِّل الكهرباء، صورٌ لفئران مشطوبةٌ بعلامة X، وتحذيرات بدأت تنتشر مع انطلاق مجموعتنا: "احموا الناس من الطاعون".. "الفئران آتية!".. ممهورة بتوقيع "أولاد فؤادة".

من أين للأماكن القديمة أن تحيي ذكرياتها المخبوءة في ثناياها بمجرد المرور بها؟ زمني الآن خليط! في ذلك اليوم، أثناء طابور الصباح، كنا في ساحة المدرسة، نرتجف من البرد في معاطفنا الكحلية. تتكثّف أنفاسنا نهتفُ للعلم: "تحيا الكويت.. عاش الأمير..". مثل كلِّ يوم. حدث شيءٌ مختلفٌ ذلك الصباح. سخر صبيٌّ ضخم من صادق أثناء هتافنا: "تحيا الأمة العربية". يسأله وهل أنت عربي؟! لم أفهم ما الذي كان يعنيه رغم إصراره: أنتم عَجَم! كنا نردِّد الهتاف سوية، أنا وفهد وصادق، مع زملاء الفصل، عَوَض اليمني وعبدالفضيل السوداني وحاتم المصري والفلسطينيين سامر وحازم وبقية التلاميذ. لا أتذكر من صادق سوى صمته واحمرار أذنيه. بعد رنين جرس انتهاء الحصة الأخيرة، بالقرب من المكان الذي أراه الآن، أسفل سور المدرسة، كانت مشاجرتي الأولى. كان ذلك شتاء 1988، وكان يوم ثلاثاء كما لن أنسى. سمعتُ أحدهم يصرخ بآخر: "حديقة الحيوان في العُمَرِيّة.. يا حيوان!". كنت قد تجاوزت البوابة، أسفل اللافتة "النجاح المتوسطة للبنين". التفتُّ إلى مصدر الصوت. الولد الضخم يصرخ بصادق، وصادق، كدأبِه، لا يتكلم

إذا ما انفعل. احمرار أذنيه يشي بما يعتمل في داخله. صبيَّان يمسكان بفهدٍ يعيقانه عن مساعدة صادق بعدما ألقاه الولد الضخم على الأرض. لم أتمالك نفسي إزاء رؤية صادق تركله الأقدام. تردَّدتُ في البدء، ولكن، منظر الدماء على قميصه دفعني لفعل شيء، أي شيء. أزحتُ تردُّدي جانبًا. ركضتُ نحوهم. رفعت قبضتي عاليا. أجفلت. أخفضتها. ألقيتُ بجسدي أرضا فوق صديقي. أحطته بذراعيّ. حلتُ دونه ودون الركلات. تلقيتُ، بدلا منه، الركلة تلو الأخرى. سقطت سِنّي. فقدتُ وعيي.

صبيحة يوم الأربعاء. في غرفة الأخصائي الاجتماعي المصري، في زمن كان لغير الكويتي وجود في هذا البلد الذي ما عاد فيه وافد عدا قوات حفظ السلام العالمية، تنتشر بقبَّعاتها الزرقاء، حول المنشآت النفطية وبعض المناطق المضطربة، وقوات درع الجزيرة، التابعة لما تبقّى من دولٍ لم تنشق عن مجلس التعاون الخليجي، تفض اشتباكات الفريقين المتخاصمين، وجماعات متطرفة وفدت إلينا من الخارج بعدما أشرعنا لها أبواب الداخل. أجاب الصبيُّ الضخم مبرِّرا بأن صادقًا قام بشتمِهِ أولا، قال له: مكانك ليس في المدرسة، مكانك في العُمَيريّة في حديقة الحيوان! عاجله الأخصائي بالسؤال، ألهذا كسرت ذراعه وأسقطت سِنَّ صديقه؟! لازَمَ الصبي صمته. ارتفع صوت الأخصائي مستنكرا: "عَلَشان حديقة الحيوان؟!". أجاب الصبي مطأطئا: "لأ". نظر إليه الأخصائي يستفهمه. أوضَحَ الصبي: "أستاذ دسوقي.. الحديقة في منطقة العُمريَّة". نوَّه إلى أن اسمها ليس كما يلفظوها هُم استهزاءً؛ العُمَيرية. سأله الأخصائي مَن

يقصد بِـــ هُم؟ لم يُجب الصبـــي. ارتفع صوت الأخصـــائي في وجهه يسأله إن كان من سكان العُمَرِيِّة أو العُمَيرية أو أيّا كان اسمها. هزَّ الصبـــي رأسه نافيا. مَطَّ الأستاذ دســـوقي شـــفتيه الغليظـــتين مستغربا. سأله بنفاد صبر: إذن! بمن كان زميلك يستهزئ؟

خلف مقود سيارتي، اليوم، أمام سور مدرستي قديمـــة البنـــاء جديدة الاسم، لا أزال أتذكّر، أُردِّد، من دون وعـــي، كالصـــدى، إجابة الصبـــي الضخم: "عُمَر.. عُمَر". لم أكن، في تلـــك السِّـــن، أدرك أن المعني هو ثاني خلفاء النبـــي. أهـــزُّ رأســـي، الآن، أطـــرد ذكريات أمقت استرجاعها. أديرُ مقوَد السيارة تاركا جـــزءا مـــن ذكرياتي، في مكانها، بالقرب من سور المدرسة الذي نسيتُ داخلـــه كل دروسي القديمة، حيث بقي الدرس الوحيد عصيّا على النسيان. درس تلقيته في الباحة الخارجية لمدرستي فاق تأثيره كل المناهج الـــتي تعلمتها في فصول الدراسة داخلها. أستعين بالنظر إلى اللافتة أعلـــى باب المدرسة. أوافقها. مدرسة حمود برغش السعدون. هذه ليســـت مدرستي القديمة. ليست النجاح. إن شيئا مما كنت أسترجعه للتـــوِّ لم يكن. أنا واهم. أريد أن أكون واهمًا. ألتفتُ حولي. تتكاثر البيـــوت على جانبيّ الطريق. ما عادت المنطقة تشبهها وقت كنت أســـكنها. قبل سنوات كنا، صادق وفهد وأنـــا، نقطـــع الســـكك الضـــيِّقة والساحات الترابية ذهابا وإيابا إلى المدرسة مشيا علـــى الأقـــدام. لم تكن هذه الرائحة الكريهة موجودة. اختفت السكك بـــين بيـــوت يسابق واحدها الآخر أيهما يبلغ السماء قبلا، والمساحات الفضـــاء والملاعب الترابية لكرة القدم التي أحفظ تفاصيلها، مثـــل وجهـــي،

استحالت إلى مبانٍ تجثم على صدر المنطقة. البيوت ذات الطابق أو الطابقين أصبحت ذات ثلاثة وأربعة وخمسة. بيوت ضيِّقة بلا أحواش. على هذا الرصيف كنا نجري، نلتفت إلى الوراء، بعدما استعدتُ وعيي، هربا من الصبية، أو خوفا من أن يلحقوا بنا، مخلفين وراءنا، على أرض الشجار، فوق الرصيف البارد، أجزاء منا.. سِنًّا ودماءً.. وكرامة.

لو أنني لم أترك منطقتنا القديمة، لربما صنعتُ فيها ذكريات أجمل. لي سنوات لم أزر خلالها حيّنا القديم. منذ تركنا بيتنا وأنا أتحاشى المرور هنا؛ خوفا من أن ألوِّث صورة جميلة أحملها في داخلي لمصنع طفولتي، صورة جميلة لماضٍ بغيض. تمنيت لو أنني أبقيت على قطيعتي مع السُّرَّة، خروجا بلا عودة، كمن انقطع به حبل السُّرَّة. كنت قد عاهدت نفسي، منذ انتقالي وأسرتي إلى الروضة، ألا أدخل منطقتي القديمة أبدا، وألا أزور شارعنا حزنا على مكان أحببته، لم يعد لي فيه بيت، وغيرة على بيتنا من أناس اشتروه من والدي، والتزاما بقَسَم والدتي بألا أدخل المنطقة. في هذه الزاوية، عند المنعطف المؤدي إلى حيِّنا القديم، كان محل الجزار السوري عدنان، ركنًا مطلاً على الشارع مستأجرًا في بيت العويدل. وهناك، على مبعدة شارع، في مجمَّع الأنبعي، يوم كان اسمه.. مجمَّع الأنبعي، في هذا المبنى الكبير المتهالك دكاكين عدّة تطل على الشارع، المطعم الهندي وصاحبه شاكر البُهري، مطعم الشاورما، حيث يدير جابر المصري سيخه أمام النار كما عودنا، يوم لحم ويوم دجاج، أو يوم "لحمة" ويوم "فِراخ"، يحضِّر أشهى سندويتشات معكرونة

بالكاتشب. يلومنا إن تجاوزنا مطعمه مُضيًّا إلى مطعم شاكر: "كِدَه بَرضُه تِشتروا من الواد الهندي الوِسِخ وتسيبو العربي؟!"، قاطعْنا شاكرا منذ ذلك العتب، ليس إيمانا بقذارة المطعم الهندي، بل تضامنا مع جابر العربي. بين المطعمين، شاكر وجابر، الهندي والعربي، كان البقّال الإيراني حيدر، والخياط والحلّاق الباكستانيّان سَليم ومُشتاق، ومكتبة البدور وصاحبها الكويتي العجوز العم بو فوّاز، وجهة صغار الحيّ لشراء مجلتيّ "الرياضي" و"العربي"، وقصص المغامرين الخمسة، وروايات إحسان عبدالقدُّوس المحرَّمة، رغم لوم البعض لصاحب المكتبة: "ما يجوز تبيع الخرابيط لبناتنا!". يكتفي بالرد دائما: "الحكومة ما تمنع!". وهنا، في هذا البيت، على ما أظن، كان محل غسيل وكيّ الملابس، دُكّان مستأجر في بيت قديم. استحال المحل اليوم إلى مرآب سيارات في بيت ضخم جديد يعلوه القرميد. لا أثر للمحل ولا عتباته الثلاث ذات البقع البنية التي يبصقها عَلامين البنجابي كأنها ماء صدئ. اسمه عَلامين، رغم اكتشافنا، بعد سنوات، أنه علي أمين! ولكنه بلهجته ينطقها على النحو الذي ألِفناه. لا أزال أتذكره بلون بشرته الأبنوسي وشعره الأشيب وجسده النحيل وإزاره المهترئ، وباسم قديم يشبهه، اختاره بنفسه، ولا يجيبنا إن ناديناه بغيره. عَلامين الذي كانت حروفه تعتلي باب المحل في لافتة كبيرة. "عَلامين لغسل وكيّ الملابس". محظوظٌ فَرَضَ اسما يشاءه. رحل. تركنا في بلاد تمسخ كل شيء باستبدال اسمه فور اكتسابه ذاكرة وهوية. مؤسف كل أولئك غادروا. يالشارعنا القديم المسكين! ما بالك لا تُشبهك؟! هنا، في رأس الشارع كان بيت

"الزَّلمات" كما كنا نُسميه صغارا. ليس غريبا ألا يكون موجـودا، فقد شهدنا اختفاء أهله زمن الخيبة. بيتٌ بائس يسكنه، في ما مضى، الشقيقان أبو طه وأبو نائل، مع زوجتيهما وعدد كـبير جـدا مـن الأبناء، وحده البيت القادر على تشكيل فريق كرة قـدم مـن دون الحاجة إلى آخرين. كانوا يشاركوننا اللعـب في سـاحات السُّـرَّة الترابية. نغلبهم تارة، يغلبوننا أخرى. منذ وُجِـدنا وبيتـهم في رأس الشارع، عائلة فلسطينية هاجرت من جنين. شـهدنا هجـرهم، أو تهجيرهم من الكويت لاحقا.. ولكن! عدا ذلك البيت، أيـن بقيـة الخليط الذي لوَّنَ شارعنا القديم؟ وكيف لفهد وعائلته أن يحتملـوا البقاء في هذا الشارع من دون روحه؟! أتوقف عند بيت فهد، لم يعد على هيئته التي أعرف، لم أكن لأتوقف أمامه لولا أمسَكَت نخلاتـه الثلاث عينيّ، إِخلاصة وسعمرانة وبرحيَّة، أو بنات كيفـان كمـا تسميها صاحبة البيت العجوز، نسبة إلى منطقة كيفان التي أحضـروا منها النخلات، حيث كانوا يسكنون بيتا قديما، قبل انتقالهم إلى بيتهم هذا. تحاذي بنات كيفان السور في مساحة صغيرة، خارج البيـت، كانت مزروعة يوما ما ثَيِّلا يغطي كامل المساحة. ماتـت نخلتـان، سعمرانة في المنتصف وبرحيَّة عن يسارها تجاه بيت صادق. طالهمـا الجفاف مثل أشياء كثيرة، يَبِسَ سعفهما وقوَّسَ الإهمال جـذعيهما. وفيما تبدو إِخلاصة ميتة هي الأخرى، ألمحُ الأخضر يلوِّن سعفا نابتا في رأسها. يبدو الأخضر في رأس إِخلاصة نشازا ودودا بين صُـفرة لحقت ببقية السعف المائل على الجذع. وراء سعمرانة، عند البـاب الأسود الحديدي، أرى اللوح المعدني العتيق، مثبتًا إلى سـور تقشَّـر

دهانه، بقيت حروفه مرئية رغم الصدأ والغبار: "منزل صالح آل بن يعقوب". وحده فهد وأسرته لم يتركوا بيتهم، الذي بقي والبيت اللصيق له، عن يساره، لم يتغيَّرا، بالطابوق الجيري ترابي اللون العتيق، والسِّدرة العجوز المائلة، مَسْكَن الجن، تخترق سور البيت الجانبي المشترك. تضرب جذورها في عمق الأرض، تنحني، تلقي بجزء من ظلالها في بيت فهد، وجزء آخر في بيت صادق المهجور. البيتان قطعة من الأمس لم تُمسّ، بانوراما خرساء تجمع أزمانا في زمن مسخ. لم يتغيَّر شيء، لولا نوافذ بيت فهد التي استسلمت لقضبان الألمنيوم، وسوره الذي ازداد ارتفاعا، وما حلَّ بنخلاته الثلاث. هنا، في بيت قريب من البيتين، يلاصق بيت آل بن يعقوب، عن يمينه، بالقرب من اِخلاصة، لم يعد موجودا الآن، أعني، لم يعد باقيًا على شكله القديم وناسِهِ الأوَّلين، ركلتُ الباب قبل سنوات طويلة. أطبقته وأسندتُ ظهري إليه لِئلا يدفعه صبيةٌ خشيتُ أن يلحقوا بنا. حرَّرتُ كتفيّ من ثقل حقيبتي المدرسية. أخذتُ أنادي بأعلى صوتي: "يُمَّه.. يُمَّه!". كانت قد عادت من عملها للتوّ. شهقت إزاء ما رأت؛ هيئتي المتربة وقميصي المفتوح وفمي الدامي. مسحتُ فمي بظهر كفِّي لاهثا: "يُمَّه.. اِحنا شِيعة والا سنَّة؟".

***

يحدث الآن 12:31 PM

أترك سيارتي محاذاة بيت فهد. أترجَّل حافي القدمين نحو بابه الصدئ. باب متآكل في مثل عمري فهل أكون؟ ها أنا أمام البيت، يختل بي الزمن. أمر غريب. كيف نمرُّ، في زمن حاضر، مكانا تركناه في زمن بعيد، تتوارى السنوات بين الزمنين، نعود صغارا كيوم تركناه. أنتبه إلى ما يستفزُّ حاسة الشمِّ لديّ. للماضي رائحة! ووحدها الروائح قادرة على الوفاء للمكان زمن التخلي. أتُراها الخالة عائشة قد غسلت حوش منزلها صباح اليوم كما كانت والدة زوجها تفعل؟ هي لم تفعل، مثل أمي حِصَّة، قط. أتراها مازالت تحارب النسيان بكاميرتها الـ Polaroid الفورية تُخلِّدُ صور الفانين؟ أو توثِّق كلَّ مناسبة بكاميرا الفيديو الـ HITACHI القديمة. تنتقم من موتٍ سَلَبَ والدها، بحادث سير في البصرة، قبل ولادتها، من دون أن يترك لها صورة عدا واحدة في أوراقه الثبوتية، شابا لا يشبهه كبيرا؟ أتراها لا تزال تردِّد أغنية شعبية قديمة: "وين راح أبوي.. وين راح أبوي؟ راح البصرة.. راح البصرة!". أهي ساخطة على كل شيء كما كانت، أم أنها تخلَّت عن مزاجها القديم بعد نيلها ما كانت تصبو إليه طيلة سنوات؛ في أن يكون لها بيتها الخاص؟ ها هو البيت وقد آل إليها بعد رحيل أمي حِصَّة. لا رائحة لقفص الدجاجات القديم. أتذكر قولها: "أستحي أستقبل ضيوفي في بيت يربي الدجاج!". ما عادت تخجل

الآن بعد اختفاء الدجاجات وصاحبتها. حسنٌ أنها لم تقتلع السِّدرة العجوز، ربما صدقت أمي حِصَّة: "الجن يحرس مسكنه". ربما استجاب الله إلى دعائها كلما مرَّت قرب شجرها: "سَكِّنهم مساكنهم". الجِنُّ أوفى للمكان منا لا شك! الرائحة هنا ماءٌ مشبَّعٌ بغبار، وتربة مبتلة، وثمار نبقٍ طازجة، رغم مضي خمسة شهور على موسمها! كيف للرائحة أن؟ أودُّ لو أتجاوز هذا السور الذي ما عدت أرى ما يخفي وراءه. أستلُّ نَفَسا عميقا. روائح قديمة محببة تقاوم النتن الساكن مثل غيمة كثيفة أبت أن تبرح مكانها. لا أميز روائح حقيقية وأخرى تنثُّها الذاكرة. الأكيد أن سَمَكا يُطهى في مطبخ آل بن يعقوب. هذا الزفر، والقطط الكثيرة حول البيت، يذكِّراني باتصال فهد بأمه قبيل فجر اليوم: "يُمَّه.. مِشتهي مطَبَّق سمك".

وراء هذا السور كانت لنا حياة تضج بالحياة. ياه! وحدها ذاكرة الطفولة موشومة في الوجدان وكل ذكرى عداها عابرة. أُحِسُّ بي، أمام سور البيت، طفلا في عاشرته. كان السور أوطأ من هذا الذي أراه الآن بكثير. نصفه أو أقل. لون جديد يشي بجِدَّة الجزء العلوي منه، يشهد على تحوّل زمنٍ بين الـ ما قبل والـ ما بعد. صباحات أيام الجمعة، الشتوية منها بالذات، كانت أقصى ما نتمناه نحن الثلاثة، صادق وفهد وأنا. كان حوش بيت العم صالح، والد فهد، جنتنا الصغيرة. بودّي أن أدفع الباب، ولكن، الخوف.. تبًّا لسطوته. في سنوات بعيدة كنت أُقعي، في دور مكرور، أمد كفَّي الصغيرتين داخل الشِّق الأفقي أسفل الباب، أعالج المزلاج الحديدي المثبَّت في ثقبٍ أرضي. أنتصبُ واقفا. أدفعُ الباب على مصراعيه بكل سهولة. اليوم،

ترى كم مزلاج وقفل وسلسلة وراء هذا الباب؟ بسبَّابة مرتعشة أضغط مكبس الجرس. يتناهى إليّ صوت صرير الباب الداخلي، يتبعه صوت خطوات أشبه بصوت احتكاك مكنسة سعف على الأرض. لولا وفاة أمي حِصَّة، جدة فهد لأبيه، لقلت إنها من يجرُّ خطواته خلف هذا السور، لكنها رحلت مخلفة وراءها بيتها العتيق وسِدرتها الأثيرة و.. نحن. يتوقف صوت الخطوات. في الشِّق الأفقي أسفل الباب جزء من ظِلٍّ مضطرب يشي بوجود أحد ما. أطرق الباب الحديدي بيدي. "منهو؟"، يبادرني صوت خالتي عائشة، من وراء الباب، واهِنًا مرتبكًا خلال طرقاتي. أسألها بصوت لا يشبه صوت طفل العاشرة الذي خلتني لا أزاله: "خالتي أم فهد؟ هذا آنا..". وكأنني أفتح أبواب الجحيم بلفظ اسمي: "خالتك؟! تخلخلت عظامك يا ولد السُّوْ.. ما جانا منكم إلا الشقا وحرقة القلب..". لعنات وسباب تختمها بسؤال كالسؤال الذي ساقني إلى بيتها: "وين فهد.. وين راح ولدي.. وين راح ولدي؟". أبتلع سؤالي أبحث عن جواب كنت أنتظره منها. تقول إنه كان في طريقه إلى البيت في الرابعة فجرا ولكنه لم يعد. أسألها متجاوزا: "وين عمِّي صالح؟". أنصتُ إلى خطواتها الثقيلة تكنس بلاط الحوش مبتعدة: "عمك صالح؟ الله لا يصلح لك حال.. ولا يزيدك مال..". تستأنف وصلة اللعنات قافية: ".. ولا يبارك لك عيال.. يا زرع الشر يا أسود الفال". كان صوتها مرتفعا. ليس هناك من يردعها بعد رحيل أمي حِصَّة: صوتك يا عايشة! أنتِ في البيت، وفِّري صراخك للبنات في المدرسة! يختفي صوتها مع ارتطام الباب الداخلي. يعود السكون، وتبقى الروائح والأصوات القديمة تزيل عن

أذنيّ ما علق بهما من لعنات. أدير ظهري للبيت أنوي الذهاب إلى مكان لستُ أدريه. الباب الداخلي يعاود صريره. أرهفُ السمع. ما أعود أميّز بين صرير الباب ونحيب خالتي عائشة في الداخل. يرتفع صوتها: "قلبي قارصني يا صالح!". يقلقني أن أستشعر حزنًا في صوت هذه المرأة، وها أنا الآن أستمع إلى نحيبها! ماذا يخبئ الوقت لفهد، وما الذي يدفع أمه إلى البكاء على هذا النحو؟ أتذكرها إذا ما أقلقها شيء تخبرنا بأن قلبها يقرصها، وما قرصها قلبها ساعة إلا وكشفت الساعة التي تليها عن مصيبة. لطالما استغربتْ أمي صدق حدس زوجة ابنها صالح. خلعت عليها لقبًا: "الساحرة!".

يُفتح الباب الحديدي كاشفا عن عمّي صالح هزيلا بالكاد أتعرَّفه. لُغده الممتلئ صار كيسا جلديا مهترئا. أنفه المعقوف يبدو أكبر مع ضمور وجهه. شاخ كثيرا. يبدو أكبر من سنواته السبعين. بات صورة عن أمه حِصَّة رحمها الله، ما تركت له الأيام شعرة سوداء في جانبي رأسه الأصلع أو لحيته القصيرة لتذكره بشبابه. يقف أمامي ذابلا بـ دِشْداشَتِه المنزلية المقلَّمة الواسعة. لا ينظر إلى عينيّ. يسدِّد نظرته إلى قدميّ العاريتين. أندفع نحوه لأقبِّل جبينه. يمدُّ كفَّه مبسوطة أمام صدري يقول: "مكانك!". يتفرَّس ملامحي. لعل آثار الكدمات صورت له مصير ابنه. يُسدِّدُ سبَّابته نحو وجهي يهزُّ رأسه: "هذا ثمركم يا زرع السبخة.. هذا زرعكم يا عيال فؤادة!". ألوذ بصمتي. يردف قبل أن يطبق بابه: "لو راح فهد.. دمه وضياع عياله في رقبتك".

***

الفصل الثالث

الجهل بالشيء نعمة في بعض الأحيان. والطفل في لهجتنا "جاهل" ونحن، الجهَّال، كنا نعيش هذه النعمة؛ نعمة اللاأدري. كبرتُ قليلا وانشغلت بأسئلة ممنوعة. ربما لم أكن في حاجة إلى إجابات لها بقدر ما كنت في حاجة إلى لفظ السؤال والتحرُّر منه، أو الشعور بتفاهته من خلال ردِّ المسؤول. كنت في الابتدائية. أسأل عن كل شيء. أزعجتُ والدتي بقبيلة أسئلة؛ كيف ولماذا وهَل وأين ومتى. أتذكر الأستاذ مُرهف السوري بعينيه الجاحظتين، لاحقا في مدرسة النجاح، ينصحني بألا أُكثر الأسئلة، الدينية على وجه الخصوص. يقول امتعاضًا من أسئلتي إنني كمن يعبثُ بصناديق لا يأمن أحدٌ محتواها. "السؤال، يا بُنيّ، صندوق، وبعض الصناديق تبتلع أخرى. ما حاجتك لأسئلة كهذه؟"، يقطع أسئلتي الـ عيب والـ حرام على حدِّ وصفه. وإذا ما ألححتُ أواصل، مستمدًّا جرأتي من كلمة بُنيّ في حديثه، يقاطع: "يُفتح الصندوق في أوانه!". لا أتوقف عند قوله. أسأل. يصرخ: "لَكْ ما بيصير!". أرفع يدي متعهدا بأن يكون سؤالي الأخير. يقذفني بقطعة طبشور: "لَك خلاص.. بدنا

نشوف شغلنا!". أمسح جبيني أزيل أثر رصاصته البيضاء. يلين. يسمح لي بنفاد صبر: "آخر سؤال". أسأله هل الإنسان في أصله قرد، أم القرد في أصله إنسان؟ تجحظ عيناه أكثر. أتبرأ من سؤالي: جارتنا أمي حِصَّة تقول إن القرد كان في الأصل إنسانًا! ينزعج فهد لأنني ذكرتُ اسم جدَّته على الملأ. يعضُّ الأستاذ مُرهف لسانه. يصرخ بي: "اِصطفل مِنَّك لَمعلم التربية الإسلامية.. العمى شو نَقَّاق!". ينتهي بي الأمر واقفا ووجهي إلى الحائط الخلفي، مادًّا ذراعيَّ إلى الأعلى. ألتفتُ إلى صادق، المشغول بالرسم على طاولته في صفِّ المقاعد الأخير. أهمسُ له: "اضغط الزِّر!". يضغط الزِر، ولا يختفي الأستاذ مُرهف!

في الابتدائية كنتُ، أتوقف عند أمرٍ غامض وآخر مبهم. ألجأ إلى والدتي. أشاهد إعلانات الفوط الصحية في التلفزيون أو المجلات. لا أحصل على إجابة شافية منها حين أسأل في حيرة: "ليش الحريم يلبسون بامبرز؟!". لا يشغلني الأمر كثيرا بعد تحرري من السؤال بلفظه، وبعد تورط والدتي وتلكؤها في الرد واحمرار وجهها. لا تُعنِّفني، كما سيفعل الأستاذ مُرهف بعد سنوات، لتزيد فضولي حول فداحة السؤال وخطورة جوابه، بما يدفعني إلى الإصرار على معرفته، أو إلحاح رغبتي في إدراك سبب خطورته على الأقل. كل الأسئلة التي تخص الأنثى، الجسدية والجنسية منها بالذات، ماتت فور لفظها بسبب افتعال والدتي لا مبالاتها. كيف تَحبَل المرأة؟ لماذا بعد الزواج وليس قبله؟ ماذا يعني الرَحِم الذي سمعتُ عنه أول مرَّة في بيت جيراننا؟ ولماذا لا تَحبَل خالتي عائشة بعد عملية إزالته؟ رأيت ديك

أمي حِصَّة يفعل! من أين تخرج بيضة الدجاجة؟ وحده السؤال، غير الجنسي، الوليد بعد مشاجرة المدرسة تعذَّر عليه مغادرة رأسي بسبب انتفاضها حين أقسمتْ، بالله الذي رفع السماء: لولا الدماء في فمك، لصفعتك على شفتيك! أطلقتْ قَسَمها وهي تمدُّ لي كأس الماء بالملح لأتمضمض وأوقف نزيف سِنِّي الساقطة. كنت معها في غرفة الجلوس. في زيّي المدرسي، أسند ظهري إلى الباب لا أزال بقلب ينتفض بعد مشاجرة المدرسة. أردفتْ تهزُّ سبَّابتها: "اِنت مسلم وبس.. ما يكفيك؟!". كانت قد شكتني لوالدي. وبَّخني وهدَّدني بقطع المصروف من دون أن يُفهمني سببا لخطورة سؤالي. والدي لا يملك ما يعزِّز سلطته سوى تهديده هذا، قطع المصروف وعدم اصطحابي إلى "ألعاب الوليد" و"مركز نحن والأطفال" نهاية كل شهر. دفعني فضولي لاستراق السمع بعدما أغلقا باب غرفتهما. ألصقتُ أذني على الباب الخشبي كعادتي. دار حديث جِدِّي بينهما زاد حيرتي حيرة، ما كان يجب عليكِ الانفعال.. جَهَّال.. الكويت كانت.. ما عادت.. قبل بعد.. منذ الثورة الإيرانية.. ثم الحرب العراقية. أقفلتُ عائدا إلى غرفتي لا أجد تفسيرا لتشنجهما على هذا النحو، ولا أدرك معنى لكلماتهما التي تشبه نشرات الأخبار. لا أفهم ماذا تعني ثورة. خمَّنتُ: "يمكن.. زوجة الثور؟". منذ ذلك اليوم والأمر يلفُّه غموض. لا ألفظ اسم أي طائفة من الطائفتين خشية صفعة تورِّمُ شفتيّ. في تلك السِّن حسبتُ أن كلتا الطائفتين لا تنتمي إلى الإسلام. كبرتُ وفهمتُ عكس ذلك. كبرتُ أكثر، ومع ظهور المتطرفين، هنا وهناك، أصبحتُ أشك في ذلك.

صباح الخميس، بعد يومين من حادثة فقدان السِّن، ذهبتُ باكرا إلى بيت عمِّي صالح. رأيت الصبي الإيراني، ابن حيدر البَقَّال، بسرواله المُقلَّم، منصرفا للتوّ يعد نقودًا أمام باب البيت. حيَّيته وأنا أفكر في الممنوعات التي يحصي ثمنها. أزحتُ مزلاج الباب الحديدي من الخارج، انطلقتُ جريا إلى غرفة الجلوس. صوت التلفزيون مرتفعا يستفز الهدوء في حوش البيت، وهو ما يعني أن العم صالح غير موجودٍ في بيته، وأن فوزية، عمَّة فهد، وحدها في غرفة الجلوس. توقفتُ عند عتبة الباب. أحذية وأنعل بعضها مقلوب على ظهره، وهذا دليل على أن أمي حِصَّة ليست في البيت. رغم صعوبة حركتها لا تكفُّ تنحني، تسندُ كفَّيها إلى ركبتيها تتنهد، إذا ما رأت نعلا مقلوبة في الحوش أو عند عتبة الباب. تعيدها إلى وضعها الطبيعي. "يُمَّه حِصَّة! ليش؟"، كنت أسألها. تشير بإصبعها إلى السماء من دون أن تنظر إليها رهبةً. تجيب: "أستغفر الله". أتخيل الله، في حدود وعيي، فوق عرشه في السماء من دون أن أرفع رأسي. أطأطئ هامسا: "أستغفر الله". تمسِّدُ على رأسي: "عَفيَه على وليدي".

رحت أعيد الأحذية والأنعل المقلوبة إلى وضعها الطبيعي. أوجه باطنها إلى موطن الشيطان، ذلك الذي كنت أخافه، أهينه مستمدا جرأتي من الله عبر تصرفات أمي حِصَّة. لعينٌ لا عمل له سوى مطاردتي. خبيثٌ فاسدٌ لئيم، كانت تقول. إن أنا أهملتُ قصَّ أظفاري سَكَنَ تحتها. يأكل من طبقي إن نسيتُ ذِكر الله على المائدة. يدخلُ معي أي مكان أدخله بقدمي اليُسرى. يستقبلني في

الحمَّام إن دخلتُ بقدمي اليُمنى. ينسلُّ مع الهواء إلى باطني إن تثاءبتُ دون أن أحجب فمي بكفّي. يبول في أُذُني إن نِمتُ عن صلاة الفجر. كنتُ أحتاطه في كلِّ شيء عدا فعله الأخير. أظنه فعلها كثيرا. كنتُ، إذا ما أيقظتني الشمسُ، أنهضُ إلى الحمَّام مسرعا أدُسّ إصبعيَّ في أُذُنيّ، مُتقزِّزا، أدعكهما بالماء والصابون. أقضي صباحي مستغفرا.

تجاوزت عتبة الباب. في الممر المؤدي إلى الداخل كان في استقبالي، كالعادة، الرئيس العراقي، بطل القادسية، أبو عُدَّي، أو الرَيِّس كما يحلو للعم صالح، آنذاك، تسميته، يرتدي بذلة سوداء في صورة بإطار مُذَهَّب معلقة إلى الجدار بين مزهريتين كبيرتين لريش طاووس، تحيط إطارها نبتات متسلقة. قصاصات جرائد لتصريحات وزيريّ الدفاع والخارجية، حفظتها عن ظهر قلب، ألصقها صاحب البيت المهووس بالشعارات أسفل الصورة. جريدة الوطن: "وزير الخارجية: الكويت تدعم العراق علنا". جريدة الرأي العام: "الكويت ترفض القواعد الأجنبية".. "وزير الدفاع للأميركيين في واشنطن: حلّوا عن سمانا وبحرنا".. "مؤكّدا دعم جميع الدول العربية للكويت، وزير الدفاع: لن نوقع أي اتفاق لمنح قواعد أجنبية وتسهيلات عسكرية". تجاوزت الممر نحو غرفة الجلوس. تاركا وراء ظهري جدارية عمِّي صالح. وجدت فوزية تتكئ إلى مسند، منسجمة، تتابع نفسها صغيرةً على شاشة التلفزيون، في أغنية وطنية شاركتْ بها في احتفالات وزارة التربية في فبراير 1981. تردِّد الأغنية، "أحلى السوالف"، مع الفتيات الراقصات على الشاشة بصوت خفيض:

"بنقول لكم سالْفَهْ، وللسامعين كافّهْ، أحلى السوالف..". حلوة فوزية، في شاشة التلفزيون كما هي في غرفة الجلوس. لم أمنحها اعترافا قط، هي ليست في حاجة إليه، بأنها تتخذ في مخيلتي صورة فراشة وردية تحلّق في حدائق الأغنيات والبهجة. انتبهتْ إلى وجودي من دون أن تلتفت نحوي. دسَّت قطعا من الشوكولاتة، كانت في حِجرها، أخفتها أسفل المسند. كنت أستغرب إدمانها الشوكولاتة وهي فتاة تقتلها الحلويات. لو أن أمي حِصَّة تعلم بتواطؤ ابن حيدر البقّال! تقدَّمتُ إلى خزانة التلفزيون الخشبية. خزانة خشبية متينة مزخرفة. في كل مرة أزور فيها بيت عمّي صالح أجد صورة فورية جديدة لفهد، إلى جانب صوره القديمة، ملصقة على باب الخزانة. ألقيت نظرة على الصورة الجديدة قبل أن أجلس إلى جانب فوزية. ولأنها تكبرنا بستّة أعوام فقط، كنت أناديها باسمها: "السلام عليكم فوزية". لم تحفل بتحيتي وكأنني غير موجود. واصلت غناءها وهي توجّه سبّابتيها إلى أذنيها: "تعالوا سمعوها.. وأمانة حِفظوها..". هكذا كانت، تتجاهلني إن لم أسبق اسمها بـ عمّتي، وإن كان فهد مكرها على ذلك، فلأنها عمته، أما أن تكون لي عمّة في السادسة عشرة! مددتُ كفّي أمام وجهها أحولُ بين نظرها والتلفزيون. لم تكترث. أخذتُ أمشي أمامها جيئة وذهابا أتعمّد مناكفتها. عيناها ثابتتان نحو الشاشة وكأنني كائن شفّاف. دنوتُ بوجهي إلى وجهها بعينين حولاوين وابتسامة واسعة تنقصها سِنّ. زمَّت شفتيها على ابتسامة مُلِحَّة. رفعتُ دِشْداشَتي إلى ما دون ركبتي، أميل برأسي يمينا ويسارا، أقلد رقصات الفتيات في التلفزيون. أردِّدُ بصوت عالٍ ما تقوله

الأغنية عن الكويت: "هي عندنا اِسديرهْ.. اسمها أم الخير.. والمـولى من خيرهْ.. عطاها كل الخير..". أسندتْ ظهرها إلى الأريكة تقهقه. تدريني أقوم بتقليد رقصاتها بين الفتيات في حفل العيد الوطني. ربَّتت على الأريكة تطلب مني الجلوس لتحدِّثني عن الأوبريت. جلستُ إلى جانبها، أشير بسبّابتي نحو شاشة التلفزيون، متهكما: "خلّيني أسولف لك عنك في الأوبريت هالمرَّة!". كانت، متهللة الوجه، تشاهد نفسها بين عشرين فتاة بفساتين وردية منفوشة. تعلو رأس كل واحدة منهن وردتان وشرائط بلون فساتينهن. "كـان عمـرك تسـع سـنوات يا فوزية..". لم تمهلني أكمل. ارتفع صوتها تزجرني بتسمية تخصّـني بها: "كتكوت!". قالت من دون أن تبعد عينيها عن الشاشة. أتمَّـت: "آنا مو أصغر عيالك!". تداركتُ: "يا عمتي فوزية". هزَّت رأسـها كمن حقق انتصارا. واصلتُ استعراض ما لقنـتني إيـاه: "في عيـد الاستقلال العشرين، كان عمرك تسعة، اختـاروك مـن بـين..". قاطعتني: "بس كافي! حفظت الدرس تمام يا ولد!". مددتُ لسـاني. أعاود رقصاتي الغبية. استطردتْ وهي تنظر إلى عينيّ حانقة: "كـل الكويتيين يعرفون البنت الحلوة في التلفزيون.. مسكين اِنت من يدري عنك يا كتكوت؟!". أجبتها مواصلا رقصي الأبله بأنها حلـوة لأن دماءها مليئة بالسُّكَّر. لم ترد. رأيت سخافة مُزحتي على ملامحهـا. جلستُ إلى جانبها أحدِّقُ في وجهها يعتصرني ندم. ذلـك الوجـه يُشبهه يوم كان طفلا على التلفزيون. لم تتغيَّر فوزية كثيرا غير أنهـا غدت امرأة بحسٍّ طفولي لم يغادرها. أتذكر عينيها الواسعتين وبشرتها السمراء وشعرها شديد السواد يغطي ظهرها كاملا يجاوز مؤخرتها،

كما تصِفه أمي حِصَّة. فوزية تغضب إزاء الوصف: "قـــولي تحـــت ظهرها.. يُمَّه!". أتذكر أنفها الدقيق، تصفه أمها بــ "سلّة ســـيف". ما جعلني لا أفوِّتُ فرصةً أناكفها، أحمل سيفا بلاستيكيا أُقرِّبـــه إلى أنفها: "تبارزين؟!".

لم يكن لدى فوزية شيء تحكيه سوى مشاركتها في الأوبريـــت الوطني إياه، وظهورها في التلفزيون مع أخريات تم اختيـــارهن مـــن مدرسة إشبيلية الابتدائية، وقت سَكَن آل بن يعقوب بيتًا قديمًا يقابل مسجدًا دَرَجَ الناس على تسميته بمسجد بن عبيدان نسبة إلى إمامـــه، في شارع إشبيلية، قبل انتقالهم من كيفان إلى السُّرَّة. شـــارعٌ تخالـــه يقطع مروجًا خضراء مزهرة وأشجارًا مثمرة وبحيرات تطفـــو علـــى بساط أخضر إذا ما تحدَّثت عنه الفراشة الوردية. تصرُّ فوزية دائمـــا: "كيفان أحلى من السرّة!". تغيب في حـــديثها تســـتعيد ذكريـــات منطقتها القديمة؛ حديقة الأندلس، مدرسة إشبيلية، مسرح المســـعود، وصوت الإمام بن عبيدان يتلو القرآن في المسجد مقابل المســـرح. لم آبه يوما بحديثها وأنا أرى مناطقنا تتشابه في كلِّ شيء عدا أسمائهـــا. أمي حِصَّة دائمًا تجيب ابنتها مثلاً شعبيًا إذا ما راحت تبالغ في وصفِ كيفان: كلُّ بلدٍ في عين أهله مصر!

رغم حظوظ فوزية الوفيرة بالظهور في برامج تلفزيونية مشهورة مثل "ماما أنيسة والأطفال"، و"الفنان الصغير"، و"مع الطلبة"، فـــإن ظهورها في الأوبريت الوطني، ممثلةً مدرستها القديمة، كان مغـــايرا. تعتزُّ به كحدث فريد، لأن أمير البلاد كان حاضرا في صفِّ المقاعـــد الأمامي. سوف تتعلق بذكرياها القديمة أكثر حينما يقـــف أخوهـــا

صالح، بعد سنوات، ضد إكمال دراستها عقب المرحلة الثانوية. يجنبها مخالطة الذكور في الجامعة. نعرفه شديد الغيرة على نساء بيته. كان حُلم شقيقته أن تتخرج في الجامعة بمُعدَّل عالٍ، كي تحظى بمصافحة أمير البلاد الذي يرعى حفل التخرّج كل سنة، إلا أن شيئا من أحلامها لم يتحقق بسبب عناد شقيقها صالح، وبسبب ما حلّ بها لاحقا. أمي حِصَّة ذاتها لم تستطع أن تُثني ابنها عن قراره حين اتخذه قاطعا: "مكانها البيت!"، في حين لم يمنع زوجته، خالتي عائشة، عن العمل في التدريس، مبرِّرا بأن عملها في مَدرسة بنات غير مختلطة. دائما ما تردِّد فوزية، في غياب شقيقها الأكبر: "أسد عليّ.. دجاجة مع زوجته!". أمي حِصَّة توليها اهتماما غير عادي: قليلة حظ.. يتيمة أب.. هدَّها المرض. سألتُ فوزية فور انتهاء الأغنية في التلفزيون عن فهد. أجابت: "بعده الحارس الأمين نايِم". كان عمِّي صالح وزوجته وأمّه في مزرعتهم في منطقة الوَفرة. وكانت فوزية لا تحب الذهاب إلى مزرعة لا شيء فيها عدا الخيار والبصل والخس والطماطم: "لا حمَّام سباحة ولا حيوانات أليفة.. هذي جَبرة مو مزرعة!". تواصل تذمرها على وقتٍ يهدره أصحاب البيت في جلب بعض الخضراوات والفواكه من المزرعة بدلا من جلبها من جَبرة الخضار في الشويخ!

ولكي لا تبقى فوزية في البيت وحدها، كان لابد أن يبقى ابن شقيقها، بأمر من أبيه، رقيبا عليها في البيت أثناء غياب البقية. عادت إلى شرودها مع التلفزيون. سؤالي المؤجل، قَسرا، عاد يلحُّ داخل رأسي. نبهتها: "فوزية!". حدجتني نظرة مستنكرة. ضربتُ جبيني بكفِّي أُصحِّح: "أقصد.. عمتي فوزية". أجابت: "نعم". تحسَّستُ

شفتيّ أستعيد تهديد والدتي. ماذا لو سألتُ فوزية إلى أي طائفة ينتمون؟ أتراها تصفعني على شفتيَّ؟! ألبستُ سؤالي ثوبا يجنبني الوقوع في مأزق.

- "حديقة الحيوان.. في أي منطقة؟".

أجابت على الفور:

- "العُمَرِيَّة.. ليش تسأل؟".

ظننتُ أنني اكتشفتُ، بحيلتي، إلى أي مذهبٍ ينتمي بيت العم صالح. سألتها:

- "العُمَرِيَّة أم العُمَيرية؟".

قالت من دون اكتراث:

- "عُمَرِيّة عُمَيرِيّة.. وين الفرق؟!".
- "آنا أسألك عن الفرق".

أطرقتْ تفكر بصوت مسموع؛ ربما في لافتات الشوارع تُكتب بالفصحى "العُمَرِيَّة"، وفي اللهجة الدارجة "العُمَيرِيَّة". تقول إنها ليست متأكدة، ولكنها، على أي حال، تلفظها بالطريقتين.

وجدتني بلا إجابة شافية بعد أن حسبتني قد توصلتُ إليها. انتظرتُ فهدًا مدَّة طويلة في غرفة الجلوس، ولكنه لم يظهر في ذلك اليوم. تململت فوزية في جلستها بعد انتهاء الأغنيات الوطنية في

التلفزيون. شرعتْ تغني: "شَلُّوح مَلُّوح.. اِللي يدّل بيتهْ يروح". كانت تطردني بلطف. تجاوزتُ سخافة لطفها. سألتني إن كنت سأطيل البقاء. كانت مرتبكة. أجبتها بأني لن أبرح مكاني قبل أن يصحو فهد. أطلقتْ زفرة تخفي تذمرها. أزاحت، من تحت مرفقها، مسند الممنوعات التي أحضرها ابن حيدر البقّال. نظرت إليَّ بابتسامة ودودة. التقطتْ كتابا كانت قد أخفته أسفل المسند مع قطعتي شوكولاتة "آرو" و"كَكاو أبو أسد". بادرتْ وهي تمدُّ يدها إليّ بقطعة: أنت لن تخبر أمي بهذا. لوّحت بقطعة الشوكولاتة. تسدِّدُ نظرةَ رجاء إلى وجهي. هززتُ رأسي موافقا. تقاسمتْ معي حَلواها في حين كنت أنظر إلى الكتاب بين يديها. لستُ في حاجة إلى أن أخمِّن: "إحسان دَقُّوس.. صح؟"، سألتها ساخرا. أجابت مرتبكة تصحِّح: "عبدالقدُّوس.. لا تذكر اسمه عند صالح". هززت رأسي متفهما جدِّيتها إزاء حساسية شقيقها تجاه قصص حبٍّ ممنوعة تُفسِد العقل والأخلاق والسلوك. تركتني فوزية ترتقي السُلَّم إلى غرفتها وهي تغني كالغائبة عن وعيها:

"ونحن أبناء الكويت الرائدة.. طريقنا نحو المعالي صاعدا".

***

يحدث الآن 12:36 PM

"لو راح فهد.. دمه وضياع عياله في رقبتك".

ما زالت كلمات عمِّي صالح تتردَّد في رأسي. أطبقُ باب السيارة. لا أدير محرّكها. أسند رأسي إلى رأس المقعد. أعاود الاتصال بهما، صادق وفهد، أولهما جهاز مغلق لا يزال، والثاني جهاز ردٍ آلي عنيد يُملي عليّ أوامره بترك رسالة. أي رسالة وقد فات أوان الرسائل؟! أطوف ببصري أمسح شارعنا القديم. بيت صادق يكاد يكون أثريا. مهجور منذ ستة عشر عامًا، منذ تركه أصحابه لصالح بيت جديد في الرميثية. طبقات غبار نزل عليها المطر أحالها طينا جَفَّ على الأرض وأعلى السور والعتبات الثلاث أمام الباب. سلاسل قديمة صدئة أسفل مظلات السيارات، وعبارة "مواقف خاصة" لا أزال ألمحُ أثرها على السور، قيل إن عمِّي عبَّاس كتبها على سور بيته ثاني أيام عزاء آل بن يعقوب عند وفاة صاحب البيت العجوز في تفجيرات المقاهي الشعبية. ضاق ذرعا بزحمة المعزين لدى جاره. أحاط المساحة أمام بيته بالسلاسل. كَتَبَ صراحة: مواقف خاصة!

أمكث في سيّارتي وسط شارعنا القديم. أدير مؤشر المذياع لعل شيئا يُذكر عن حادثة اليوم. إذاعة الكويت تبُثُّ أغنية "الله يا الأيام" لعبدالكريم عبدالقادر. أتذكر فهدًا المعجب به طفلا والمجنون به

مراهقا. لماذا هو من بين كل المطربين؟ كنت أسأله. يجيب بأن عبدالكريم يغني له وحده. كان يصفُ كل أغنية بأسلوب لا أفهمه. يرى في كل واحدة لونا وموسما ورائحة ومذاقا. يسألني عمّا أراه أثناء استماعنا. لم أرَ شيئا قط. لون هذه أزرق سماوي، تلك بيضاء قطنية، أخرى ترابية بلون سماء مغبرة، أو حمراء بلون أُذنيّ صادق. هذه شتوية، وتلك ربيعية ملوَّنة، وأخرى قائظة مثل يوليو.. مالحة، حلوة، مُرَّة، حاذقة مثل أچار جدَّته، أو عطرية مثل قهوة عربية. أناكفه، إذا ما انتهى من وصفه، أسخر من مطربه الأثير. لا يحتمل. يُنهي حوارنا موجِّها سبَّابته إليّ: "حيوان!".

اليوم، أسترجع جملة فهد أمام بيته القديم. أجدها تناسبني أكثر، رغم عجزي عن توصيف لونٍ للأغنية في خلفية رمادية، وموسمٍ مسخٍ غير واضح، ومذاق كريه ورائحة لا تحتمل.. عبدالكريم يغني لي، الآن، وحدي: "البيت، ذاك البيت.. وسِكّتَهْ سهلهْ.. أموت لو مرّيت.. من شوقي لأهلهْ". كدأبِهِ إعلامنا لا يُشبهنا، كأنه في بلد آخر. ولكن، صِدقا، بثّه هذه المرة يجيء، وإن بغير قصد، في أوانه. يأخذني بعيدا عني. يأخذني إلى بقعة في مكان سحيق من الذاكرة. حنين تملكني فجأة. لسنا في وقت يسمح لنا بترف الحنين إلى زمن طفولة في ماض كان، ولكنه حنين إلى زمن، رغم الخيبات فيه، عشناه بأفضل ما يكون. ألتفتُ إلى المكان حولي. أتذكر أغنيات الأطفال، الأهازيج، الزغاريد، الفرح والأعلام والزينة.

أنظر إلى بيت العم صالح بشكله الجديد المنفر. تستنزف إذاعة الكويت ما تبقى من تماسكي، تجلدني بصوت عبدالكريم، وتُقلّب

ذكرياتٍ ليس هذا أوان استرجاعها. أجدني غائبا كغياب فوزيـــة في حضرة أغنياها الوطنية قبل سنوات. يقسو عليّ عبـــدالكريم بحـــب: "هالبيت وش زِينَهْ.. وش زينها سنينهْ.. كنا تحت سَقفَهْ.. نسهر ولا نغفى.. وجوّنا صافي.. وقلوبنا أصفى". ماذا لو يُبعثُ الأطفال الذين كُفِّنوا في داخلنا من جديد، وإن كان ماضيهم محضَ خدعـــة أزيـــح الستار عن حقيقتها اليوم! هل كان جوّنا صافيا بحق؟ وهل كانـــت قلوبنا؟ وهل لي أن أوقف أسئلة ما نفعتني يوما؟!

يرنُّ هاتفي المحمول: "ألو!".

- "وين صادق؟".
- "عمي عبَّاس؟!".

يصرخُ:

- "عَمَا بعينك.. وين صادق؟".

كانت خالتي عائشة أكثر لطفا في انتقاء سباها ولعناها. يخـــتم مكالمته:

- "يلعن أبوكم لابو فؤادة لابو من أسَّســـكم يـــا عيـــال الكلب!".

تجنبني مكالمته خطورة طريق كنت أنوي عبـــوره إلى منطقـــة الرميثية. إذن صادق ليس في بيته. أفتح دُرج السيارة تحت مِرفقـــي. أتناول زجاجة عطر. أصبُّ منها في راحة كفِّي. أستنشق العطـــر في

نَفَسٍ طويل أغسل رئتيّ من الهواء العَفِن. أدير مؤشر المذياع إلى محطة أخرى: "في إجراء غير معلن سحبت قوات ما يُسمى بدرع الجزيرة الكافرة آخر كتائبها من الكويت صبيحة هذا اليوم المبارك، وذلك في رد فعل فوري إزاء قيام ثورة جديدة في الجوار ينفذها إخوتنا إحياءً واستكمالا لانتفاضة محرَّم 1979.. هيهات منا الذِّلة". أهرب إلى محطة غيرها: "هذا وأكد مصدر مسؤول استتباب الأمن الداخلي بعكس ما يشيعه أذناب الفُرسِ في الخارج..". أتنقل بين الإذاعات لا أدري من أصدِّق. الذي أدريه أنني أشتاق إلى صوت أمي حِصَّة تخاطب مذياعها الترانزستور: يفوتك من الكذَّاب صدقٌ كثير!

* * *

الفصل الرابع

مثل كلّ يوم جمعة، انطلقتُ إلى حوش بيت عمّي صالح باكرا، ليسعني الوقتُ لأذهب إلى المسجد تاليا، أحتلُّ مساحةً أسفل عمودٍ ألِفتُ إسناد ظهري إليه، أستمع إلى الخطبة أو أقرأ القرآن قبل بدئها. سيّارة عمّي صالح أسفل المظلة، محمَّلة بأصناف الخضار، ما يعني أنهم قد عادوا من الوَفرة للتوّ. انتظرتُ، صباح الأمس، طويلا كي يصحو فهد بعد ذهاب فوزية إلى غرفتها، ولكنني عدتُ إلى بيتنا من دون أن ألتقيه.

أقعيتُ عند الباب. كان خرطوم الماء يمتدُّ من الصنبور داخل الحوش، يمرُّ أسفل الباب مثل أفعى، يصبُّ ماءه في مجرى بنات كيفان الثلاث. دفعتُ الباب الحديدي بعد إزاحة مزلاجه الأرضي. كعادتها أمي حِصَّة تقتعدُ كرسيًا خشبيا أسفل سقيفة من جريد النخل، يخترقها جذع السِّدرة، في الحديقة الصغيرة. زرعٌ في حوض ترابي مستطيل، بحجم بركة سباحة متوسطة الحجم، تنتشر فيه عشوائيا بعض الحشائش، عن يمين الداخل إلى الحوش المفروش بلاطٌ أبيض مطعَّم بكتل صخرية سوداء وبنيَّة ورمادية متفاوتة الحجوم والأشكال. يقوم، في جانب الحوش الأيسر، مبنى الملحق حيث الديوانية وحمَّامها

الخارجي والمطبخ. عادة ما يكون مبنى الملحق، نهارات الجمعة، محجوبا وراء الشراشف وغطاءات الوسائد البيضاء على حبل الغسيل. تنثّ روائح محبّبة تُلطِّفُ أثقل أيام الأسبوع، قبل استئناف الدراسة كلّ سبت. رأيت أمي حِصَّة، بثوبها الأسود وجَورَبَيها الصوفيَين الثقيلَين، تجلس أسفل السِّدرة على مقعدها الخشبي قصير القوائم، تلقي مِلفعها الأسود على كتفيها كاشفةً شَيبها الأحمر بفعل الحِنَّاء، تُسندُ طبقها النحاسي الدائري إلى ركبتيها، تضيِّق عينيها، تُنقّي الرُّز وتزيل عنه الدُوَيبة. تغني بصوتها العجوز مع زقزقة الزرازير: "يا سِدرة العشاق، يا حلوة الأوراق..". لا يُخرجها إلى الحوش، أسفل السقيفة، إلا الشتاء والربيع اللذان يمران بسرعة قبل الصيف الطويل. في الصيف لا تخرج إلا نادرا لريّ سِدرتها الأثيرة بين يوم وآخر. لا تطيل الجلوس أسفل سقيفة جريد النخل، تكتفي بدقائق حانية، كما تقول، مقارنة بكونكريت باردٍ ثقيل دمٍ لا حياة فيه.

التفتُّ إلى قفص الدجاجات خوفًا من فأر عابر يعكر عليّ صفو الصباح، رغم تأكيد أمي حِصَّة أن الفئران لا تجرؤ على الاقتراب من قفص الدجاجات ما لم تكُن إحدى بيضاتها مكسورة، ولا تتخلى الدجاجة عن بيضتها، للفأر، إلا إذا رأت زلالها مهدورا! جلستُ على الأرض بقربها بعدما قطعتُ أغنيتها أقبل جبينها: "صَبَّحك الله بالخير يُمَّه حِصَّة". دسَّت كفَّها مفرِّقة أصابعها المحنّاة بين حبَّات الرُّز: "صبَّحكَ الله بالنور.. شلون السِّت الناظرة؟". لم تنتظر ردِّي تواصل غناءها: "ملزوم عليه أشتاق، يا سِدرة العشاق". لستُ أدري، وقتها، إن كانت تشير إلى والدتي بمسمَّاها الوظيفي تقديرا أم تهكما. الذي

أدريه أنني دائم الإجابة: "أمي زينة". كانت غاضبة من والدتي، منذ سنة، لأنها وبَّخَتْ كنَّتها المعلمة في المدرسة نفسها. تقول إن السِّت الناظرة لما رأت عائشة تضحك مع إحدى المعلِّمات، في أحد ممرَّات المدرسة، صرختْ بها: "اِنتي! على شنو تضحكين؟!". أشارت بسبَّابتها إلى غرفة المعلِّمات آمرة: "على شغلك!".

أمي حِصَّة ترى، في موقف والدتي مع كنَّتها، خيانةً للجيرة. باب الحديث عن والدتي، إذا ما فُتح، لا توصده محاولاتي. كانت والدتي قد قاطعت زيارة بيت آل بن يعقوب منذ هاتفتها العجوز تلومها على صرامتها مع عائشة في المدرسة. "زعلتْ السِّت الناظرة، شالت في قلبها، مع إني سافرت ورجعت من بيت الله، ولا كلّفت نفسها تزورني وتسلّم عليّ مثل باقي الجارات!".

فتحت فمي إزاء قولها. شطَّ خيالي بعيدا يُصوِّر طائرة تمضي في السماء نحو بيت الله:

- "رحتي بيت الله؟".

أخرجت كفَّها من بين حبَّات الرُّز. تحرِّك ثلاثة أصابع أمام وجهي:

- "ثلاث مرَّات".

ارتفع صوتي أسألها:

- "وشفتي الله؟!".

تركت طبق الرُّز النحاسي على حِجرها. أسندت ذراعيها إلى رأسها تزجرني:

- "الله ياخذك! راح تطيح علينا السما!".

التصقتُ بقائمة مقعدها الخشبي. أحتمي بذراعيَّ خشية سقوط السماء. تبرأتُ من سؤالي سريعا:

- "اِنتي تقولين رحتي بيت الله!".

شدَّت أذني حتى كادت تنتزعها:

- "بيت الله يعني الكعبة يا خِبل! استغفر ربّك!".

صرتُ أستغفر وأضغط بكفّي على أذني كأنني أعيد تثبيتها.

ارتفع فجأة، من حوش الجيران، صوت المذياع بأغنية عراقية لناظم الغزالي. تركت أمي حِصَّة الطبق النحاسي في حِجرها. ضمَّت كفَّيها إلى بعضهما، تطُقُّ إصبعيها كما يفعل العراقيون. رفعت صوتها:

- "أغاني في يوم الجمعة يا عجوز الشَّط؟!".

جاء صوت جارتنا العراقية، أمي زينب، ضاحكًا:

- "عند الله السِّعَه يا عجوز النار! مِن الصُبُح وآنه جاي اسمعك تغنين يا سِدرة العشاق.. حلال عليك حرام عليَّه؟!".

ضحكت العجوزتان. كان السؤال الذي لم أجد له إجابة عند والدتي وفوزية، يدور في خلدي. "يُمَّه حِصَّة!". التقطتْ دويبة بين إصبعيها. أطلقتها في الهواء. أجابتني: "خير؟". تردَّدتُ قبل أن ألقي بسؤالي في أي منطقة تقع حديقة الحيوان؟ نظرتْ إلى وجهي. اتسعت المسافة بين عينيها وحاجبيها. بَرطَمَتْ تضرب الهواء بكفِّها. حطّت حمامة رمادية على سور البيت. انصرفتْ إليها أمي حِصَّة. نثَرَت حبات الرُّز بين الحشائش تحثها على الاقتراب: "تَعْ تَعْ". استجابت الحمامة حطَّت على الأرض. نبَّهتني: لا تفزعها. همستُ لها بسؤالي مرَّة أخرى: "ما جاوبتيني! حديقة الحيوان وين؟". انصرفتْ تنظر إلى دجاجاتها حول حوض الماء البلاستيكي، تكرع من مائه قبل أن تشرئب رؤوسها توجِّه مناقيرها إلى السماء تغرغر مغمضة الأعين. تهزُّ أمي حِصَّة رأسها مضيِّقة عينيها تبتسم: "سبحان الله". تمدُّ سبَّابتها باتجاه القفص: "شوف شوف!"، تحثُّني أنظر إلى الدجاجات تناجي ربَّها في السماء، تحمده على سقياها. يكفهر وجهها فجأة: "حتى الدجاج يعرف الله.. ليت ربي يهدي زوجة ابو سامي!". تجاوزتُ قولها أُكرِّر سؤالي: "حديقة الحيوان، يُمَّه حِصَّة، في أي منطقة؟". شنزرتني: "ليش تسأل؟". ارتبكتُ. انطلق صوتٌ مألوف لا تكتمل من دونه صباحات الجمعة القديمة مقاطعا حديثنا: "خاااام.. خاااام". فرَّت الحمامة مخلفة حبَّات رُزٍّ فوق التراب. بائع الصُّرَّة اليمني كعادته، ينطلق صوته بعيدا من أول الشارع، يرتفع كلما اقترب من بيوتنا. ثلاثة أصوات تبثُّ الرعب في نفسي عندما كنت صغيرا؛ صيحات بائع الصُّرَّة، وزعيق صافرات الإنذار التجريبية التي أَلِفناها

زمن حرب الخليج الأولى بين العراق وإيران، ونباح الكلب السلوقي الطليق في حوش بيت جارنا أبـــي سامي، البيت المطل على بيـــت صادق، بيت زوج الأميركية كما تسميه نسوة الحيّ. وفي المقابـــل، كان صوت واحد ينسيني أصوات الشارع المخيفة، الصوت المحبـــب لدى أطفال الحيّ كافّة، بائع المثلجات الفلسطيني الكهل، أبو سامح، وقتَ مروره بعربته ذات الشمسية الحمراء، عصـــر كـــل يـــوم، في شارعنا ينادي: "بَرِّد.. بَرِّد.."، أو إذا ما اســـتقَّر بعربتـــه في آخــــر الشارع. يسند ذقنه إلى كفِّه. يردِّد أغنيته الأثيرة بصوته المتعب: "عَبِّي لي الجرَّة". أو إذا ما راح يتغزَّل بعربةٍ مكّنته من إلحاق أبنائه الثلاثـــة بالجامعة. أرهفت أمي حِصَّة سمعها تتحقّق من نداءات بائع الصُّـــرَّة. قالت بابتسامة واسعة إن تينا تنتظره منذ أسبوع. أزاحت طبق الـــرُّز عن ركبتيها تمدُّه إليّ: "امسك". تأمرني بأن أجرّب أن أكـــون ربّـــة بيت ولو لمرة واحدة في حياتي. وقفت، بقامتها القصيرة، تنفض ثوبها من بقايا رُزٍّ غير صالحة. اقتربت نداءات بائع الصُّرَّة أكثر: "خاااام.. خاااام". جلستُ على الكرسي الخشبـــي القصـــير أُســـند الطبـــق النحاسي إلى ركبتيّ. حثَّت أمي حِصَّة خطواتها الثقيلـــة إلى داخـــل البيت تنادي: "تينا.. يا تينا". اختفت وراء شراشف حبل الغســـيل. خرجت بعد ثوان تتبعها "هندية" بيت عمِّي صـــالح الســـيريلانكية ترتدي الدَّرّاعة المنزلية. معظم خدم المنازل من الهند، وكلمة هندية أو هندي، في حدود وعينا، لم تكن تعني سوى خادمة أو خادم: "هندية بيت أبـــي سامي الفلبينية، أو هندي بيت العويدل البنغالي". خادمة بيت آل بن يعقوب، كما تسميها خالتي عائشة: "بنت أمي حِصَّة"،

غيرةً وتهكُّما على مبالغة حماتها في معاملة الخادمة معاملة طيبة، اسمها تينا، فتاةٌ أُميَّة سيريلانكية جاءت من بلدها هربا من الحرب الأهلية بين السنهال والتاميل. ما كنت لأدري بأنها لا تقرأ ولا تكتب لولا مكوثها في غرفتها نهاية كل شهر تسجل رسائل صوتية لأهلها على شريط كاسيت. قضت سنوات طويلة في بيت عمِّي صالح كأنها من أفراد العائلة، تشاركهم الطعام على الأرض كل يوم، وتأخذ من الوقت ما تشاء لمتابعة الأفلام الهندية عصر كل جمعة عندما يرتفع صوت أمي حِصَّة مناديًا: "تينا! تعالي بسرعة! فيلم لِـ أميتاب باتشان!". نجلس مع تينا نتابع بشغف رغم مبالغات أفلام أميتاب الخارقة. لا يجرؤ أحد على تكليفها بأي عمل تزامنا مع عرض الفيلم. كان ذلك أمرا ملفتا ما كنت لأراه لولا أن صاحبة البيت.. أمي حِصَّة.

أحكمت أمي حِصَّة لفَّ المِلفَع حول رأسها قبل أن تفتح تينا الباب الحديدي لبائع الصُّرَّة تدعوه للداخل. جلس الرجل أرضا، بالقرب من الباب الحديدي، يفّك رباط صُرَّته الزرقاء، المُرَقَّعة بقطع قماش من كل الألوان، يفرشها فوق البلاط. تقدَّمت تينا نحوي أسفل السِّدرة. مدهون شعرها بزيتِ جوز الهند. نهرتني آمرة بأن أترك لها كرسي "ماما كبير!". تركته لها أهزُّ رأسي مذعنا: "حاضر عمّي!"، لا ضير في أن تكون، ما دامت في سِنٍّ تؤهلها لذلك. حملتْ الكرسي مسرعة نحو البائع. جلستُ على الأرض المتربة. كدتُ أسندُ ظهري إلى جذع السِّدرة. تردَّدتُ. رفعتُ رأسي أنظر إلى أغصانها من خلال الهوَّة أعلى السقيفة. انتبهت أمي حِصَّة: "لا تخاف! الجن يسكنها

فوق، في الغصون". أرحتُ ظهري على الجذع أقوم بدور ربة البيت مرة أولى في حياتي. بين ترقُّبٍ لأي حركة تصدر عن جنّياتٍ وفيّاتٍ لسدرتهن، وخوف من رجل عجوز حادّ الصوت مكفهــر الوجــه، وقلق إزاء ظهور محتمل لفأر جائع، كنت دائم الالتفات إلى قفــص الدجاج. أتنفس بحذر. شيء من شهيق أطرده قبل أن يمــلأ رئــتيّ، خوفا من طاعونٍ، حدثتني عنه والدتي، تنقله الفئران إلى البشر. أمــي حِصَّة أيضا أخبرتني، ذات يوم، أنها شهدت زمنا في الكويت، قبــل حوالي عشر سنوات من يومنا ذاك، انتشرت فيه حملات التلفزيــون التوعوية لمكافحة الفئران والتحذير من خطرها: رأيت بعينيَّ فئرانــا تهاجم القطط! قالت لي.

جلست أمي حِصَّة على كرسيِّها تمسك بطرفيّ إصبعيها جــزءا من مِلفَعِها، يحول دون وجهها وعينيّ البائع الذي لا يرفع وجهه عن صُرَّته احتراما. تسند كفَّها الأخرى إلى وركها كلما انحنت تعــاين الأقمشة قبل أن تختار تينا ما تريد. كنت أحاول تجنب النظر إلى وجه البائع ولا أستطيع. أختلس النظر إلى الرجل المسنِّ في حــين كنــت أُقلِّب حبَّات الرُّز بكفِّي الصغيرة. رجل قصير القامة لولا نفوري منه لشبهته بواحد من الأقزام السبعة المحببين. يعتمر عمامة يمنية. وجهــه العابس أسمر مليء بالخطوط الغائرة. له لحية مدببة بيضــاء المنبــت تتحول إلى اللون الأحمر نزولا. يرتدي معطفا ثقــيلا وإزارا بــألوان متداخلة. كنت قد جمعت بعض الدويبة بعدما أزهقــتُ أرواحهــا سَحقا بين حبَّات الرُّز التالفة في كفِّي الصغيرة. أنتظر عــودة أمــي حِصَّة لأذكرها بسؤالي. كانت تتحدث مع الرجل فيمــا تــتفحَّص

بضاعته. أمسَكَت بقطعة. سألته عن ثمنها. قبل أن يجيبها يحدِّدُ ثَمَنا، أجابته: "غالي!". ضحك الرجل. سألته أن يخفضَّ لها الثمن. اعتذر. راحت تُثني عليه وعلى بلاده: "اليمن أصل العرب"، وعلى ذلك يجب أن يكون كريما معها. رضخ لطلبها ضاحكا. أعاد لفَّ صرته بعد أن نقدته أمي حِصَّة ثمن "الخامات" التي اشترتها تينا من أجل أن تخيط أثواب الـ "ساري" لدى سليم الخيَّاط في مُجمَّع الأنبعي. التفت إليّ البائع يبتسم ابتسامة سَمِحة لم أتخيلها تعلو وجهه. انصرف مستأنفا نداءاته قبل اختفائها آخر الشارع: "خاام.. خاااام". أفسحتُ مجالا لـ تينا تعيد الكرسي الخشبي إلى مكانه. جلست أمي حِصَّة تمدُّ يديها نحوي لأناولها طبق الرُّز بعد أن أسقطت مِلفَعَها على كتفيها. تنظر إلى أغصان الشجرة من خلال هوَّة السقيفة فوقها: "السلام عليكم". لم يرد الجن تحيتها. أردفتْ: "سكِّنهم مساكنهم". ابتلعتُ ريقي أناولها طبق الرُّز. بسطتُ كفّي أريها حصيلة الدور الذي مارسته. نظرت إلى مجزرة الدويبة في كفّي. هزّت رأسها مؤنبة: "ما تخاف الله!".

الذي لا تدريه أمي حِصَّة هو أنني كنت أخاف الشيطان وفقا لصورته الشريرة، بقرنَيه وذيله المدبَّب ورمحه ذي الرؤوس الثلاثة، في الوقت الذي يمثل لي الله الخير بكل صوره، أحمل له مشاعر جمَّة ليس الخوف من بينها. دسَّت أصابعها تفرِّق حبات الرُّز. استطردتْ: "هذه روح". التقطت بين إصبعيها دويبة. أفلتتها على الأرض الترابية متعمدة. قلت لها واثقا: سوف تموت بعيدا عن الرُّز على أي حال. أجابت: "ربّك ما ينسى عبيده". نظرتُ إلى مصائد الفئران، تحمل

شعار وزارة الصحة، تنصبها حول قفص دجاجاها. سألتها ماذا عن الفئران.. لا رَبَّ لها؟! ألقت ملفعها على رأسها بغير إحكام قبل أن تستقيم واقفة تحمل طبقها النحاسي. جرَّت خطاها نحو المطبخ المطل على الحوش دونما اهتمام لسؤالي. انسلَّت من بين شراشف حبل الغسيل. سمعتها حانقة: "عيال اليوم.. لسان يلوط الآذان!". تبعتها إلى المطبخ وقد أقعى قطٌ بُنيٌّ هزيل عند بابه، يهزُّ ما تبقَّى له من ذيل مقطوع. نظرتْ إليه: هذا فهد ينتظر الغداء! ضَحِكتْ، على قطٍّ يشبه حفيدها، قبل أن تطرده: "تِتْ تِتْ!". سبقتها عند باب المطبخ: "أمي حِصَّة.. أمي حِصَّة!". أجابت منزعجة: "خير؟"، من دون أن تلتفت. عدتُ أسأل: لم تجيبيني! حديقة الحيوان. قاطعتني ضاحكة: "الخِبل ما ينسى سالفته!". أزعجني وصفها لي خِبْلا في وقت كنت فيه، لدى والدتي، أشد الأولاد ذكاء وفطنة. كنت على عتبة المطبخ أقف. تينا تزيل القشور عن ثلاث سمكات مثلجة تتزاحم فوقها أسراب الذباب: "كِشْ كِشْ"، تطردها أمي حِصَّة. ناولتْ تينا طبق الرُّز وكأنني غير موجود. قالت إنني أريد أن أسولف، وهي لا وقت لديها للسوالف. هي تعرف أنني أنتظر الإجابة. أرادت أن تتسلّى بفضولي كعادها. أجابتني سؤالا:

- "جاوبني إِنت بالأول.. ليش تسأل؟".

أردتُ أن أثير فضولها أستعجل ردَّها:

- "أجاوبك بشرط تجاوبيني بالأول!".

سألتني حازمة:

- "نلعب؟!".

أجبتها بنفاد صبر:

- "عشان أروح حديقة الحيوان".

هزّت رأسها تفتعل اهتماما. سألت بعدما ركّزت نظرها في عينيّ مباشرة:

- "وليش تروح حديقة الحيوان؟".

شعرتُ أن الأمر سوف يطول أكثر مما ينبغي، وقد تملكني الفضول لسماع إجابتها. أتوق لمعرفة اسم المنطقة، بإحدى الطريقتين، على لسانها. ليموت سؤالي فور ولادة جوابه. أجبتها كاظما غيظي:

- "عشان أشوف القرود!".

تهلل وجهها المجعَّد:

- "أصيل يا ولد.. صِلة الرحم واجبة!".

***

يحدث الآن 12:43 PM

أديرُ محرِّك سيارتي، أغادر حيّنا القديم. بيت العم صالح ورائي. أتجه إلى مقرّ تجمعنا في الجابرية لربما وجدتهما هناك. أتجاوز شارع علي بن أبي طالب نحو جسر الجابرية. كان في ما مضى الشارع الوحيد في الكويت الذي يحمل اسمه، قبل أن تتكاثر الشوارع حاملة الاسم ذاته، شارع علي بن أبي طالب، إياه، في السُّرَّة، تلحق اسمه في اللافتة عبارة "رضي الله عنه".. غيره في مناطق أخرى، الرميثية والدسِمة والقرين، يُلحق الاسم في اللافتات بـ: "عليه السلام". مناطق كثيرة ما عدنا نعرف أسماءها بعد تسميتها من قبل السكّان بأسماء جديدة، وكأن الأسماء حكرٌ على طرف دون الآخر. لم يتوقف الأمر عند، عليّ، الاسم، راح البعض يطلق أسماءً على شوارعه، يتداوله نكاية بآخرين.. شارع يزيد بن معاوية وشارع ابن تيمية وشارع أبي لؤلؤة.

أدركُ الجسر بين منطقتي السُّرَّة والجابرية. فوق نهر البَين، كما يُسمي الأهالي امتداد الطريق أسفل الجسر، بين المنطقتين، بعدما طفح الشارع بمياه المجاري منذ سنوات. تجمعت فيه الأوساخ، تطفو على سطحه، مخلفة رائحة نفاذة تزكم الأنوف. تحطُّ تبَّاعة الجِيَف على ضفّتيه تشرب من مائه. يقال، إن كل أولئك الذين اختفوا أو تمت تصفيتهم، منذ اندلاع مصيبتنا، يستقرون في قاع نهر البَين. أُهدئ

سرعة السيارة. ألمحُ زحاما في مقدمة الجسر يُنبئ بوجود حادث سير أو نقطة أمن، يسمونها هكذا، رغم أنها تمنح الخوف وحده. لم يكن حادثا، هذا ما أتبيَّنه عند اقترابي من الجسر. أرتبك. أتراهم عاودوا حظر العبور؟ ماذا عن الهدنة في يومها الثاني؟! مع اقترابي أكثر ألمحُ العلم الأسود، يؤكد حدسي، يرتفع بين مُلثَّمين يحملون بنادق. يتكئون إلى أكياس رمل يقيمون حاجزا حديديا يعترض الشارع بين إطارين يشتعلان ينفثان دخانا أسود. الرائحة النتنة تزداد كلما اقتربت من الجسر. غريب أنني كلما شكوت من رائحة المياه العفنة يجيبني الأصدقاء: "أنت واهم!". وحده أيوب، من بين أولاد فؤادة، يضيقُ بالرائحة مثلي. أُكمِّمُ فمي وأنفي بكفِّي أواصل قيادة السيارة متمهلا. أُخرجُ من تحت المقعد قطعة ورقية مربوطة بشريطة أحتفظ بها لوقت الحاجة. صورة قلب أحمر يتوسطه اسم زوجة النبي، كُتِبَ أسفله: "أم المؤمنين رغم أنوف الحاقدين". أرفعُ يديّ ممسكا بالشريطة أنوي عقدها حول مرآة الزجاج الأمامي. نسيتُ أنني أزحت الزجاج بحجر ظهيرة اليوم! أخفي الورقة مجددا أسفل المقعد وأستخرج بدلا منها رزمة منشورات دعوية كُتِبَ عليها: "أبو بكر في الجنة وعمر في الجنة، وعثمان في الجنة، وعلي في الجنة، وطلحة، و..". أديرُ مؤشر المذياع على إذاعة أسود الحق. هي الطريقة الوحيدة التي تجنبني الوقوع في مشاكل مع حياد اسمي الذي يصعب معه تحديد طائفة يفترض أن أنتمي إليها. أفتحُ زجاج النافذة أناول رجلا بلا لثام، يمسك بندقية، بطاقتي الشخصية: "الله بالخير". يتفحص بياناتي في البطاقة قبل أن يجيب: "وعليكم السلام ورحمة الله

وبركاته". يتفرَّس ملامحي يُمَسِّدُ لحيته الكثة. عابس الوجه. يشير بسلاحه إلى كفِّي، يسألني لماذا أكمِّم مداخل الهواء في وجهي. أبرِّر بأن الرائحة تؤذيني. يلتفت كمن يبحث عن شيء. ينظر إلى الإطارات المشتعلة. يشير إلى الواجهة الخالية من زجاجها يسألني عن السبب. أهزُّ رأسي أفتعل أسفا: "أولاد الحرام.. كسَّروها". يبدي اهتماما لما أقول. يتفحَّص سيارتي من الداخل. تقع عيناه على رزمة الأوراق. يسأل لصالح من أعمل؟ بودِّي لو أجيبه نحن أولاد فؤادة، ولكن.. أنظر ناحية نافذة السقف. أشيرُ بسبّابتي إلى السماء. يهزُّ رأسه مستلطفا إجابتي. يستدير حول سيارتي يتفحصها. أنتهز فرصة ابتعاده. أرفعُ صوت الإذاعة أكثر. يعود يناولني الرخصة مبتسما ابتسامة لم تغير شيئا في وجهه. يحذرني: لا أنصحك بدخول الجابرية في هذا الوقت. أنظر إليه مستفهما. يوضِّح: الرافضة يتربصون بنا. هي واحدة من كلمات يستخدمونها وصفا لأعدائهم، رافضة؛ أولئك الذين يرفضون الترّضي على صحب النبي وزوجتة عائشة، في حين ترى الجماعة الأخرى أنها رافضة للباطل منحازة للحق. أومئ للرجل برأسي أشير بسبَّابتي إلى السماء: ربك لا ينسى عبيده. أُكمل إجابتي في سرِّي ناظرا في وجه الرجل: لو كنتَ أمي حِصَّة، وأكون أنا دويبة! يسأل: معك سلاح؟ أهزُّ رأسي: "الحافظ الله". يمطُّ شفتيه قبل أن يستدير يصرخ بأحدهم: "اِفتح.. اِفتح..". أقطع الجسر حتى منتصفه. أحبُّ هذا المكان الوسط رغم زنخ المياه في الأسفل وعفونة رائحتها. برزخ بين جحيمين. مكان وحيد أجدني فيه بعد إعلان السُّرَّة والجابرية منطقتين تعادي إحداهما الأخرى. أخفِّفُ سرعة

سيارتي. ألتفتُ إلى اليسار، نحو حارة المشاة في جانب الجسر، أتذكرني هنا صغيرا تحت أشعة الشمس، أمضي بصحبة فهد عبورا إلى الجابرية في رحلة مضنية من أجل مؤسسة الحَشَّاش للفيديو. في هذا المكان كانت ترتفع ألواح كبيرة تحمل شعار "كي لا ننسى"، انتشرت في 1991، قبل تسعٍ وعشرين سنة، واستمرَّت لسنوات. يبدو أنها كثيرة تلك الأشياء التي لم تُنسَ، وكثيرة تلك الذكريات التي نصنعها اليوم، نصدِّرها للغد، إن كان هناك غد، ولا أظننا ننساها.. ذاكرتي التافهة ترهقني! ألتفتُ، هربا من داخل رأسي إلى خارجه. أنظر ناحية اليمين. أوقف سيارتي تجاوبا مع صراخ صبيَّة، أسفل الجسر، تثني ساقيها تجلس على ضفة نهر البَين تحملق فيه. تضمُ كفَّيها إلى بعضهما. تصرخ: "يُبه! يبه الله يخليك رد عليّ.. يُبه تسمعني؟". تنطلق أعيرة نارية في الهواء. تهرب الصبيَّة، بشعرها المنكوش وحقيبة تحملها على كتفيها، متعثرة بثوبها الأسود.

أرى، من منتصف الجسر، نقطة أمنية قبل آخره، ترتفع منها الأعلام الخضراء هذه المرة. أُواري رزمة الأوراق أسفل المقعد. أدسُّ إصبعي بخاتم عقيق أحمله دائما في درج السيارة. أديرُ مؤشر المذياع على محطة أخرى، تنطلق منها أصوات جماعية تُنشِد، على إيقاع منتظم للطم الصدور، أنشودة للإمام الحسين. أضغط بقدمي مداس الوقود حتى آخره قبل أن أكبس الفرامل بقوّة، متعمدا أن تصدر العجلات صوتا عاليا على الإسفلت. يتحلّق حولي ثلاثة فتيان ملثَّمون يشهرون أسلحتهم نحوي: "اِنزل.. اِنزل!". أترجل بسرعة أتلفت إلى الوراء في هلع مفتعل: كاد أولاد الحرام أن يمسكوا بي

في الطرف الآخر من الجسر! يخفضون أسلحتهم. يبادر قائـــدهم: الله يلعنهم نواصب أنجاس.. لا بأس، هدئ من روعك. يلتفت إلى آخر: أحضر له ماء. يطلب مني أن أستريح في مقعدي. أسرح في كلمتـــه، نواصب، أستعيد كلماتٍ تكررها إذاعتهم عمَّن يناصب العـــداء لآل البيت. يناولني قنينة الماء. أرفع رأسي أعبُّ منها على عجالـــة بـــلا افتعال للظمأ. أشعر بنزول الماء في جوفي باردًا. أخفضُ رأسي. ينتابني دوار. يسألني الفتى إن كنت على ما يرام. أعزو سوء حالي لرائحـــة المكان. يزيح لِثامه يتشمَّم الهواء. يسألني مستغربا: رائحة ماذا؟ أتجاوز سؤاله. أختلق عذرًا. أرجوه أن يسمح لي بالمرور: أنا ذاهب لزيـــارة مريض في مستشفى مبارك بالجابرية. يفسح لي طريقا جانبية. يلـــوِّح مودعا: "الله ومحمد وعلي ويّاك".

أمضي أقطع الطريق وحيدا.

* * *

الفصل الخامس

تبعت أمي حِصَّة إلى داخل البيت في حين كانت تواصل ضحكها إزاء رغبتي الكاذبة في زيارة القرود. كان ينبغي أن أختار حيوانات أخرى. أمي حِصَّة لا تحب القرود. لا ترى فيها إلا مسوخ بشر طالهم سخطٌ من الله. أتذكرني مرعوبا. أتذكرها خاشعة. وقتَ حكت لي عن امرأة مسحت مؤخرة ابنها، بعد قضاء حاجته، برغيف خبز. عاقبها الله بأن مسخها في صورة قرد. كل القرود في أصلها إنسان رفسَ النعمة، كانت تقول.

تجاوزتُ الممر الصغير مقابل باب المدخل مرورا بالصورة المثبتة إلى الجدار. همَّت فوزية تقبِّل جبين والدهما. عانقتها. أغمضت عينيها تستلُّ نفسا طويلا تشم دهن العود في أمها. ذَكَّرتها: "يا نظر عيني، أخذتِ الدوا؟". ابتسمت أمي حِصَّة تهزُّ رأسها إيجابا. تسألها: "وإنتي؟". أجابتها فوزية تُطمئن: "وآنا". بدا أن الأم غير مرتاحة لإجابة ابنتها. قالت: "الچاكليت والكَكاو يا فوزية.. لا تشقْين قليب أُمّيمتك!". عاودت فوزية معانقة أمها في صمت.

وقفتُ أمام خزانة التلفزيون أبحث عن صورة جديدة التقطتها

خالتي عائشة لفهد. لم يخطئ حدسي إذ وجدته في صورة جديدة يغتصب ابتسامة لكاميرا أمه. كان التلفزيون يُظهِر عبدالكريم عبدالقادر، بعقاله المائل وإيماءات يديه الشهيرة، في أنشودة "عصفورة ووردة"، شأن كل يوم جمعة. العم صالح كما هو دائما في صباحات العُطَل، بدِشداشَتِهِ المنزلية المُقلَّمة والطاقية البيضاء. رغم وجود الأرائك حوله في غرفة الجلوس، يقرفص أرضا فوق سجّاد فارسيٍّ سماوي الزرقة، أسفل ثُرية كريستالية ضخمة. يشرب الشاي بالحليب. لطالما برَّر جلوسه على الأرض الصلبة بأنه أفضل من الأرائك اللينة التي تسبب آلام ظهره. وكانت شكواه من آلام الظهر تزعج أمي حِصَّة: "الله يخلف عليك! هذا وِانت عمرك ثمانية وثلاثين!". تناكفه، تعزو سبب آلامه إلى استحمامه بعد منتصف الليل. لم أكن أعرف سببا لضحكه وعتبه: "يُمَّه!"، ولم أفهم الداعي لاحمرار وجه خالتي عائشة لا تبدي تجاوبا مع قول العجوز. أشياء كثيرة لم أكن أفهمها، مثل الصُحُف الثلاثة المهملة على الأرض إلى جانب عمِّي صالح، لا يهتم بقراءتها، فلا شيء في الصُحُف يستحق كما يقول، ولا تصلح لشيء عدا أن تكون مفرشا تحت أطباق الطعام منذ فُرِضَت عليها رقابة حكومية مسبقة. أنا أحفظ فقط ما يقول، لست مثل فهد وصادق يفهمان كل شيء عن الرقابة وعن البرلمان المُعطَّل. أعرف أن عمِّي صالح يتحرَّى يوم الإثنين من كل أسبوع، مثل أمي حِصَّة، هي تصوم يوم الإثنين، وهو يخرج مع رجال كثيرين يحملون لافتات، ولكنني لم أكن أدري ماذا يريدون.

يجلس فهد وراء أبيه على أريكة في الزاوية، بدِشداشَةٍ بيضاء، ممسكا بمقصّ، غائبا في متعته مثل قطٍّ يعبثُ ببكرة صوف.

منهمكا بتصفح مجلة "الرياضي". لا داعي لسؤاله عمّا يشغله وأنا أدريه يبحث عن صورة لاعبه الأثير، مؤيّد الحدّاد، ليضمها إلى مجموعة صوره على جدار غرفته. وكأنني أرى وجهه الآن، بسُمرته وعينيه السوداوين الواسعتين وخدَّيه الغائرين وشعره الناعم الفاحم. ربما كانت تلك أسعد اللحظات بالنسبة إليه ينظر إلى صور الحدّاد في المجلة بين يديه، منصتا إلى صوت عبدالكريم في التلفزيون يغني: "الحمد لك، والشكر لك يا الله". يرفعُ رأسه عن المجلة. يضعها على فخذيه. ينظر إلى الشاشة. يضيّقُ عينيه. يومئ بيديه يعزفُ على أوتار عودٍ غير مرئية، متماهيا مع نموذجه الأعلى في الغناء. انتهت الأغنية. سكتت غرفة الجلوس إلا من دويّ الكنديشة وموسيقى برنامج الشيخ متولي الشعراوي تعلن بدء حلقته الأسبوعية. يحرص أبو فهد على متابعتها قبل ذهابه إلى المسجد لصلاة الجمعة.

صورة الدين، زمني ذاك، بعيدا عن فصول الدراسة، هو ما أتلقاه من التلفزيون في البرامج الدينية، وما ألتقطه من صور وأصوات تترك أثرها في نفوسنا قبل الكلام، تُمهّد للكلمة الطريق قبل لفظها.. بساطة الشيخ الشعراوي مقرفصا على مقعده الخشبي المزخرف.. هدوء الشيخ خالد المذكور في برنامجه "مع الإسلام".. حنجرة الشيخ علي الجسَّار المتعبة على الدوام في برنامج "حديث الأسبوع"، وصوت المقرئ أحمد الطرابلسي يتلو القرآن إذا ما افتتح تلفزيون الكويت بثّه صباح كل يوم. سوف يأتي زمن أجترُّ فيه هذه الصورة، ولا أتعرَّفها.

تقدّمتُ نحو عمّي صالح أُقبِّل رأسه. أنفه الطويل المعقوف يوشك أن يسبق شفتيه إلى كوب الشاي بالحليب. رائحة الهيل وخبز

التنور والبيض والنِّخّي تستدر ريقي. التفتَ إليّ بلُغدِهِ الممتلئ يسأل شامتا: كسر الأولاد سِنَّك؟ زممتُ شفتيّ ألتفتُ إلى فهد أستفهمه. غاصت رقبته بين كتفيه من دون أن يفوه بكلمة أو ينظر صوبي. استطرد أبو فهد: "لو كنت مكانهم كنت كسَّرت راسك!". همَّت أمي حِصَّة بالجلوس قرب ابنها وصينية الشاي. نظرتْ إليه تعاتبه بحدّة. تذكره بحديث دار بينهما في المزرعة: "اِش قلنا أمس؟!". لم يبالِ. استطردتْ: "خاف الله يا صالح!.. جَهَّال صغار لا تشبّها بينهم!". أجابها مُبرِّرا: "خليهم يعرفون اِللي لهم واِللي عليهم يُمَّه". لا أنسى ملامحها الجادة وهي تتفرَّس وجهه تقول: "النار.. ما توَرِّث إلا الرماد". فهمتُ سبب تهربها من سؤالي عن موقع حديقة الحيوان. أخبرهم فهد عن مشاجرة المدرسة قبل يومين. عمِّي صالح أصبح كائنا آخر بعد فجيعته بفقدان والده في تفجيرات المقاهي الشعبية قبل ثلاث سنوات. بعد سنوات سوف أعرف أقوالا تضاربت حول منفذيها. قيل إنها من تدبير جماعات موالية لإيران انتقاما من موقف الكويت المساند للعراق في حرب الخليج الأولى. إيران تمثل طائفة. العراق تمثل طائفة ضد. أجابها عمِّي صالح ساهما: "هُم اِللي شَبّوها.. يُمَّه". أشار لهم، كما فعل الصبي في غرفة الأخصائي الاجتماعي قبل يومين، بِـ هُم! زاد فضولي حولَ هُم! سكبتْ أُمُّه قليلا من الشاي في صحن الاستكانة، قبل أن تشربه، تُبَرِّدهُ على طريقتها. قالت: "خبول! هُم يتذابحون هناك.. وانتو تقلدونهم هني". شرعت تتحدث عن الحرب العراقية الإيرانية. أتذكرها تصمت. تُحدِّق في استكانة الشاي في يدها. تُفكِّر. تتحدث عن سريلانكا وعن لبنان:

"باكر يخفسنا الله مثل الخبول!". تنظر إلى عمّي صالح: "وباكر تشتغل زوجتك خدّامة في البيوت!". ضحك ابنها لقولها، في حين اكتفت هي بالصمت. بقيت كلماتها سنوات طويلة تتردّد في أذني عن حروب أهلية أشعلها الخبول، على حدِّ تعبيرها، من التاميل والسنهال في سريلانكا، ومن المسلمين والمسيحيين في لبنان! يناكفها عمّي صالح بقوله إنها إذا بقيت تنصت إلى حكايات تينا سوف تتحدث السريلانكية بطلاقة: "تينا غسلت راسك يُمَّه!". تجاهلت تعليقه. فرغ فهد من قصِّ صور الحدَّاد من صفحات المجلة. راح يعبثُ بالمقصِّ يفتح فكَّيه في الهواء ويطبقهما. صرخت به جدَّته تأمره أن يكفَّ عن جلب الشؤم والمشاكل إلى بيتها. قطَّب حاجبيه لا يفهم ما تقول. راحت تحدِّثه عن خيوطٍ خفية تربط أفراد البيت ببعضهم. من شأن عبثه بالمقصِّ أن يقطع أحدها من دون قصد. ضحك حفيدها. زجرَته. نهضتْ تشير إلى ما بين فخذيها بإصبعيها منفرجين: "أقصّ خصاويك!". أطبق فخذيه. ضمَّ ركبتيه إلى صدره يتوسل إليها: "توبة توبة!". أخفضت صوتها تشتمه على طريقتها: "يهودي!". نظرتْ إلى ساعة الحائط ذات البندول. التفتت إلى فهد في زاويته تحثه على الخروج بصحبتي: "لعبو في الحوش"، ما دام لدينا متسع وقت قبل صلاة الجمعة. مطَ فهدٌ شفتيه في خيبة يناكفها: "لازم نروح الصلاة؟". هزَّت سبَّابتها تحذره: "لا تروح.. عشان تطيح السما فوق روسنا!". سألتها كيف، إن لم يفعل هو، تسقط السماء على رؤوسنا نحن؟ أطرقت تفكِّر: "نموت كلنا.. نروح للجنَّة وهو للنار.. يالله برَّه". قالت لعمي صالح: "يا كثر ما يسأل هالوَلَد!". صاحت، قبل

خروجنا، تُذكِّر فهدًا: "لا تتأخر.. الغدا مطَبَّق سمك يا قَطوْ المطابخ". تهلل وجهه. باعد بين أصابع كفَّيه يخربش الهواء يجيبها: "ميــااو!"، وهو الذي ما أحَبَّ أكلة في حياته كتلك التي سَمَّتها جدَّتــه يومنــا ذاك، والتي جعلته قِطَّ مطابخ بامتياز، لا يبارح البيت إذا ما تحسَّــس أنفه زفر السمك في مطبخ تينا. نظرت أمي حِصَّة إلى وجهي تفتعــل شعورا بالحرج: "سامحنا يا وليدي.. ما عندنا موز!". دفعها تعبيرٌ على وجهي، ربما، لأن تفتح ذراعيها: "تعــال". ضــمتني إلى صــدرها. همست في أُذني: "لا تزعل وتقاطعنا مثل أمك.. آنا أضحك معــاك يا وليدي".

في الحوش، قريبًا من سِدرة أمي حِصَّة، أخبرني فهد بأن جميــع من في البيت قد علِم بمشاجرة المدرسة قبل ثلاثة أيام. كان مثلــي، يضجُّ رأسه بالأسئلة. "هذي سوالف ما تنفعك"، أجابته جدَّته تحثــه على الانصراف عن أمور لا تجلب إلا عَوار الرأس وضغينة القلــب. "باكر كلنا نموت ونخليك يا وليدي.. رَبْعك عزوتك!". أشار فهــد إلى برحيَّة وسعمرانة وإخلاصة وراء سور الحوش: "أمي حِصَّة تقول كونوا مثل بنات كيفان..". نظرتُ إلى حيث يشــير. أنصــتُ إلى حديث أمي حِصَّة، بلسانه، حول نخلات ثلاث انتقلتْ ســوية مــن بيت كيفان القديم إلى بيت السُّرَّة الجديد، ولم تُمت بموت صــاحبها. "توعدني؟"، سألته جدَّته. أجابها: "والله". حذَّرتــه: "إن قلــت والله وكذبت.. تطيح علينا السما!". لا شيء مما تقوله أمي حِصَّة يقولــه عمِّي صالح. علاقة الجارين لا تشبه علاقة أمَّيهما ببعض. هو يحتــرم أمي زينب، والدة جاره اللدود. يُبرِّرُ السبب وراء احترامها، كمــا

أخبرني فهد، إلى والدة أمي زينب التي لا نعرف عنها شيئا عدا اسمها، حَسيبة، والتي ليست مثلــَ هُم!

لامَ أبو فهد ولده على توريط نفسه بمصاحبة صادق. نصحه أن يتحاشاه. حدَّثه عن رأي علماء دين تجاه صادق وعائلته. "كَفَّروهُم!". تخيلت العَمّ عبَّاس والخالة فضيلة بثياب سوداء ووجوه عابسة يرميان الأشواك في طريق النبي، وفق صورٍ منفرة يظهر فيها الكفَّار في الأفلام والمسلسلات. حذرتُه بألا يخبر صادقًا بما قاله أبوه! أجابني على الفور: "عادي.. قال صادق، إن عمِّي عبَّاس يقول، إن أهل البيت يلعنوننا". سألته مندهشا: "أهل بيت عمِّي عبَّاس؟!". رد ضاحكا: "لا يا حمار! أهل البيت اِللّي يعبدهم عمِّي عبَّاس وخالتي فضيلة وأمي زينب وصادق وحوراء!".

أطرقتُ أفكِّر بما يقول. ذَكَّرني: "نسيت اسم جَد صادق؟". أجبته من دون تفكير: "عبدالنبي!". هزَّ رأسه مؤكدا: "فهمت؟!".

***

يحدث الآن 1:08 PM

أترك سيارتي أسفل البناية في الجابرية. هـدوء لم تصوره لي حواجز الجسر حين عبرته قبل قليل. أترجل أجرُّ رجلي العرجاء نحـو المصعد. أكبس أرقام الطوابق 4 و6 و8، تمويها، قبل أن أكبس علـى رقم الطابق الأخير 10، حيث مقرّ أولاد فؤادة. اعتدتُ حيلتي هـذه رغم تأكيد بعض ما يردنا من تهديدات عن انكشاف موقع مقرِّنـا. الحكومة نفسها أرسلت لنا ما معناه: لا نتحمَّل مسؤولية مـا قـد يصيبكم. لطالما رجوت أولاد فؤادة أن ننقل المقر إلى منطقة محايـدة بعيدا عن السُّرَّة والجابرية، ولكن! أستندُ بثقلي على سـاقٍ واحـدة أُريحُ رُكبتي. أنظرُ إليّ في مرآة المصعد؛ أنا جثة تمشي على قـدمين. أعرَج بشعرٍ مُغبر وسِنٍّ ساقطة ودمٍ متحجِّر أسفل شفتي. أتمنى لو أن المصعد تابوت، يتجاوز طابق البناية الأخير صـعودا إلى السـماء.. يأخذني هناك عند.. أستغفر الله. هل صحيح أن السماء، كما أخبرتنا أمي حِصَّة صغارًا، كانت أكثر قربا؟ يتوقف المصعد عنـد الطـابق الأخير. خطواتي ثقيلة، وكأن أرض الممر المفضي إلى الشقة مدهونـة بالصمغ. الباب مشرع. ورقة مُلصقة على الجدار بقربـه: "الـدين غفلة!". أنظر إلى الورقة أتفحصها، ممهورة بشعار شبكة الملاحـدة، كما صاروا يُسمون أنفسهم مؤخرا، متخلين عن تسمية قديمة مهدَّت لظهورهم. لم يعد نشاطهم حصرا على الإنترنت. صاروا يطوفـون

المساكن والأماكن العامة يوزعون منشوراهم. لم يصدف أن شاهدنا أحدهم يقوم بالدور. كنا كلما أزلنا منشورا ظهر الآخر كأنه ينضح من الجدار. أنتزع الورقة. أمزِّقها. أتقدَّم إلى الداخل أحمل فارق توقيت بين نبضات قلبي وخطواتي. "يا شباب!". أمضي في الشقة أفتح بابا تلو آخر: أي أحد هنا؟ لا أحد إلايّ وأجهزة الكمبيوتر، وطابعات التصوير، وجهاز الإرسال، موصولا بالإنترنت، لا يزال يكرر أغنية أهديناها المستمعين مع ختام بثنا الإذاعي بعد منتصف ليل أمس: "هذي بلادٌ تطلب المعالي..". إلامَ الإصرار على ما لن يُغيِّر؟ ينضج واحدنا كحبة التمر، ظاهرها ليّنٌ ونواها أقسى من أن تلين. نواصل إخفاء ما بداخلنا، بعد عجزنا عن إصلاحه، بأغنيات لفظت أنفاسها الأخيرة منذ سنوات. وكأننا اجتمعنا في هذه الشقة انتقاما من ماض كاذب بخداع حاضر أحمق، نعيد بثَّ أغنيات منتهية الصلاحية. نسعى لخداع جيل مقبل كي لا نشعر بأننا، وحدنا، من انطلت عليه الخدعة.

يفزعني رنين هاتفي المحمول، فجأة، يومض باسم أيوب: "ألو! ها؟ أي أخبار؟". أندفعُ بسؤالي. يتردَّد قبل أن يجيب: أخبارٌ لا تسُرّك. أسأله بعد أن ألقي بثقلي على كرسي قريب: صادق أم فهد؟ يطمئنني ليعاود طعني: لا هذا ولا ذاك.. انسَ أمر الهدنة. اشتباكات في المنصورية، اضطرت قوات الداخلية لِفَضِّها مُسـ..! شعور بالطمأنينة ينتابني لِتَدَخل القوات التي ما عاد عددها يكفي للسيطرة على الوضع في البلاد. شعوري لا يستمر طويلا إذ يختم أيوب جملته: مستخدِمةً السلاح. لا أفوه بكلمة. يستطرد: أخبار عن مقتل رجال

أمن وأفراد من كلا الطرفين. الأغنية في جهاز الإرسال لا تزال: "الحمدلله جزيل الفضلِ.. لما حمانا من ظلام الجهلِ". يردف: معتقل التحرير يغص برجال يُشتبه بتورطهم. يستطرد: رصدت وزارة الداخلية مبلغ عشرة آلاف دولار أميركي لمن يُبلغ عن القتلة. يواصل مازحا: خمسمئة ألف دينار كويتي.. مبلغ محترم! يتجاوز صمتي يسألني عن صادق وفهد. أخبره بسهرة البارحة حتى فجر اليوم. ألزم صمتي عما انتهت إليه الأمور في الساحة الترابية في منطقة الروضة. يكتسي صوته جدِّية يدفعني أواصل. أعده بأن أخبره تاليًا. أنا نفسي غير قادر على البوح واستعادة حادثة الفجر. يُخمِّن بأنهما تشاجرا كعادتهما. أجيبه: "تقريبا". يشرع يطمئنني رغم قلقه وانفعاله إزاء صمتي: لا تقلق. أنت تعرف صادقًا، كلما غضب أغلق هاتفه يختفي. سألته: "وفهد؟". قلقه يعتصره أدري، ولكنه كعادته باردٌ يُهوِّن الأمور. يفتعل ضحكة تنفحني برودتها: قِطٌّ بسبع أرواح، ما الذي سوف يصيبه؟ تجده الآن في أحد المقاهي يلعن حاله وحال زوجته. أتذكر قِطَّ المطابخ فهد، وفق تسمية جدَّته، بوجهه القديم. أنفجرُ أشتم الجميع. أشتمني. أشتم صادقًا وفهدًا، وأحوالنا التعيسة وهذه البلاد. يطلق زفرة طويلة يقول: هوّن عليك! أهمسُ: يا صبر أيوب. يجيب ممازحا: دعك من صبري وانشغل بصبرك! يختم مكالمته آمرًا: استأنف بثَّ البرامج. وأعلن؛ اليوم بعد المغرب، مقابل النادي العربي في المنصورية، اعتصام "آتية 40" للتنديد بأحداث اليوم. يجب أن نحشد له! لا يزال ينادي "آتية" وكأنها لم تأتِ منذ سنوات! برنامجي في التاسعة مساءً، ولا يمكنني المكوث هنا حتى ذلك الوقت.

سأقدم وصلة فهد، بدلا عنه، لأن هذا أواها. بِتُ أكره عملي هـــذا. كره المستمعون صوتي. صرتُ مثل تبَّاع الجِيَف أنعب فوق الخرائب.

أدنو بمقعدي إلى جهاز الإرسال. أقوم بتثبيت السمَّاعات إلى أذنيّ مقرِّبا وجهي أمام المايكروفون بعد أن أتأكد من توصيل البث بموقعنا على الإنترنت. أخفضُ صوت الأغنية الوطنية جاعلا منها خلفية لصوتي. أغمضُ عينيّ على وجه فهد القديم: "السيّدات والسادة المستمعين.. نعتذر عن هذا الخلل الطارئ، ونستأنف بث برامجنا بدءًا بفقرة حديث اليوم، قبل نشرة الثالثة عصرا بعد نصف ساعة من الآن". أنتقلُ إلى موسيقى البرنامج في فاصل لا يتجاوز الدقيقة. أجهز خلالها واحدة من قصائد سجلها فهد بصوته، يرافقه عزفه على العود لأشهر أغنيات عبدالكريم عبدالقادر. أستأنفُ التقديم: "يعتذر زميلنا عن تقديم برنامجه هذا اليوم، ونبدأ البرنامج، نيابة عنه، بقصيدة يلقيها بصوته.. قصيدة للشاعر خليفة الوقيَّان". أنتقلُ ثانية إلى الفاصل الموسيقي. تردني خلاله، عبر هاتفي، رسالة نصّية من أيوب: "صوتك يرتعش. تحكَّم بأعصابك يا أخي!". ينطلق صوت فهد منفعلا يلقي القصيدة:

المجد للظلام
للصوص السارقينَ من فمِ الرضيعِ
لثغة الكلامْ
الغاصبين من جفون أُمِّهِ
شهيةَ المنامْ

أنتبهُ إلى وميض هاتفي المحمول ينبهني لاتصال أيوب مرة أخرى. أتجاهله. ينكسر صوت فهد بأداء تعبيري فائق:

الفخرُ للسهامْ
للحرابِ الظامئاتِ للدماءْ
تلوبُ في الدروبِ
يقتفي حنينها
حمائم السلام

هاتفي لا يزال يلحُّ باتصالات أيوب بشكل يقلقني. يلحق اتصالاته برسالة: أوقف بثَّ القصيدة فورا! يرتفع صوت فهد:

النصرُ للرممْ
للخارجين من حفائرِ العصورْ
سطورهم شواهد القبورْ
وجوههم ملامح الحجرْ

يكفُّ أيوب اتصالاته. لا تستمر شاشة الهاتف بظلامها طويلا. تضاءُ برسالة: "الحمد لله. آنا وأبوك، ألحين نسمع صوتك في الإنترنت". تُلحق كلماتها رجاءً بأن أكُفَّ عن عنادي. أواصل نشاطي في لندن، ثم أعود لاحقا إلى الكويت. على من تكذبين يا والدتي، عليكِ أم عليّ؟ وأنتِ تدريني إن تركتُ مكانا أحببته لا أعود! تردني رسالة أخرى من أيوب: سأعاود الاتصال.. اخرج بفاصل موسيقي وأجبني على الفور!

النصرُ للعَدمْ
للسائرين في جنازةِ الربيعْ
النائمين حين تنهضُ الجموعْ
كأنهم سوائمُ البَهَمْ

بعد رسالة أيوب الأخيرة، يدنو ختام فهد للقصيدة. أقرِّرُ الردَّ على اتصالاته. يجيء صوته مرتفعا، يصاحبه صوت فهد ينطلق من مذياع بالقرب منه: أنت مجنون؟ المجدُ للظلام؟! أجيبه ببرود فاق ما اعتدناه منه: المجدُ لمن إذن؟ يدعوني أكفُّ عن الجنون. حالتي النفسية، وفق رأيه، لا تبرِّر، أبدا، ما أبثُّه للمستمعين. أقول له إنها ليست حالتي النفسية، إنها حالة وطن يلفظ أنفاسه الأخيرة. يُردِّدُ لحنا حزينا: "تيرارارااا"، قبل أن يجيبني بغضبٍ فشلَ يخفيه: على رأي صادق، أنت تحب الدراما..

يخبو صوت فهد، عبر جهاز الإرسال، خاتما:

الموتُ للقلَمْ
لكلِّ ريشةٍ وفَمْ
إذا تفجَّرت منابعُ الألم

أنتقلُ إلى فاصل موسيقي. أنصتُ إلى صوت فهدٍ متأخرا، عبر مكالمة أيوب، بفارق ثوان عن جهاز الإرسال أمامي. أُطمئنه: ها هي القصيدة وقد انتهت. يرقُّ صوته يقول: ليس هذا أوانها. يرتفع صوتي: وليس أوان بلاد تطلب المعالي! يذكِّرني بأن مقرّنا لم يعد

سرِّيًا. ليس في وسع الحكومة توفير حماية. نحن مرصودون. ويجب ألا تنسى تهديدات الجماعات الدينية. أُذكِّره: ولا تنسى الجماعات الدينية التي في صفّنا. لا يبالي. يجيب: الغلبة للصوت المرتفع. أُجيبه منفعلا كيف يُصدِّق أنهم يقدمون على حرق مقر أولاد فؤادة؟ يكرِّر الاسم ضاغطا على حروفه: أولاد فُــ ؤ ا د ة، بالمناسبة! يقول، قبل قليل كَتَب أحدهم في الإنترنت تعليقا على اسم جماعتنا: لن يفلح قومٌ ولّوا أمرهم امرأة! أردف يسألني: فؤادة امرأة؟!

يُعجبه قوله. ينفجر ضاحكا. أصرخُ به:

- "الأمر ما يضحِّك!".

يتجاوز ردّي يسألني عن الجديد حول مسودة روايتي إرث النار.

- "ولا شي..".

أُحب أن أستمع إلى أيوب جادًّا. يقترح للمرَّة الألف:

- "انشرها باسم مستعار. فكِّر في الموضوع".

لو أنه يدري بأن اسمه واحد من بين الأسماء التي جاءت صريحة في أوراق الرواية، على عكس دأبي في تغيير الأسماء في نصوص نشرتها سابقا. لو كنت تدري بأنك أيوب، يا أيوب، في روايتي، أتُراكَ تنصحني بكتابة اسمي مستعارا على غلافها؟

يستطرد متجاوزا صمتي. يرجوني ألا أنسى نشرة الثالثة. سوف يُعد تقارير موجزة، بما تسمح به الرقابة، لجريدة "الراي" عن اشتباكات اليوم، ثم يرسل لي تقارير كاملة للإذاعة عبر بريدنا الإلكتروني. يعود لاحقا لإعداد تقرير عن تظاهرة المنصورية المحتملة يُحدِّثُ بها الموقع الإلكتروني. أسأله: أيوب، هل مازلت مؤمنا بجدوى عملنا؟ يكتسي صوته جدِّيةً: أكثر من أي وقت، يا رجل! اسم أولاد فؤادة، الذي سخرنا منه قبل سنوات، صار شعارا يحمله الناس في الشارع. دع غيرك يسأل هذا السؤال. يختم راجيا: أرجوك اترك المايكروفون واستعن بأغان وطنية إن كنت في مزاجٍ سيىء. اترك عنك القصائد المستفزَّة. أنت تفهم قصدي. إن سلِمنا من الرقابة الحكومية لن نسلم من الآخرين.

أغانٍ وطنية! بات واحدنا يتساءل وهو يستمعُ إلى أغنية وطنية.. عن أي وطن يتحدثون؟ أُنهي المكالمة. أواصل تقديم فقرة حديث اليوم، تارة بصوتي، وأخرى بتسجيلات صوتية مُعدة سلفا بصوت فهد. أرسلُ، عبر الهاتف، رسالة لضاوي، أستنجده للحضور وإكمال ما تبقى من برامج اليوم. أنا مضطر لترك المكان في أقرب وقت.

يهاتفني ضاوي. يبادرني بـ "يا وَجُل" على طريقة لسانه الثقيل في لفظ حرف الراء. يستطرد: كنت أستمع إلى "حديث اليوم". بدا صوتك منفعلا. ولكن، حسنا فعلت. كانت حلقة مميزة.

"أتراه استمع إلى القصيدة؟"، أسألني، وأنا الذي أعرفه متحفظا على هذا النوع من القصائد، "قصائد يُساء تأويلها"، كما يقول

دائما. أنصرفُ عن تساؤلي ملتفتا إلى تنبيهه في آخر المكالمة. يطلب مني أن أستخدم السلالم إن كنت أنوي ترك المقرّ بعد الغروب، لأن الحكومة، على حد قوله، ستعاود قطع الكهرباء في بعض المناطق مساءً، كي تجبر الناس على البقاء في بيوتهم خشية تفاقم الأمور. مسكين ضاوي يقلقه أمر قطع الكهرباء دائما. سنوات طويلة مضت، منذ رحيل والده، لم تبدِّد خوفه المزمن من الأماكن المظلمة. ما رأيته يدعو الله خاشعا كما يفعل عند دعائه: "اللهم هوّن علينا ظلمة القبور". أُطمئنه بأنني لن أبقى هنا إلى وقت الغروب. أُبرِّر: لأنك سوف تأتي إلى المقّر حالا لتكمل بَثّ البرامج يا شيخ.

يبدو لي، من صوته، أنه يبتسم، وهو الذي يصرُّ على أن ذقنه الطويلة لا تؤهله لأن يكون شيخا: أنا حاضر، أمهلني فقط لأغير ملابسي. أُنبِّهه: اسلك طريقا آخر غير الجسر بين السُّرَّة والجابرية. يظنني أُحذره من روائح نهر البَين. يجيبني: يا أخي لا أحد يشمُّها عداك وأيوب، أنتما واهمان! ليست الرائحة دافعي لأطلب من ضاوي تجنب المرور بالجسر، ولكن اسمه، في البطاقة الشخصية، ولحيته الكثة يكفلان له عبور الحاجز الأول بسلام، إنما حتما يوقعانه في مشاكل عند الحاجز الثاني في نهايته. لو أخبرته سوف يسلك الجسر عنادا. لطالما رجوته أن يصدر بطاقة شخصية أخرى باسم مُزوَّر، يحذف منها لقب القبيلة، تجنبه المشاكل عند بعض الحواجز، ولكنه دائما محقٌّ حين يجيب: فعلها أبي من قبل، ولم ينفعه اسم مُزوَّر! يؤكد، حتى لو كان تزوير الاسم مجديا، فإنه لن يفعل. أتذكر روايتي قيد النشر. نصيحة أيوب. بين اسمي واسم مستعار. اتصالات الناشر اللبناني.

نصيحته بحذف فصولٍ أربعة تلافيا للمنع. أطرد أفكاري. أذكّره: لا تنسَ أن تحضر مصباحا يدويًا وشموعا. وكأنه نسي خبرا نقله إليّ للتوِّ. يسألني لماذا؟ أستعير لسانه متخليا عن "الراء" لصالح "الواو": يا وَجُل.. الحكومة سوف تقطع الكهوَباء! يضحك. يُنهي المكالمة ساخرا:

المجدُ للظلام!

***

يحدث الآن 2:42 PM

لا يكاد يرتفع أذان العصر ينشُر شيئا من طمأنينة، حتى يصمُّ أذنيّ دويّ انفجار في مكان قريب، يهزُّ أرضية الشقة، تاركا صفيرا عالقا في أذنيّ، وتصدُّعات على زجاج النافذة أمامي. يتبع الدويّ صوت إطلاق أعيرة نارية. أجدني على أربع فوق الأرض. هل سقطت علينا السماء وقت إعلان الهدنة؟! الطف يا رب. أحبو نحو الجدار. أستند إليه مادًّا عنقي إلى النافذة المطلة على الشارع. أستطيع أن أشاهد بوضوح، بين تصدُّعاتها، سحابة دخان كثيفة في آخره، تخترقها تبَّاعة الجِيَف مهتاجة. يهاتفني ضاوي فزِعا وقد خرج من بيته للتوّ: هل سمعت الانفجار؟! أجيبه بأني سمعت، وبأني أشاهد، الآن، ما خلّفه من دخان وغبار يتصاعد خلف إحدى البنايات الكبيرة. يجيبني: يا ساتر، غير معقول! ظننت أنه، من شدَّة الدويّ، قد حدث هنا في الفيحاء. أتوسل إليه، مادام في الفيحاء لا يزال، أن يقفل عائدا، حفاظا على سلامته، فالأمور باتت أكثر تعقيدا. يصرُّ على المجيء متعللا بأنه قد سلك الدائري الرابع و لم يعد يفصله عن مدخل الجابرية، شارع تونس، سوى مسافة قصيرة. صوت الأعيرة النارية مستمر. لا أُنهي المكالمة إلا بعد إذعانه لإلحاحي: خلاص، اطمئن ها أنا في طريقي إلى البيت ثانية. يختم محذرا: إياك أن تترك المقرّ!

أكرِّر اتصالاتي بصادق وفهد. لا جديد. أيوب لا يرد على هاتفه يضاعف قلقي. أصوات سيارات الإسعاف والإطفاء تتخلل أصوات الطلقات. هاتفي يتلقى اتصالا من رقم مجهول، يشي الأربعة والأربعون في بدايته أنه من لندن. لا أرد. أجوب الشقة جيئة وذهابا كمن ينتظر، في ممر مستشفى، إفاقة قريبٍ يرقد في غرفة العناية الفائقة. لو كان الأمر كذلك لهان الحزن. كل مصيبة تنثال على رؤوسنا نؤمِّل أنفسنا بأنها الأقسى والأخيرة، ولكن المصائب تأبى إلا أن تتهافت علينا أرتالا تلجم آمالنا. ترفع أصابعها الوسطى في وجه هدنة مزعومة.

***

الفصل السابع

خالتي عائشة، تمسك قلمها الأحمر، تصحِّح كشاكيل تلميذاتها في زاوية غرفة الجلوس. صارمة الوجه كما هي دائما. لست أدري كيف تطيقها التلميذات في الفصل. امرأة لا تضحك لا تبكي. صادق وفهد وأنا، نستلقي على ظهورنا في أرضية الغرفة. أذرعنا مثنية تحت رؤوسنا. نسندُ أقدامنا الصغيرة إلى الخزانة الخشبية أسفل جهاز التلفزيون. فوزية على أريكة نصف مستلقية. تينا، في زاويتها عند السُلَّم تجلس على عتبته الأولى. نتابع حلقة من مسلسل "على الدنيا السلام"، كانت فوزية قد سجّلتها على شريط فيديو. أحببنا هذا المسلسل التلفزيوني أكثر من أي مسلسل آخر، حبًّا يشوبه اعتزاز، لأن تصويره تم في منطقة السُّرَّة حيث نسكن. كنا، ثلاثتنا، إذا ما سلكنا شارع طارق بن زياد، بين الساحات الترابية مترامية الأطراف، مشيا على الأقدام، نشير إلى مواضع مختلفة منه بحبور؛ هنا كانت حياة الفهد وسعاد عبدالله، بطلتا المسلسل، في مشهد نهاية الحلقة الأخيرة، تجريان هربا من الفئران، تلوذان بمستشفى المجانين! يقترح فهد اسما جديدا للشارع عوضا عن طارق بن زياد. الأَولى أن

يكون اسمه شارع طارق عثمان، نسبة إلى مؤلف المسلسل. تقطع فوزية أمنية ابن أخيها: طارق عثمان فلسطيني، ليس كويتيا! يسألها: "وطارق بن زياد.. كويتي؟!". لا تجيب. كنا نجلس ساعات طويلة، نستند إلى سور مدرسة عبدالمحسن البحر الابتدائية، المحاذي لشارع طارق بن زياد، مقابل المبنى الأحمر لمستشفى الطب النفسي في المسلسل، ننتظر ظهور إحداهما، محظوظة أو مبروكة، من دون جدوى. نحث الخطى مسرعين إلى بيتهما. ننتظر ساعات لا يخرج منه سوى أصحاب البيت الأصليين، يضحكون كما لو أنهم اعتادوا منظر الأطفال يتحرَّون ظهور الممثلتين أمام البيت. نُدير ظهورنا نمضي نحو مستشفى أبقراط في شارع ابن زياد. نراقب بوابته علَّ واحدة منهما تظهر. لا أحد. نعيد توزيعنا. فهد عند باب بيتهما، صادق عند مستشفى الطب النفسي، وأنا أمام بوابة أبقراط. لم نكن ندري أن التصوير قد تم قبل شهور من أيامنا تلك، وأن المبنى الأحمر، لمستشفى الطب النفسي، لم يكن سوى مركز شرطة قيد الإنشاء في منطقة السوق المركزي، وأن بيت سعاد عبدالله وحياة الفهد لا يعدو كونه بيتا مثل أي بيت من بيوت السُّرَّة، وأن مستشفى أبقراط الذي حسبناه مستشفى تخصصيا لم يكن إلا صالة شيخان الفارسي للأفراح، استُخدمت واجهات المباني الخارجية في المسلسل وحسب. أي سعادة كنا نشعر بها تجاه ما خصنا به هذا العمل التلفزيوني، نحن أبناء السُّرَّة. كنا لا نكف أثناء المتابعة عن الصراخ فجأة إزاء أحد المشاهد: "شوف شوف!"، نشير إلى الساحة الترابية أمام مدرستنا! تنفجر فوزية: "هششش!.". تطالبنا بالسكوت كي تتابع بهدوء.

نتجاهلها ونواصل تعليقاتنا. ولأن أمي حِصَّة ليست معنـــا، يرتفـــع صوت خالتي عائشة: "بس!". نخرس. ننتظر بشغف انتقال الأحداث إلى مستشفى الطب النفسي. رغم غضب خالتي عائشـــة، لا نكـــتم ضحكنا على نزيلات المستشفى بأشكالهن وإيماءاتهن المضحكة، وعلى منظر محظوظة ومبروكة مقيـــدتين إلى الســـرير، تصـــرخان، أثنـــاء علاجهما بالصعقات الكهربائية. تينا تغالب ضحكاتها. تصرخ بهـــا خالتي عائشة: "إنِي! على شنو تضحكين؟! قطيعة!". تشير بسـبَّابتها إلى الباب آمرة: "المطبخ!". تترك تينا زاويتـــها، في حـــين نواصـــل ضحكنا على مجنونات المسلسل. وحدها فؤادة عبـــدالعزيز، في دور مدرِّسة التاريخ السابقة، بثوبها الأحمر القاني وربطة شـــعرها سماويـــة الزرقة، من بين كل نزيلات مستشفى الطب النفسي، تفســـد علـــيّ استمتاعي بمتابعة المسلسل إذا ما انطلق صـــوتها ذو البحَّـــة يســـبق صورتها. تطوِّق مصيدة فئران برتقالية اللـــون بـــذراعها. تســـير في الممرات محذرة: "الفئران آتية.. احموا الناس من الطاعون". تُرعـــبُ المجنونات بظهورها المفاجئ، تستنفر الممرضين، تربكُ الدكتور شَرقان ومدير المستشفى أبا عقيل و.. أنا. صوتها مؤهلٌ ليكون رابع أصوات الرعب القديمة؛ نداءات بائع الصُّرَّة اليمني، ونفير صافرات الإنـــذار، ونباح كلب الجيران السلوقي. خوفي من فؤادة، متحالفا مع ما سمعته عن برامج تلفزيون توعوية قديمة تحذر من خطورة القوارض، بـــات وسواسًا قسريا إزاء الفئران زمن طفولتي. ما عاد ميكي ماوس مـــن الشخصيات الكارتونية المحببة. فقدتُ تعاطفي مع جيري. أصـــبحتُ أجد لـــ توم ما يبرِّر عدوانيته. كنت أحاول أن أواري خـــوفي مـــن

تلك الشخصية، إلا أن لا شيء يخفى على فوزية التي صارت تُسكتني، إذا ما ناكفتها، تمثيلا لدور فؤادة. تُفَخِّم صوتها تُضفي عليه بحَّة مخيفة، تبحلق في وجهي: "كتكوووت". تلوِّح بسبَّابتها: "أنا التاريخ كله! وأحذركم من الآن؛ الفئران آتية.. احموا الناس من الطاعون!". كانت قد تعرَّفت طريقا لا يمكنني مجاراتها فيه.

مرَّت بنا أمي حِصَّة، تاركة غرفتها متجهة إلى المطبخ في حوش البيت. سألت: "وين تينا؟". اكتفينا بالالتفات نحو خالتي عائشة. توقفت أمي حِصَّة قبل الممر المؤدي إلى الخارج تلتفت نحونا: "اهتمّوا بدروسكم أخيَر من التلفزيون". لم نتجاوب معها. أردفتْ: "أجهّز لكم عشا.. لبنة وزيت زيتون وزعتر". استأنفت سيرها إلى المطبخ تنصح بأن نأكل الكثير من الزعتر لنصبح أذكياء مثل الفلسطينيين، ولنحصل على تقدير "مُنتاز!". كنا، في ذلك الوقت، قد آمنا بأسطورتها تلك؛ أسطورة الزعتر، إذ لم نجد مبرِّرا مقنعا لتفوق التلاميذ الفلسطينيين في مدارسنا وحصولهم على المراتب الأولى دائما سوى الزعتر الذي يأكلونه كل صباح. أكلنا الكثير منه حتى ملَّته بطوننا من دون فائدة. كنت، في السنة التي اشترى لي فيها والدي الدراجة الهوائية، قد نلتُ المرتبة الأولى في مدرستي، من دون زعتر. متفوقا على بقية الطلبة، عدا الأخوين الفلسطينيين سامر وحازم بطبيعة الحال، إذ هكذا كنا نُصنِّفها مرتبةً أولى على الكويتيين، مع إيماننا المطلق بأنها مرتبة، في المجمل، لا يدركها إلا تلميذ فلسطيني رضع الزعتر مع حليب أمه.

لم نكن قد فرغنا من متابعة المسلسل حين دخل عمِّي صالح يحمل صندوقا كرتونيا أبيض، يحمل حروفا إنكليزية حمراء HITACHI وضعه

على الأرض وسط غرفة الجلوس. قال مبتهج الوجه: كاميرا فيديو يابانية الصنع. منذ تلك اللحظة أصبحت الكاميرا واحدة من أفراد بيت آل بن يعقوب، تنتصب طيلة الوقت في زاوية غرفة الجلوس، محمولة على قاعدها المعدنية، مغطاة بعباءة قديمة تحفظها من الغبار. كانت ترعبنا، قبل أن نعتادها، مثل عجوز قصيرة تتشح عباءة تملؤها الثقوب لا تفارق زاويتها. أسميناها في ما بعد: "تمثال أمي حِصَّة"، رغم انزعاج جدَّة فهد من التشبيه: "آنا قصيرة.. لكني مو قزمة!".

تهلَّل وجه خالتي عائشة، في صورة ما أَلِفتُها عليها، إزاء تدشين مرحلة جديدة تخلِّدُ فيها ذكرياتٍ حيَّة بدلا منها جامدة في صور الكاميرا الـ Polaroid الفورية. تحلقنا حول الكاميرا مثلما تجتمع فئران أمي حِصَّة حول بيضة مكسورة في قفص دجاجاها. كاميرا كبيرة تُثبَّتُ إلى الكتف، أو إلى حامل معدني ذي ثلاثة قوائم، موصولة بجهاز فيديو VHS وشاحن كهرباء. جاءت أمي حِصَّة يقودها فضولها بسبب ضجيجنا، تتبعها تينا حاملة أطباق العشاء الأسطوري. لم أترك بيت عمِّي صالح ذلك المساء إلا بعدما فرِغ من تركيب كاميرته وشحن بطاريتها. وقفنا، في الممر، صفًّا واحدا أمام الكاميرا، بين مزهريتيّ ريش الطاووس، تظهر وراءنا صورة "الريِّس"، على حدِّ تسمية عمِّي صالح. اعتدلنا في وقفتنا، فهد وصادق وأنا، أمام عدسة الكاميرا لتجربتها. فرصة لاستعراض مواهب تمثيلية. بدأ ضوء الكاميرا الأحمر يومض. شرعت خالتي عائشة، من وراء الكاميرا، بوجهٍ لا يشبهها، تردِّد أغنية شعبية قديمة: "وين راح أبوي وين راح أبوي؟". لمعت عينا أمي حِصَّة تنظر إلى كنَّتها بحزن: "الله

يرحمه". توحدت أصواتنا، أمام الكاميرا نجيب خالتي عائشة غناءً: "راح البصرة.. راح البصرة". واصلت أسئلة الأغنية: "اِش يجيب لي، اِش يجيب لي؟ شَرَق ورَق شَرَق ورَق". تبتسمُ وِسع فمها: "وين أحطّه وين أحطّه؟". "في صنْيديقي في صنْيديقي". ارتفعت أصواتنا أكثر بلحن بطيء نكمل الأغنية: "الصندوق ماله مفتاح.. المفتاح عند الحدَّاد". كلمة الحدَّاد تترك أثر استحسان على وجه فهد، رغم أن لا علاقة لحدَّاد الأغنية بمؤيد الحدَّاد اللاعب. تنتهي الأغنية بـ: "المطر عند الله". هزَّت أمي حِصَّة رأسها تجاوبا: "لا إله إلا الله". اقتربت فوزية مقاطعة. تردَّدَت. سألت شقيقها إن كان يسمح لها بالغناء. كاد أن يجيبها لولا أجابتها أمها نيابة عنه مشجعة: "غَنِّي.. غَنِّي يا فوزية". أومأ عمِّي صالح برأسه يفتعل ابتسامة. شرعت أمي حِصَّة تُصفِّق. راحت فوزية، فور اشتعال ضوء الكاميرا الأحمر، تقلد سناء الخراز، فنّانتها الوطنية الأثيرة، تغني للأمير: "لقيناه، يا أحلا أيام العمر.. وعشناه، فرحة على قلوبنا تمر.. جابر أبونا من عمر". زغردت أمي حِصَّة. أدار عمِّي صالح كاميرته باتجاهها يلتقط المشهد. ألقت مِلفعَها على وجهها بحركة سريعة تخفيه عن الكاميرا. قهقه ابنها خلف كاميرته: "تستحين من الكاميرا يُمَّه؟!". استحالت صنما. لا صوت لا حركة. أدار عدسة الكاميرا، ضاحكا، إلى حيث كانت أسفل الصورة على الجدار. عادت الحياة لأمي حِصَّة. فوزية تواصل غناءها: "عاش الأمير المفتدى.. وكلنا له فِدى". قاطعها عمِّي صالح بعصبية: "بس.. كافي!". تمتمَ بوجهٍ ممتعض: لو أن البرلمان لا يزال..! ترك جملته مفتوحة على احتمالاتها. استعد فهد شادًّا جسمه، نافخا

صدره كديك يوشك أن يصيح، يؤدي تحية عسكرية، يحاكي أخبار الجبهة التي يبُثُّها تلفزيون العراق، وقتَ ينقله اللاقط الهوائي آنذاك مشوَّشا. انطلق بلهجة عراقية أحببناها صغارا: "أنا المُجَنَّد عطيّة خضيِّر، الفرقة الثامنة.. أُحيِّي سيّدي القائد من معسكر أربيل وأُبشِّره بنصرٍ من الله قريب". انتبهتُ إلى صادق، احمرَّت أذناه، بدأ ينسحب إلى ما وراء الكاميرا بوجه محبط. فغرت أمي حِصَّة فمها إزاء أداء حفيدها. تضحك ممسكة بملفعها متأهبة لتغطية وجهها في أي لحظة تلتفت نحوها عدسة الكاميرا. عمِّي صالح يكتم ضحكاته وراء كاميرته. دفعني الحماس لمقاطعة فهد باللهجة إياها: "أنا المُجَنَّد حمزة أبو المعالي، من الفرقة الثالثة، مدرعة تكريت، أُسَلِّم على أهلي وعشيرتي..". قاطعني عمِّي صالح مؤنبا: "الرَّيِّس أول شي!". تداركتُ مصححا: "أأأ.. أُسلِّم على بطل القادسية سيِّدي رئيس الجمهورية..". لم يستمر المشهد طويلا. ختمناه بالتلويح عاليا. نضرب الأرض بأقدامنا، على طريقة الهوسة العراقية، مردِّدين: "كلنا جنودك سيِّدي.. كلنا جنودك". ربما هي المرة الوحيدة التي رأيت فيها خالتي عائشة تبتسم ذلك المساء. تنظر إلى الكاميرا الجديدة بحبور. تُؤمِّن حياةً خالدة لمن تحب. انتبه عمِّي صالح إلى غياب صادق المفاجئ بعد أن مضى الأخير إلى نهاية الممر خروجا. صاح به:

- "تعال يا ولد!".

اختفى صادق. لم يحفل بنداءات عمِّي صالح الذي صاح به مُستفِزًا:

- "تعال سلِّم على الخُمَيني!".

انتهى المشهد، في ذاكرتي، بصـوت ارتطـام بـاب الحـوش الحديدي.

* * *

يحدث الآن 3:10 PM

أتصلُ بضاوي، بعد بثّ موجز الثالثة، أطمئن إلى وصوله، وهو المكشوف للطائفة الأخرى بمجرد النظر إلى وجهه وقراءة اسمه كاملا في البطاقة الشخصية. لا يرد على اتصالاتي. لا أدري إلى مَن أوجه قلقي. لن أغفر لنفسي إن أصابه مكروه، وأنا من طلب منه المجيء. لا قدرة لي على الانتظار. أدسُّ قدميَّ بنعليّ الحمّام أزمعُ على ترك المقر ذهابا إلى الفيحاء أتأكد من وصوله. أنتظر في الممر المصعد. يسبقه اتصال أيوب. كارثة ما أستشعرها بصوته الذي يجيء مضطربا على غير عادة. كان الإنفجار الذي سُمع منذ قليل، في مناطق عدة، ردا على إشعال النيران في مسجد عبدالوهاب الفارس، في منطقة كيفان، الأسبوع الماضي. أستوضحه عن قصده. يجيب بغير يقين: أخبار، أو ربما شائعات، عن نسف أحد المباني في الجابرية. أُكرر كلمة جاءت في جملته مستفهما: نسف؟! يتردَّد قبل أن يستطرد: البعض يؤكد أنها "حسينية". أُسندُ ظهري إلى الحائط. باب المصعد مشرع. يطبَق بعد ثوان. لا تحملني قدماي على السير. يردفُ بحسرة: يا أخي جماعتكم أولاد كلب! تصعقني الكلمة؛ جماعتنا، وأنا الذي لا جماعة لي عدا التي أسسناها زمن الجهل؛ أولاد فؤادة! أصرخ به لعله يستفيق: أيوب! يلوذُ بِصَمتِه. أرجوه: إلا أنت! هو في حال لم أعهده عليها قط. ليس أيوب الذي أعرف من يحدثني الآن. أرجوه، وحادثة

الصباح، بصوَرها وأصواتها، لا تبارح مخيلتي: لا تكرر ما جرى لنا فجر اليوم أرجوك! يطلق زفرة حرَّى: أستغفر الله. يسألني كمن تنبَّه من غفلة: أنت، حتى الآن، لم تخبرني بما جرى فجر اليوم! أجيبه: "بعدين". لا يصرُّ على سماع إجابة كأنه يخشاها. يسأل: هل يستدعي الأمر قلقا ينتابني الآن؟ أُهي مكالمتنا: لا تقلق.

أقطع الممر عائدا إلى الشقة لا ألوي على شيء سوى الذهاب إلى مكان الانفجار. نصحني أيوب بأن أستعين بمعداته في المخزن لأبرِّر وجودي في مكان الحادثة. أعثر، بينها، على كاميرا صغيرة تفي بالغرض، وزوج أحذية لن استخدمه بسبب مقاسه الذي لا يناسبني، وقميص بلا أكمام يحمل في ظهره شعار جريدة "الراي". أي سخرية هذه! كنت أستخدم مايكروفون فهد قبل قليل، أجدني الآن في ثياب أيوب! أعود إلى جهاز الإرسال أعتذر للمستمعين عن مواصلة بث البرامج على أن نعاود بَثّها لاحقا. أقوم بتشغيل أغانٍ لست أؤمن بجدواها.

في الممر، لا أكاد أكبس زر المصعد ثانية حتى يكشف بابه عن ضاوي بوجه باسم، تسبقه رائحة دهن العود. يحمل مصباحا يدويا وحزمة شموع وقِدرَ طعام وفندوس تمر. أتناسى إصراري على بقائه في البيت. يكاد يتجاوز باب المصعد لولا أنني أقبلُ عليه أعانقه. يطبق المصعد بابه على كتفينا: هوِّن عليك يا وَجُل! يقول وهو يحاول ألا يُسقِط الأغراض من يديه. أسأله عن القِدر. يكتفي يُذكِّر: اليوم الخميس. هو صائم كدأبه أيام الإثنين والخميس. يسألني عن فهد

وصادق. أهزُّ رأسي: لا خبر. يتفرَّس ملامحي ثم ينظر إلى ساعة معصمه: هل تخفي شيئا؟ لا أُحير جوابًا. أنا غير متأكد. يبتسم: "يجيب الله مطر". يرِّن هاتفه ينبهه إلى رسالة. يقرؤها. يمتقع وجهه. يمدُّ يده أمام وجهي يريني شاشة الهاتف: في انضمامك إلى جماعة مشبوهة، غير جماعتك، خروج عن الملَّة. أستفهمه. يجيب: هذا بسبب تأييد شبكة الملاحدة. أسأله: يؤيدون من؟ يُطمئِن: لا عليك. يُغلِّف إحباطه بابتسامة وهو يكبسُ أزرار هاتفه. لا أتردَّد أنظر إلى شاشة الهاتف بين يديه أقرأ ردَّه على المرسل: المِلَّة ليست بيت أبيك تطردني منها وقتما تشاء! أمسكُ بهاتفه قبل أن يرسل الرد. لا أواري شعوري: تمهَّل! يضحك وهو يدفعني يواصل سيره إلى المقرّ: من يرتدي قميص أيوب عليه أن يتحلى بصبره وبرود أعصابه.

لو أنه سمع صوت أيوب في مكالمته قبل قليل!

***

الفصل الثامن

أحجم صادق، شهورا عدة، عن زيارة حوش بيت عمِّي صالح. كنت صغيرا، ولكن هذا لا يعني أنني لم أشعر بالحيرة تجاه ما يبدر عن الأخير من مضايقات ورسائل مبطنة يأمل في أن يقوم صادق بتوصيلها إلى عمِّي عبَّاس. لم أكن أفهمها، ربما، ولكنني حتما فهمتُ أنها مؤذية لصادق. لم نعد نجتمع إلا في فصل المدرسة، في صفِّ المقاعد الأخير كما اعتدنا الجلوس. ينشغل، كدأبه، يرسم على سطح الطاولة وجوها وعيونا وطائرات حربية، ودائرة في حجم قطعة نقود معدنية، يكتب أسفلها: "اضغط الزِّر يختفي المدرِّس!". سرعان ما انتشر الزِّر الافتراضي في طاولات الفصل وجدران المدرسة. لا ينفكُّ واحدنا، أثناء الحصَّة الدراسية، ينقر بسبَّابته على سطح الطاولة، آملا أن يختفي مدرسٌ لا يصرفه عنا إلا رنين الجرس.

صرتُ أشاهده بين حين وآخر، وقت غروب الشمس، عند باب بيتهم يحمل دفاتر ينتظر عمِّي عبَّاس يقلّه إلى مكان ما. عرفت لاحقا أنه يذهب إلى الحسينية، يتلقى دروسا دينية لا توفرها حِصص التربية الإسلامية في المدرسة كما يقول عمِّي صالح الذي سارع

بتسجيل فهد في إحدى الجمعيات الدينية، في حين رفض والـــدي أن أنتسب إلى أي ناد أو تجمع ديني: لديكَ سجَّادة صلاة في غرفتـــك.. أو إن أردت، مسجد الغانم على مبعدة شارعين من هنا. اقتربتُ من صادق. كان متحفظا قليل الكلام. لم أكن لأتركه وشأنه وأنا مؤمن بأن حوش عمِّي صالح ينقصه شيء ما، لا يكتمل إلا باكتمالنا فيـــه. كنا في أبريل 1988، قبل حلول رمضان بأيام. في وقت كـــان فيـــه التلفزيون ينقل لنا أخبار اختطاف الطائرة الكويتية؛ الجابرية. أشارت الصحف صراحة إلى تورط عناصر من حزب الله، المـــوالي لإيـــران، بعملية الاختطاف. بثَّ تلفزيون الكويت الأغنيات الوطنية على مدار الساعة بشكل أجبر فوزية على البقاء أمام الشاشة طيلة الوقت تُسجِّل تلك الأغنيات على شريط فيديو.

قررتُ، في ذلك اليوم، زيارة بيت عمِّي عبَّاس، ولأن والدتي لا تسمح لي، عادة، بالخروج في غير عطلات نهاية الأسبوع، خصوصا في ظروفنا تلك، انتهزتُ فرصة انشغالها مع نسوة الحيّ، بعد صـــلاة العِشاء، في زيارة بيت جارنا أبـــي سامي لتهنئة زوجته الأميركيـــة. كانت قد اعتنقت الإسلام لتوِّها آنذاك. ويالفرحة أمي حِصَّة بالخبر: "هداها الله"، تقول عن الجارة التي طالما ردَّدت أنها "بنت حلال" لولا كفرها. لم تمر دقائق ثلاث على ترك والدتي للبيـــت حـــتى شـــرع السلوقي في بيت أبـــي سامي بالنباح، مستقبلا الغرباء على طريقته. عرفت أنه الوقت المناسب للخروج. ضغطتُ مكبس الجرس المغـــرِّد. انتظرت ثواني أمام العتبات الثلاث، أسندتُ ظهري إلى قارب عمِّـــي عبَّاس، مقابل اللوح المثبَّت أعلى الجرس "منزل عبَّـــاس عبدالنبـــي

عبَّاس محمد". فوجئت بحوراء، شقيقة صادق التوأم، تفتح لي الباب. كانت أول مرة أراها ترتدي الحجاب، والعباءة تعلو رأسها ممتدة إلى قدميها. أسِفتُ كثيرا لأنني لن أشاهد شعرها البني الكثيف مرة أخرى. كيف لهذا الحجاب أن يحيل طفلة إلى امرأة بمجرد ارتدائه! عزيت نفسي بوجنتيها الحمراوين وعينيها الكحيلتين، كل ما تبقى من صورها التي أعرف. كدت أسألها عن حجابها، أهنئها، أو أقول أي شيء إزاء شكلها الجديد، ولكنني تذكرت محظورات والدتي. انتابني فضولٌ إن كان فهد قد علم بموضوع هذا الحجاب. هو يغضب كلما حدَّثته عنها. يظنُّ أنني أُلمِّحُ إلى شيء كما كانت عمَّته فوزية تفعل. أرسلته أمي حِصَّة ذات يوم إلى بيت صادق يحمل أطباق طعام، ومنذ ذلك اليوم وهو يصرُّ بشكل ملفت بأن تترك له مهمة توصيل الطعام إلى بيت عمِّي عبَّاس. وحين رأته فوزية يطيل الوقوف أمام النافذة المطلة على بيت الجار صارت تناكفه، تغني أغنية لمطربه الأثير: "ردّ الزيارة". يحمرُّ وجهه غضبا.

"تفضل.. صادق موجود"، بادرت حوراء إزاء طول صمتي. وجدت صادقًا، في غرفة الجلوس، ممسكا بقبضة التحكم السوداء ذات الزر الأحمر، يراوغ طائرات حربية على شاشة التلفزيون يلعب الـ آتاري. مغرمٌ بالطائرات الحربية كان. أسفل السُلَّم جلس عمِّي عبَّاس مقرفصا، أمام زبيل، نظارته الطبية على طرف أنفه، يعالج خيوط صيد السمك ويعيد لفها حول بكراتها الخشبية. سمعتُ، من إحدى الغرف، أغنية لناظم الغزالي. هي غرفة أمي زينب لا شك. كانت المرة الأولى التي أدخل فيها بيت صادق، متجاوزا حوشهم

الذي نادرا ما نجتمع فيه، لا يختلف عن بيتنا أو بيت آل بن يعقـــوب بسجاده وأثاثه والثريات المتدلية من السقف الجبسي المنقوش، الشيء الوحيد الذي لفت انتباهي كان بعض اللوحات على الجدار خلـــف خزانة التلفزيون، لوحات بتفاصيل كثيرة، خيول وأسود وســـيوف، ورجال وسيمين بتقاطيع وجه جميلة، يبدون أكثر وسامة من الرجـــل الذي كنت أشاهده مصلوبا في صورة تعلقها تينا على جدار غرفتـــها الصغيرة. تذكرت ما قاله فهد ذات صباح: "أهل البيت الذين يعبدهم عمِّي عبَّاس وخالتي فضيلة وأمي زينب..". في ذلـــك المســـاء أدرك عقلي الصغير أشياء جديدة، أولها لوحات فنية لآل البيت، وصـــور لعيون دامعة رسمها صادق، وآخرها صورة فوتوغرافية في أحد رفوف خزانة التلفزيون، بين صورتين قديمتين لصادق وحوراء زمن طفولتهما المبكرة، صورة لرجل بعمامة سوداء ولحية بيضاء كثة، كتب أسفلها بخط أسود مزخرف "روح الله الموسوي الخميني". لم يكـــن الاســـم جديدا عليّ، ولا الصورة، إذ إنني كنت أعرفهما قبلاً، ولكن كـــلٌّ على حدة. الجديد بالنسبة لي، ذلك المساء، هو تركيب الاسم علـــى صاحب الصورة. هو قائد الحرب في الجهة الأخرى، والذي لا أكاد أعرف عنه شيئا. غص رأسي بأسئلة من النوع الذي تتورَّم له الشفاه على حدِّ تهديد والدتي. ابتلعتها ملقيا تحيتي: "الســـلام علـــيكم". ردَّ عمِّي عبَّاس التحية. أردف متسائلا: "جيت بروحـــك!". أومـــأتُ برأسي أوافقه. كان منهمكا يعالج خيوط الصيد. سألني: "وين ابـــن إبليس.. والا إبليس يحرِّم عليه دخلة بيتي؟". كنت معتادا على سماع تسمية فهد "بَزُّون" وفق لهجة أمي زينب لقاء الـــ "قَطْو" وفق تسمية

أمي حِصَّة، أما ابن إبليس فقد كانت جديدة. كنت قد لمست، قبل شهور، أن عمِّي عبَّاس لا يختلف عن عمِّي صالح، وأن كِلا البيتين صورة معكوسة عن الأخرى. كان ذلك عندما ذهبت وصادق بصحبة عمِّي عبَّاس إلى القُمبار، وقت الجَزْر في بحر الدوحة ليلا. عمِّي صالح لم يسمح لفهد أن يُقَمبِر معنا. قرار منع دخول ابنه إلى بيت الجار يطال سيارة الأخير وشاليهه وصحبته أيضا. كنا، حفاة، نخوض في مياه الجَزِر في الظلام بعيدا. يحمل كل من صادق ووالده مصباحين يدويين يمشطان الأرض السَبِخة، يتكئان على رمحين يلتقطان بهما الأسماك العالقة في شباك طاروفٍ مهمل أو في منخفضات غطتها المياه الضحلة قبل رجوع المدّ، في حين كنتُ أحمل زبيلا أضع فيه ما يجمعانه من أسماك. استغربت إهمالهما لسرطانات البحر على كثرتها، في حين كنت لا أكف أصرخ أشير إلى أحدها كلما خطفَ بدبيبه الجانبي راسما خطا متقطعا على الرمال الرطبة: "عمي عبَّاس! شوف شوف.. قُبقُب!". لم يكتفِ بقوله إنهم لا يأكلون سرطانات البحر، لأنها تأكل الأوساخ، فأكلُها حرام. أجابني، بغير اهتمام، حين أخبرته بأننا نأكلها: وهل أنتم تعرفون الحرام؟! أنتم تلك التي لفظها هي المقابل لـ هُم لدى عمِّي صالح. لم يستحسن صمتي على ما يبدو. أردف ضاحكا: "قول لِـ صويلح اني ما آكل الوسخ مثلكم!".

ليلة دخولي إلى بيت عمِّي عبَّاس للمرة الأولى، لم أقل شيئا إزاء سؤاله عن ابن إبليس. و لم أنوِ، قبل ذلك، إخبار عمِّي صالح، كما يأمل أبو صادق، بما قاله عن جاره ليلة القُمبار. اتجهت نحو صادق

أمام شاشة التلفزيون. التفتَ إليّ. مدَّ لي قبضة التحكم: "تعال العب". ما كدت أجلس إلى جانبه على الأرض حتى ظهرت خالتي فضيلة مرتدية عباءتها، بصحبة حوراء تحمل بين يديها مغلفا يبدو هدية. سكت غناء الغزالي. خرجت أمي زينب من غرفتها. كانوا في طريقهم إلى الخارج. سألهم عمِّي عبَّاس: إلى أين؟ التفتت إليه خالتي فضيلة ممسكة بجزء من عباءتها أسفل ذقنها: إلى بيت أبي سامي، فلورنس اعتنقت الإسلام. أرخى يديه المنهمكتين بمعالجة خيوطه. أعاد تثبيت نظارته. سألها مهتما: على أي مذهب؟ تدخلت أمي زينب تجيبه مبتسمة: على مذهب زوجها أكيد. صفع عمِّي عبَّاس الهواء أمام وجهه في خيبة: لو بقيتْ على دين أهلها لكان خيرا لها!

* * *

يحدث الآن 3:50 PM

"الله أكبر.. الله أكبر.. الموت للمعتدي"

ليس سهلا، تحت تأثير عَرَجٍ تزداد وطأته، أن أذهب إلى موقع الحادثة، رغم قربه من مقرِّنا، مشيا على قدميّ. أستقل سيارتي. أوقفها في مكان قريب. رجال الأمن يطوِّقون منطقة الانفجار. هوّة عميقة في الأرض، أمام واجهة المبنى، قطرها يجاوز أربعة أمتار. قميص أيوب جواز مروري إلى داخل الحلقة الأمنية. النيران تشتعل في أماكن متفرقة. والرماد يملأ كل شيء. قتلى بين ركام رمادي، أغلبهم من خارج مبنى الحسينية الفارغ بعد الظهيرة. جرحى رماديون تخالهم تماثيل حيّة. بعضهم يئن وبعضهم الآخر يحبو مبتعدا عن بقايا حجارة المبنى يلوِّح بيده ينبِّه إلى وجوده. كلب قذر أسود يجري مبتعدًا مطبقًا فكَّيه على ذراع مبتورة. رائحة حرق، هسيس نيران، عويل نساء، سبٌّ ولعنٌ وتكبير، رجال إسعاف يركضون. رجال إطفاء يصيح واحدهم بالآخر. رجال أمن يفحصون أجسادا متناثرة، يصرخون طلبا للإسعاف: حيّ.. نقّالة.. هنا هنا.. يتنفَّس.. يتحرّك.. حيّ حيّ. يطلقون النار على تبَّاع جِيَفٍ هائج يحطُّ إلى جانب رجل هامد بلا ذراع، يسيل الدم سخيا من كتفه عند الجزء المبتور. عرفنا تبَّاع الجِيَف لا يقرب الجثة قبل أن تتحلَّل. أعرفه اليوم أقلّ صبرا أكثر فتكا. أجري على الأرض الزلِقة بما خلفته خراطيم

رجال الإطفاء من مياه استحالت خليطا طينيا من دماء وتراب ورماد وحجارة. ما ألِفتُ مشاهدته على شاشات التلفزيون من مشاهد وأصوات تدور في دول المنطقة، بِتُّ أشاهده حيًّا حولي، ولكن لا جهاز ريموت كونترول هنا، ولا ذلك الزِّر القديم على طاولة صادق!

المبنى المعني يخص طائفة. الضحايا حوله من الطائفتين! أعرني برود أعصابك يا أيوب! كيف لك أن تمسك بالكاميرا تلتقط صورا لو كنت مكاني. أدريكَ تفعل كما لا أفعل. لا أتمكن من التقاط صورة واحدة. أكره ما أرى. أفشل في السيطرة على رعشة أصابعي. لا أريد الاحتفاظ بصورة أمقتُ تفاصيلها. أتخيَّل مصيرا مشابها لفهد وصادق. تخنقني عبراتي. أتصل بأيوب: ألو أيوب! أي جديد؟ يسارع يجيب: الجديد لديك. ألتفتُ أعاين جِدَّة الأشياء من حولي. أجيبه صوتًا أفشلُ في كبح عبراته: لا جديد سوى أعداد القتلى. يجيبني: خُذ عندك.. زِد طينك بلَّة! لا أفوه بكلمة أتأهبُ لبلَّتِه: فتوى، أو ما شابه، أشدُّ قسوة من سابقاتها، تدعو إلى تجنُّبِ الاستماع إلى إذاعة أولاد فؤادة أو متابعة موقعها الإلكتروني أو حساباتها في مواقع التواصل الاجتماعي.. أصحابها على ضلال. غصةٌ في الحلق تفضي إلى مرارة أسفل لساني. عيناي صوب الحفرة أمام مبنى الحسينية. أسأله: مِمَّن؟ يفلت زفرة تشبه ضحكة: كلاهما. هل تُصدِّق؟! صدرت الأولى عن إذاعة أسود الحق، ثم لحقتها تأييدات رجال دين، في الجماعة الأخرى، انتشرت سريعا في مواقع التواصل الاجتماعي ورسائل الهاتف.

يقول كلاهما! وكلاهما لم يتَّفق يوما على رؤية هلال رمضان وبدء الصيام في يوم واحد. كلاهما لم يهنئ الآخر أول يوم عيد، لأن لكليهما يوم عيدٍ أول لا يوافق يوم الآخر. كلاهما لم يتَّفق على موعد صلاة. على نسبة زكاة. على دفن موتاهم في مقبرة واحدة. كلاهما لم يتَّفق على شيء سوى تجنُّبنا اليوم. كلاهما يتفق، مرَّة أولى، ضد من بُحَّت حناجرهم ينادون بكلمة سواء!

يزيدني أيوب بلَّة تلو الأخرى تُحيل طيني وحْلاً أغرق فيه: بعض المتشدِّدين، في كلا الفريقين، يرى دمنا حلالا! أنتبه إلى كلب الذراع المبتورة يعود من دونها. يتشمَّم الأرض. لا يجد أيوب، إزاء صمتي، سوى أن يستطرد: لا أريد أن أزيدك قلقا، ولكن، أحد رجال الدين أفتى بوجوب تدخل الدولة لإيقافك بعد حلقة "حديث اليوم" وإلا فالنار مصير أولاد فؤادة! تساؤلي يبدو ساخرا من دون قصد وأنا أسأله: الدولة؟! يجيب: هذا ما قاله رجل الدين. لا أتمالك أعصابي: أراك تدعوهم رجال دين! أيوب! لم يمضِ على بث الحلقة سوى ساعة! أي سرعة هذه في إصدار فتوى؟ يجيب موضحا: حسنا، هي ليست من جهة رسمية. ليست فتوى بالمعنى الحرفي بقدر ما هي رد فعل فوري إزاء تصريح شبكة الملاحدة. تتقلّص أمعائي لسماع الاسم. تنطلق صافرة سيارة إسعاف تبتعد عن موقع الانفجار. أسأله: وما دخلنا نحن بالشبكة؟! يلوذ بصمته ينتظر خفوت الصافرة. يوضح: شبكة الملاحدة.. تشيد، عبر موقعها في الإنترنت، بحلقة "حديث اليوم" وقصيدة "المجد للظلام". يقولون إنها

مؤشر لصحوة من غفلة الدين. أقاطعه: ولكننا. يقاطعني: ولكنهم استخدموا القصيدة بما يخدمهم. أنت تعرف، منذ إعلانهم عن الشبكة وهم، كما يفعل الآخرون، يجيِّرون كل شيء لصالحهم.

يقول إن المتزمِّتين يقولون إن جماعة أولاد فؤادة وشبكة الملاحدة، إحداهما وليدة الأخرى. يختم المكالمة يُذكِّرني بالقصيدة آسفا: ألم أقل لك إنه ليس أوانها؟!

* * *

الفصل التاسع

عدنا ثلاثتنا، إلينا، كما كنا نجتمع في حوش بيت آل بن يعقوب. أي سعادة أحاطتني بعودة صادق ثانية. كنا في العاشر من رمضان، أو تاسعه وفقا لتقويم بيت عمّي عبّاس. بالكاد سمحت لي والدتي بالخروج بعد أن وعدتها بأنني لن أبارح حوش بيت الجيران، ولن أخرج معهم إن هُم دعوني إلى ذلك. أجواء البلاد مشحونة في الشهور الأخيرة لحرب دامت ثمانية أعوام. حرب الخليج الأولى، الحرب العراقية الإيرانية، أو قادسية صدّام في بيت عمّي صالح، الدفاع المُقدّس في بيت عمّي عبّاس. في اليوم السابق، ليومنا ذاك، انفجرت قنبلة بالقرب من مكتب الخطوط الجوية السعودية، بعد أقل من أربعٍ وعشرين ساعة على إعلان المملكة العربية السعودية قطع علاقاتها الدبلوماسية مع الجمهورية الإسلامية الإيرانية. في كل مرة نأمل فيها، والدي وأنا، أن تعود والدتي إلى طبيعتها يأخذنا خبر انفجار جديد إلى دوامة من القلق. تعود إلى حالة الفزع كما لو أننا ما زلنا في يوليو 1985. تتسمّر أمام شاشة التلفزيون. تتصل بوالدي وإخوتها وكل أقاربنا تطمئن إلى وجودهم في أماكن آمنة. ثلاثة أعوام

على تفجيرات المقاهي الشعبية لم تحمل والدتي على تجاوز حالتها النفسية. تبكي، مع كل خبر انفجار، مقتل جارنا المسنّ أبي صالح. تستذكره، على دأبه، كل صباح وقت انشغاله بريّ نخلاته الثلاث خارج منزله. والدي مثلها ينتابه قلق، ولكنه قلقٌ مغاير، يتابع مؤشر سوق الأوراق المالية بعد كل خبر تفجير، خوفًا من تأثر السوق المنهار أساسا منذ أزمة سوق المناخ عام 1982، وهو الذي يعقد آمالا كبيرة على أسهم اشتراها خلال الأزمة الاقتصادية بأسعار زهيدة. خالتي عائشة وخالتي فضيلة تعيشان في خوف مؤقت. وحدها أمي حِصَّة، رغم خسارتها الكبيرة وترمُلها: "مثواه الجَنَّة"، ورغم مرض ابنتها إثر فجيعتها بموت الأب: "الله الشافي". لا تبدي قلقا هذه العجوز، تُحَصِّن إيمانها: "الحافظ الله".

أسفل السِّدرة كنا، في جوٍّ معتدل منتصف ربيع 1988، لا نزال، منذ أسبوع، في غمرة فرح الإفراج عن رهائن الطائرة المخطوفة، لولا عودة القلق مع انفجار القنبلة في اليوم السابق ليومنا ذاك. كنا، بعد أذان العصر، نبحث عن ثمار نبقٍ غير ناضجة، نجمعها في سلَّةٍ كلفتنا أمي حِصَّة بملئِها بالثمار، تحضيراً لعمل أچارها ذائع الصيت في شارعنا؛ أچار أم صالح الذي لا يتقنه سواها، والذي لا يصلح مُطَبَّق السَمَك، كما يؤكد قِط المطابخ فهد، من دونه. كانت تُخلِّل كل شيء لتصنع منه الأچار، البَمبَر والمانجا والليمون وثوم الجبل والخيار والطماطم والباذنجان والقرنبيط. أرادت تلك السنة أن تجرِّب شيئا جديدا؛ النبق. سألها فهد بوجه يفتعل علامات القرف: "يُمَّه حِصَّة! كيف تصنعين الأچار من الكْنار؟!". وكأنها ادَّخرت

إجابتها لسؤاله قبل أن يفعل. أجابته على الفور: "كُلْ مـا يعجبـك والبس ما يعجب الناس". أجابها: "ولكن..". قاطعته تدعوه لجمـع النبقِ في صمت وإلا صنعتْ منه أچارًا! أشارت إلى صدرها بسبّابتها المرتعشة: "هذا أچار أم صالح، الله يخلف على أُمهاتكم!". تقول أمي حِصَّة إن السر وراء جودة الأچار واختلافه يكمنان في الخَلِّ الـذي تصنعه، في البيت، بنفسها بدلا من شرائه جاهزا من السوق. "تعرف السِّت الناظرة شلون تسوِّي الخَلّ؟!"، تنـاكفني. لطالمـا سـحرتني أجواؤها الغرائبية حين أجدها، على قطعة حصير جدَلَتها من سـعف بنات كيفان، كأنها بساط سحري جاء بها من زمن بعيـد لا يشـبه زمننا، تقرفص أمام أواني الخلِّ الفخارية، أثناء إعـداده، في زاويـة الحوش وراء المطبخ، تهزُّ رأسها مغمضة عينيها، تُبَسْمِل وتقرأ عليهـا آياتٍ من القرآن الكريم همسا. أسألها: يُمَّه حِصَّة!.. لمـاذا تقـرأين القرآن على الخَلّ؟! توقف هزَّ رأسها مبقية على جفنيهـا مطـبقين. تجيب بخشوع: حتى لا يستحيل الخَلُّ خمرا.

أغصان السِّدرة مثقلة بثمار نبقٍ ناضـجة وأخـرى خضـراء وصفراء لم تنضج بعد. ثمار كثيرة تتناثر على الأرض، وأخرى علـى سطح السقيفة بالتأكيد. أمرتني أمي حِصَّة أن أتسلق الشجرة أقطف بعضا من ثمار تصلح لأچارها. "كْنار مخوضر مو مستوي". أجبتـها بأن فهدًا يجيد التسلق أكثر مني. رفضتْ. رَقَّصَت حاجبيهـا: فهـد قِطّ.. أنت قرد! كرهتُ يوما سألتها فيه عن موقع حديقة الحيـوان. نزعتُ نعليّ أسفل الشجرة أنظر إلى أغصانها من خلال الهوَّة الكبيرة في جريد السقيفة متردِّدا. قرأتْ ما جال في خيـالي. طمأنـتْ: "الله

يقيِّد الجن والشياطين في رمضان.. اصعد يا خوّاف!". تشبثتُ بساق الشجرة أتسلقها في حين كانت تجلس على مقعدها قصير القوائم فوق بلاط الحوش. صاحت فجأة بحفيدها مرتبكة: "فهد!". أشارت نحو نعليّ على الأرض. نظرتُ، من خلال هوَّة السقيفة، إلى نعليّ في الأسفل. إحداهما مقلوبة. ضحك فهد وهو يعيدها إلى وضعها الطبيعي، في حين أخذتُ أردد خائفا: "أستغفر الله". نظرت أمي حِصَّة إليّ تقول: "عَفيَه على وليدي"، قبل أن تزجر حفيدها، تشتمه على طريقتها: "تضحك يا يهودي؟! أشوف شلون تضحك إذا طاحت علينا السما!". هزَّني منظرٌ رسمته في مخيلتي. تشبَّثتُ بأغصان السِّدرة. أتساءل: "كيف تسقط علينا السماء إذا كان الله.. أستغفر الله!". واصل فهد ضحكه. نظرت إليه جدَّته آسفة: "ياما حذَّرتك". هزَّت رأسها تستطرد: "القَطوّ العود ما يتربىَ!". احتجت إلى سنوات لأؤمن بقولها. آمنت بأن الكبير لا يمكن أن يكون إلا ما كانه صغيرا.

بالكاد جمعنا قدرًا قليلاً من ثمارٍ بعضها لم ينضج بعد وبعضها الآخر على وشك النضوج. كنت أقذف بالثمار في السلَّة على الأرض. رائحة الطعام، من مطبخ تينا المطل على الحوش، تستدر الريق وتُقلِّص الأمعاء، تُذكرنا، نحن الثلاثة، بخواء بطوننا في أول رمضان نصومه. تناهى إلى مسامعنا صوت عجلات عربة السوق المركزي على الإسفلت مرتفعا وراء سور الحوش. انفجرت أمي حِصَّة ضاحكة: "وصل قطار أم عبَّاس!". أمي زينب جارتنا، أو بِيبي زينب، بالعراقية، كما يخاطبها حفيداها التوأم، مثل كلّ جَدَّات الحيِّ شكلا، تتميَّز عنهن بقراءتها المصحف وكتب الطبخ

ودليل الهاتف، من دون المرور ببرنامج محوِ الأميَّة الذي ترعاه الدولة وقتذاك، والذي فشلت فيه أمي حِصَّة، رغم ادعائها: "الأبلة، في نحوِ الأميَّة، قالت لي مُنتاز". تلقت أمي زينب تعليمها في العراق حتى المرحلة الابتدائية قبل زواجها بجدِّ صادق، عبدالنبي، وتركها بلدها. كانت مصدر اعتزاز حفيدَيها لأنها تقرأ وتكتب، ولأنها تنتمي إلى عائلة عراقية عريقة. مُتعة أمي زينب، التي تشتهر بها في حيِّنا، هي الذهاب إلى فرع السوق المركزي وشراء حوائج المطبخ مشيًا على قدميها. وفي كل مرَّة يلومها مدير السوق، على الإعاقات التي يُلحقها الإسفلت بعجلات العربة: "يا حجِّية! العَرَبانة للاستخدام داخل الفرع مو بَرَّة!". تُعنِّفهُ: "هَسَّه لازم أذكِّرك مرَّة ثانية! وليدي عبَّاس مساهم في صندوق السوق؟! اِخصم كلفة التصليح من صندوق مساهمته رقم 364". لم يقتنع الرجل يومًا بردِّها. ولم يقوَ على إقناعها. تُذكِّره دائماً بمبالغ المساهمين من سكَّان المنطقة وقت تأسيس السوق المركزي لجمعية السُّرَّة التعاونية، منتصف الثمانينيات. أشارت أمي حِصَّة إلى صادق، بصوت يجاوز احتكاك عجلات العربة ارتفاعا، بأن يفتح باب الحوش: "اِفتح الباب لعجوز الشَّط!". كنت فوق السِّدرة أشاهد أمي زينب، وراء السور، بابتسامة واسعة ضاعفت خطوط وجهها، تدفع عربتها المليئة بالخضار والفواكه. توقفتْ قبل أن تتجاوز بيت آل بن يعقوب نحو بيتها. صاحت: "سمعتك يا عجوز النار!". انفجرت أمي حِصَّة تقهقه: "الله يجيرنا من النار". تبعتها قهقهات أمي زينب في الخارج. "حيَّاك حيَّاك". أصرَّت جدَّة فهد على دخول جدَّة صادق رغم ضيق الوقت، لتحضير سُفرة

الإفطار، قبل أذان المغرب، رغم اختلاف التوقيت بين البيتين: "تغرب شمسكم عقب شمسنا بعشر دقايق.. ليش العجلة؟!"، تناكفها أمي حِصَّة. تطل أمي زينب وراء باب السور الحديدي على الحوش، بوجهها ذي الخطوط الغائرة وعباءتها وحجابها المُحكم على جبينها وذقنها بصورة لا تشبه حجاب أمي حِصَّة. تتجاوز الباب دخولا. تُحيِّي فهدًا في طريقها: "شلونَك بَزُّون؟". ينبري فهد يجيبها يخربش الهواء: "مياااو!". تجرُّ أمي حِصَّة خطواتها نحو الباب تستقبل أمي زينب، تُقبِّل جبينها كما لم تفعل قط. نستغرب هذا القدر من الاحترام للجارة. تلتفت جدَّة فهد نحونا مُبرِّرة قُبلتها: "واجب نحترم الكبير!". تنتفض أم عبَّاس، تُقسِمُ بلهجتها العراقية رافضة: "أحلف بالله، وبحليب أمي حَسيبة، اِنتي أكبر مني!". تضرب أمي حِصَّة صدرها بكفِّها تحملقُ في جارتها: "خرَّفتي يا أم عبَّاس؟!". تقضي العجوزتان وقتًا عند باب الحوش في إثبات أيهما أصغر سِنًّا في حين نتابع، ثلاثتنا، المشهد بمتعة تفوق متعة متابعتنا لنزيلات مستشفى الطب النفسي في مسلسلنا التلفزيوني. انتقل شجارهما المفتعل إلى الحديث عن المطبخ، ثم إلى جلسات شرب الشاي بعد صلاة العشاء في حديقة جمال عبدالناصر في الروضة، مرورًا بخبر الانفجار الذي هزَّ العاصمة يوم أمس بالقرب من مكتب الخطوط الجوية السعودية، وصولا إلى الحرب. كانت أمي زينب تتحدث عن العراق بالتعاطف ذاته عند حديثها عن إيران. وجدتني أضعف من أن ألجم سؤالي. قاطعتهما بعد أن ألقيت آخر ثمرات نبقٍ جمعتها داخل السلَّة: "بِيبي زينب! من تشجِّعين.. إيران أم العراق؟". التفتتا إليّ. أجابتني أمي

حِصَّة: "هذي حرب، الله يجيرنا، ما هي مباراة كرة قدم يا خِبـــل!".

لم أُعر بالا لإجابتها. كنت أنظر إلى عينيّ أمي زينب. هزَّت رأســها تمطُّ شفتيها: "آه من بطني.. وآه من ظهري".

***

يحدث الآن 4:20 PM

أطبقُ عليّ باب سيّارتي. كاميرا أيوب، خالية من صورٍ يضج بها رأسي، في يدي. محاولاتي في التواصل مع صادق وفهد لم تأتِ بجديد. حديث أيوب في مكالمته قبل قليل يدفعني للدخول إلى بريدنا الإلكتروني. لا رسائل عدا واحدة من أيوب أرفَق بها موجز نشرة السادسة. أنتقل إلى حساب أولاد فؤادة في تويتر، رغم أنني أوكلت لأعضاء مجموعتنا مهمة الدخول، وإعفائي من هذه المسؤولية تحديدا. كنت قد أدركتُ حدًّا لم أعد أطيق به هجومًا يرِدنا من مستخدمي تويتر. جماعات دينية متطرفة وأخرى لا تعترف بدين تكيل اتهاماتها لنا، تشتم وتهدِّد وتنال من أهلنا وبيوتنا كي يتدخلوا، يضغطوا علينا، يضعوا حدًّا لهُرائنا كما يزعمون. آخرون يطالبوننا بالكشف عن أنفسنا: "إن كنتم رجالا!". أُمسك بهاتفي المحمول أدخل اسم صفحتنا في تويتر: @AwladFuada، تظهر لي الصورة التعريفية للصفحة، فؤادة بثوبها الأحمر القاني وربطة شعرها سماوية الزُرقة، تفتح فمها وعينيها على وِسعها، تحمل مصيدة فئران برتقالية اللون، تشير بسبَّابتها محذَرة. أُمرِّر نظري على الكلمات أسفل الصورة، أنصتُ في داخلي إلى صوت فوزية جافًا تفتعلُ بحَّة أرعبتني صغيرا: "أنا التاريخ كله! وأحذركم من الآن؛ الفئران آتية.. احموا الناس من الطاعون!". التغريدة الأخيرة في الصفحة، منذ دقائق، تقول: "الله

واحد". يبدو أنها لضاوي. لا أظن أن أيوبا وراءها وهو الذي حصر نشاطه في صفحتنا على بثّ الأخبار وحسب. أربعة تعليقات إيجابية على التغريدة، وثمانية تهاجمنا، وما يزيد على الخمسين تعليقا لمغردين، إن صحَّ الوصف، يهاجمون بعضهم بعضا؛ "هذا حقٌ أريدَ به باطل.. رافضة.. الله يلعنكم.. نواصب.. تفُو.. ألا شاهت وجوهكم.. عُمَر عُمَر عُمَر.. هيهات منا الذلة".

لا أحتمل. ولأن لا صلاحية لدي لحذف تعليقات ليست لي. ألمس علامة سلّة المهملات أسفل تغريدة "الله واحد" أحذفها. يرِّن هاتفي المحمول كاشفا عن رقم حفظته صغيرا ولا أزال، حاجبا صفحة تويتر. هو هاتف بيت عمِّي صالح الذي تطابق أرقامه الأولى رقم هاتف بيتنا القديم وبيت عمِّي عبَّاس. أول أرقام هواتف حفظتها في حياتي، يوم كانت الهواتف ذات الأرقام السبعة سهلة الحفظ، قبل أن تتزايد وتصبح كم؟ أُلصقُ هاتفي المحمول بأذني. ينطلق لساني لهفة:

- "ألو فهد!".

يردني الصوت من الطرف الآخر:

- "آنا أم حسن..".

أسحبُ نفسا عميقا قبل أن أجيب:

- "حوراء!".

يجيء الاسم على لساني بمذاق قديم. مضى زمن طويل لم ألفظ فيه اسمها. ربما الرقم الذي ظهر على شاشة هاتفي أعادني إلى زمنه. زمن إذا ما جاء ذكرها مع صادق هي "حوراء". ارتدت الحجاب أصبحت "أختك". تزوجتْ صارت "أم حسن". حتى فهد، ذِكرها في حديثه مقتضبٌ لا يتجاوز "الأهل". ذهبتُ مع الأهل. اتصال من الأهل. قلتُ للأهل. لأجدني مُجبرا أُنهي مكالماتي الهاتفية معه خاتما: "سَلِّم على الأهل".

أعاود النظر إلى شاشة الهاتف أتأكد من الرقم لعله رقم بيت عبَّاس في الرميثية. أجدُ الرقم كما لمحته أول مرة؛ بيت آل بن يعقوب. رغم الضيق والخيبات، أستبشر خيرا باتصال أم حسن من بيت زوجها بعد قطيعة. أسألها عن حال ولديها. تجيب بأنهما يلعبان في الحوش. تسألني عن زوجها وشقيقها. عدا "خير إنشالله" لا أجد لها ردًّا، وأنا الذي أدريها، لسان حالها يشكو غياب الإثنين شكوى جدَّتها قبل سنوات طويلة: "آه من بطني.. وآه من ظهري". تقول بصوت منهك:

- "خالتي عايشة منهارة.. خايفة على فهد".

كلانا يعرف إلامَ يُفضي قلق هذه المرأة، الساحرة، راصدة الزلازل قبل وقوعها، كما نُسميها تهكمًا وعن تجربة. أسمح لنفسي بأن أُنهي مكالمتي منتهكا خصوصية فهد وحوراء: حسنا فعلتِ يا أم حسن بعودتك إلى. لا تمهلني: عمِّي صالح في مستشفى مبارك منذ الساعة الواحدة، أخذته سيارة الإسعاف تصحبه خالتي عائشة. أُمي

نفسي بأن ما حدث لأبـي فهد هو ما دفع قلب خـالتي عائشـة يقرصها ظهر اليوم. أتمنى ألا يجاوز الأمر ذلك. تلوذ حوراء بالصمت قبل أن تستطرد. تقول إنها لا تفهم شيئا. عادت خالتي أم فهد بعـد ساعتين من المستشفى. حملت قِدر طعام من المطبخ. خرجت ولم تفُه بكلمة. تجاوزت قولها لا أريد أن أُلقـي بـالاً لتصـرفات أم فهـد الغامضة. أريد أن يعود فهد الآن ليرى زوجته وقد عادت إلى بيتـه. تبرِّر وجودها في بيت زوجها في السُّرَّة كأنها تقرأ أفكـاري: كـان ضروريا أن أبقى إلى جانب فوزية. شيءٌ لا يمكنني وصـفه ينتـابني كلما سمعتُ الاسم. أسألها عن حال عمَّة فهد. تجيبني تنهي المكالمـة: "خير اِنشالله". لا آخذ منها فوق القلق إلا القلق. لا نتبادل سـوى الخير.. إن شاء الله! انتهت المكالمة ولا خير بعدها على ما يبدو. أنظر إلى شاشة هاتفي المحمول وقد عادت صفحة أولاد فـؤادة في تـويتر للظهور بعد مكالمة أم حسن. البعض يشـير إلى صـفحتنا يواصـل شتائمه والدعاء على أولاد فؤادة بالويل والثبور وعظائم الأمور. أكاد أسجِّل خروجي من الصفحة. أنتبه إلى تداول البعض تغريدة مرفقـة بصورة لعبارتنا المحذوفة "الله واحد"، تقول التغريدة: "أولاد فـؤادة يتراجعون عن تغريدة، الله واحد، إرضاءً لشبكة الملاحدة.. رُفِعَـت الأقلام وجفَّت الصُحُف!".

عشراتٌ يعيدون تدوير التغريدة. عشرات يـردِّدون اتهامـاتهم يطلقون علينا أوصافا بين روافض ونواصـب وملحـدين. مـوالين للحكومة ومعارضين. في حين اكتفت شبكة الملاحدة بتغريدة تزيـد النار حطبًا: "الدين غفلة!". أصابعي المرتعشة تدوِّن اسم مجموعتنا في

المكان المخصص للبحث على صفحة تويتر تتبعا لردود أفعال. يلفتني نشاط وسم #الفئران_آتية، ووسمٌ آخر يبدو جديدا؛ #أوقفوا_أولاد_فؤادة.

في الوسم الأخير أجد تغريدة لأحدهم، يرفق صورة البطاقة الشخصية لضاوي تحملُ صورته وبياناته الشخصية. كتب صاحب التغريدة: "الكشف عن فأر من فئران فؤادة!".

***

الفصل العاشر

ما كادت تمضي أمي زينب، تدفع عربتها، في طريقها إلى بيتها حتى عادت إلى حوش بيت آل بن يعقوب بوجه محبط: نسيتُ المرور على فرع التموين لشراء معجون الطماطم. صاحت أمي حِصَّة: "تيناااا.. يا تيناااا". قاطعتها أمي زينب: لا داعي يا أم صالح.. فليذهب أحد الصبية إلى حيدر قبل أن يغلق دُكّانه. كنا نتسابق للذهاب إلى البقالة أو السوق المركزي إذا ما احتاجت إحدى العجوزتين شيئا. فرصة للخروج لا تُعوَّض بثمن. يالفرحنا إن احتاجت أمي حِصَّة عجينة السمبوسة، نتسابق إلى مطعم شاكر الهندي لشرائها خلسة كي لا ينتبه جابر المصري. نعود، نسألها: "ما تشتهين كبدة أو كلاوي أو كباب؟". تدرينا لا نأبه بشهيتها بقدر ما نأبه بشهيتنا للخروج إلى نهاية الشارع نحو بيت العويدل حيث دُكّان الجزّار السوري عدنان. يستغرق الطريق بضع دقائق نحيلها ساعات قبل أوبتنا. تخرج أمي حِصَّة، بين حين وآخر، للقاء صاحباتها في حديقة جمال عبدالناصر في الروضة، أو بالخروج إلى الجِبْرةِ، بصحبة خالتي عائشة، كلما احتاج مطبخ تينا إلى خضار أو فاكهة. تمرُّ بنا مرتدية

عباءها. نقف أمامها نسدُّ باب الحوش: "يُمَّه حِصَّة خذينا.. خذينا". تسألنا السؤال الورطة: "منهو تحبون أكثر.. آنا والا الله؟". نبــهت. تصرُّ على سماع إجابة ترضيها: "الله طبعا!". تدير ظهرها: "مُنتاز! الله ياخذكم وأفتَّك منكم". تتخلَّص من إلحاحنا. تختفــي وراء البـــاب مخلفة تأثير ضحكها على وجوهنا المحبطة. في حين يولد ســؤالي إلى نفسي، كيف أحبه إلى ذلك الحدِّ، ولا أريده أن يأخذني إليه؟! ولأن أسئلتي تراوح بين عيب وحرام، ابتلعتُ سؤالي.

تحلَّقنا حول أمي زينب، يومنا ذاك، نتمسَّك بعباءتهـــا. تتعـــالى أصواتنا نرجوها أن ترسلنا إلى حيدر البقَّال لشراء معجون الطماطم: "بِيبـــي زينب.. آنا.. آنا آنا". دسَّتْ كفَّها ذات العروق النـــافرة في حقيبتها الجلدية السوداء، تعطي صادقًا ثمن معجـــون الطمـــاطم، ثم تعطي لكلٍ منا ربع دينار لشراء ما يرغب به. صاحت بنا أمي حِصَّة: بدلاً من شراء العلكة والحلوى تَبَـــــ..، قاطعها فهد ساخرًا، يحـــني ظهره مرخيا شفته السفلى، يُقلِّد صوت عجوز، يُتِمُّ جملتها المعتادة: "تبرعوا لفلسطين". نظرتْ إليه وِسعَ عينيها حتى خلتهما على وشك السقوط. حرَّرت قدمها من نعلها. انحنت في سبيلها لالتقاطها وهي تصيح به: "تضحك عليّ يا يهودي؟!". انطلق فهد هاربًـــا، تُحلِّـــق وراءه نعل أمي حِصَّة قبل أن ترتطم بالباب الحديدي تسقط أرضـــا. ركضتُ نحو الباب، مثل كلب صيد، أُعدِّلُ نعلها المقلوبة.

أمام الباب وَقَفَ سامر وحازم يحملان طبق مســخَّن وطبـــق عوَّامة. أرسلتهما أُمهما مثل كلِّ رمضان. هلَّل وجه أمـــي حِصَّـــة تنادي تينا تحمل الطعام. توصي الولدين ينقلان ســلامًا إلى أم طـــه:

الصابون النابلسي قارب على النفاد! ينصرف الولدان. تشرعُ أمـي حِصَّة تُحدِّث بيبـي زينب عن بياض زند أم طه بفِعـل صـابونها السحري. تناكفها بِيبـي زينـب: "والله لـو تغسلين زنـدك بـ كلوركس!".

فهد وصادق، ورثا شيئا من أبويهما أصبحت ألحظه في تفاصيل كلامهما. كنا قبل أيام، من يومنا ذاك، في طريقنا إلى فرع النظاراتي حَسَن، في السوق المركزي الرئيس المطل على شارع طارق بن زياد الممتد إلى الجسر الذي يفضي إلى الجابرية. شارع محظوظة ومبروكة، كما كنا نسميه نسبة إلى مسلسلنا المحبب. كنا نجري في الشارع ذاته ولكن ليس باتجاه مستشفى الطب النفسي، هربا من الفئران، كمـا كانتا تفعلان. كانت فوزية قد أرسلتنا لشراء سائل التعقيم الخـاص بعدساتها اللاصقة، في وقت كانت تعاني فيه من اعتلال النظر بسبب مرضها. أمام باب محل النظاراتي حسن همس لي فهد: "ليش النظاراتي حسن؟ ليش مو النظاراتي عُمَر؟!". إيغال عمِّي صالح في كرهه لجاره صوَّر لفهد أنه، بالضرورة، يجب أن يكره ما يحبه الجار. حين سألتُ فهدًا ما الضير في أن يكون النظاراتي حسن، أجاب بأنه اسم لا ينتمي إلى طائفتنا. تذكرت خالي بوجهه الهادئ ولحيته السوداء الطويلـة. أجبته بأن خالي اسمه حسن! وكما تعلمنا في منهج التربية الإسـلامية في المدرسة فإن: "أحفاد الرسول صلى الله عليه وسلم، أبناء علي بن أبـي طالب رضي الله عنه.. الحسن والحسين". رفع حاجبيه دهشةً: "إِحلف؟!". صادق، الكتوم في عادته، أجابه، بعد احمرار أُذنيه، نيابة عني حِلفًا بالله: "والله العظيم". ألحق قَسَمه بسؤال: لماذا تحب عُمَرًا.

اكتفى فهد بإجابته: "رضي الله عنه". اندفعتُ أجيبه سؤالا: ولماذا لا نحبه؟ تحسَّستُ شفتيّ وصوت أمي يتردَّد في أذنيّ: لـــولا الــــدماء في فمك لصفعتك على شفتيك! لذتُ بصمتي. أجاب صادق، على غير عادة، درسا تلقاه صغيرا: "لأنه ملعون". فكَّر فهد قليلا قبل أن يقول مُذكِّرا: "قلتَ لي.. أبوك يقول إن أهل البيت يلعنوننا". قبل دخولنا إلى النظاراتي حسن، ختم صادق مُذكِّرا: "وأبوك يقول إن جماعتنـــا اختطفت طيارة الجابرية وإننا كُفَّار.. اِنت قلت!".

بِتُّ أكثرَ تحفُّظًا. أكثر ترقُّبًا. أكثر قلقًا إزاء أي كلمـــة عـــابرة تستحيل فعلا يودي بـــي إلى الرصيف بسِنٍّ مفقودة وشفاهٍ داميـــة. خلف بيوتنا دُكَّان البِقالة، على مبعدة ثلاثة شوارع توازي شـــارع علي بن أبـــي طالب حيث نسكن. تُرى، هل تساءل فهد، صـــغيرا، عن سبب تسمية الشارع: لماذا الخليفة علي بن أبـــي طالب؟.. ماذا عن الخليفة عُمَر بن الخطاب؟!

رفعنا دَشاديشَنا الربيعية. طوينا أطرافها لَفًّا حول خصورنا، حتى يسهل علينا الركض نحو دُكَّان الإيـــراني حيـــدر لشـــراء معجـــون الطماطم. ما حدث، عند النظاراتي حسن، قبل أيام، كان مقدمة لمـــا شهدته في دُكَّان البِقالة. فهد لا يحبُّ صاحب الـــدُكَّان، لأن ابنـــه متواطئ مع فوزية يبيعها الحلوى، ولأنه يُميِّز صادقًا في تعامله. وحده صادق كان يحظى بقطعة حلوى أو علكة مجانية في كل مـــرة نـــزور فيها الدُكَّان. يُبرِّر فهد اهتمام حيدر: لأنه مثلـــَــ هُم!

عبرنا أسفل البالونات والكُرات المطاطية الملوَّنة المعلَّقـــة أعلـــى الباب. ابتسم حيدر ابتسامة واسعة كشفت عن سِنِّهِ الذهبية، رافعـــا

حاجبيه الموصولين، يخالهما الرائي حاجبا واحدا ممتدًّا يعتلي عينيــه. حَيًّا صادقًا كدأبه بلهجة هجينة: "شلونك صادق؟". لستُ أدري ما الذي دعا فهدًا للتعقيب: صادقٌ ليس بصادق! التفتنا إليه نستوضح. أدريه يخبئ أمرا ما. استطرد دونما اكتراث: مثل الخميني! قد يطــال النسيان أي شيء في حياتي عدا وجه حيدر ذلك اليوم. اتسعت عيناه بصورة مرعبة. ارتعشت شفته السفلى. قام بتثبيت قبعته الصوفية التي يعتمرها صيفا وشتاءً. استدار يخرج مـــن وراء مســطبة الســكاكر والمكسرات أمامه. أمسك بفهد من ياقة دِشْداشَتِه يدفعه إلى خـــارج الدُكَّان. بقي هو في الداخل، تفصل بينهما عتبة الباب. هزَّ ســبَّابته محذرا: إياك أن تعاود القول! كنت أرتجف. فهد ينظــر إلى عينيــه مباشرة. أردف حيدر: قُل ما شِئتَ عن أمي.. عن أبــي.. ولكــن إياك أن..

كنا نتناول وجبة الإفطار بعد عودتنا من صـــلاة المغـــرب في مسجد مريم الغانم في قطعة 2. سمحت لي والـــدتي أن أبقـــى لـــدى الجيران بحجة ذهابـــي إلى المسجد مع عمِّي صالح لصلاتي المغـــرب والعشاء. تنتقل يد عمِّي صالح بين أطباق أُمي حِصَّة، وأطباق أم طه، متجاوزا أطباق بِيبـــي زينب، كعادته، لا يقرب طعامها. تـــذكرت سرطانات البحر وقول عمِّي عبَّاس ليلة خروجنا للقُمبـــار. "عمـــي صالح! هل أكل القُبقُب حرام؟". أجابني: "مـــن يقـــول؟". أجبتـــه متردِّدا: "عمي عبَّاس". "عَمَه بعينه"، قال قبل أن يســألني: "وهـــل يعرفون هُم الحرام؟!". أتذكر فهدًا باهتًا صامتًا منذ مـــا قبـــل أذان المغرب، وقت عودتنا من دُكَّان البِقالة. يمسك الملعقة بيمينه وكـــأس

اللبن في شماله. تُعنِّفه أمي حِصَّة: "لا تشرب بشمالك.. يشرب معاك الشيطان". نظرتُ إليها أُذكِّرها بقولها إن الشياطين مقيَّدة في رمضان؟! أجابت من دون أن تلتفت إليَّ: "ما أظن، هذا اِنت موجود!". ضحِكَتْ. ضحكتُ. ضحك عمِّي صالح وخالتي عائشة وفوزية. قاطع فهدٌ ضحكنا: لماذا لا يذبح صدَّام كل الإيرانيين؟!

* * *

يحدث الآن 4:34 PM

الضيق يطبق علي بعد مكالمة حوراء، وفاجعة انتشار صورة البطاقة الشخصية لضاوي. كفِّي، بشكل تلقائي، تندفع إلى أزرار مكيّف الهواء. يضيع هواء المكيِّف في هواء الواجهة الخالية من الزجاج. أنا متوتر. أعاود الاتصال بضاوي. لا يرد. أنتقل بأصابعي أعالج أزرار المذياع. إذاعة أولاد فؤادة. ينطلق صوت ضاوي محدثا مستمعيه بلسانه الثقيل:

- كان النبي، صلى الله عليه وسلم، يتعوذ بالله كثيراً من الفتن، كما ورد في حديث زيد بن ثابت عن النبي صلى الله عليه وسلم، قال: "تعوذوا بالله من الفتن ما ظهر منها وما بطن".

أجدني أهمس إلى نفسي: وكان، عليه الصلاة والسلام، إذا كربه أمر قال: يا حيّ يا قيّوم برحمتك أستغيث. أنظر إلى السماء في فتحة السقف. أما آن الأوان لتقع على رؤوسنا؟ أعود إلى هاتفي المحمول. أكتبُ إلى ضاوي: فات الأوانُ يا شيخ. عُد إلى بيتك فورا! ألحقُ رسالتي برسائل أخرى، أنقل له ما حدَّثني به أيوب؛ فتوى أو ما شابه، مصدرها كلاهما، وجوب تجنبنا، إباحة دمنا، على ضلال، تورطنا مع شبكة الملاحدة.

ينتقل البثُّ إلى أناشيد دينية، يلجأ إليها ضاوي بين الفواصل، تجنبا للموسيقى التي لا يستمع إليها البتة. يهاتفني ضاحكا مُطَمْئِنا كعادته. يقول إنه تلقى اتصالا من أيوب أخبره خلاله بكل شيء. يلومني، كما لامه من قبلي، على تصديق مثل هذه الأخبار: وهل تصدِّق أن مثل هذا الكلام يصدر عن رجال دين؟! أجيبه صمتا. يستطرد مُهوِّنًا: كل ما قيل لا يعدو كونه ترهات مجانين أو مراهقين متحمسين! إجابته التي أراد بها تهوينا أفضت إلى قلق مضاعف. أجيبه: وهل هناك أخطر من أولئك المراهقين؟ يُطمئنني بأن هناك الكثير من الجماعات الدينية المعتدلة تؤيد أولاد فؤادة. أستعير لسان أيوب: "الغلبة للصوت المرتفع!". يلوذ بصمته. أتردَّد كيف أخبره. أحذره بشأن انتشار صورة بطاقة هويته. أرجوه أن يوقف برنامجه ويعود إلى الفيحاء بأسرع ما يمكن. يسألني باهتمام: "بطاقتي آنا؟ وين؟". لا أكاد ألفظُ اسم تويتر. يقاطعني: انتهى الفاصل سأعاود البث!

يعاود بثّه يحيي مستمعيه. يصاحب صوته صوت الأناشيد خفيضا. يواصل ما توقف عنده قبل الفاصل: "أحبتي في الله.. عن ابن عبَّاس رضي الله عنهما، أن رسول الله صلى الله عليه وسلم قال: أتاني الليلة ربي تبارك وتعالى في أحسن صورة، فذكر الحديث، وفيه قوله تعالى: "يا محمد إذا صليت فقل: اللهم إني أسألك فعل الخيرات، وترك المنكرات، وحب المساكين، وأن تغفر لي وترحمني وتتوب علي، وإن أردت بعبادك فتنة فاقبضني إليك غير مفتون".

الجملة الأخيرة تجيء على لسانه بنبرة مغايرة. يكررها ضـــاوي ثلاثا. وكأنني أراه مغمضا عينيه خاشعا: "فاقبضني إليك غير مفتون.. فاقبضني إليك غير مفتون.. فاقبضني إليك.. غير مفتون". أشفقُ عليه كلما عانده حرف الراء مُشَوِّها نُطقه.

أنتقل إلى بقية الإذاعات أنشدُ أخبارا جديدة..

***

الفصل الحادي عشر

كنا نتحلَّق حول جريدة "الوطن" صباحا في بيت عمِّي صالح. نَلتهم الصفحات. نتحرَّى أخبارا عن بطولة رياضية مرتقبة؛ بطولة الصداقة والسلام الأولى. بالغنا بمتابعة الصحف بلهفةٍ لا تناسب أعمارنا، بتحفيزٍ من فوزية، نبحث في أوراق الجريدة عن كل ما يتَّصل بالحدث من ترتيبات؛ تصريحات رئيس اللجنة الأولمبية الشيخ فهد الأحمد الصباح، لقاءات مسؤولين، صور لتجهيزات الملعب، تحضيرات طلبة المدارس لحفل الافتتاح، أخبار الفِرَق والمنتخبات المشاركة.

كان يوم جمعة، الثاني والعشرين من سبتمبر 1989، لم أدَّخر فرصة لمناكفة فوزية حين انطلقت أغنية في التلفزيون. "كويتُ والعربُ.. الأهلُ والنَسَبُ". تُردِّدها مجاميع الطلبة في أوبريت وطني شهير أُقيم قبل عشرة شهور من يومنا ذاك. تركتهم يتفحصون الجريدة على الأرض. وقفتُ تلقائيا أرقص بغباء على إيقاع الأغنية أُردِّد: "كأنهم حولها.. العينُ والهُدُبُ". أنحني. أقرِّبُ وجهي إلى فوزية، أرقِّصُ حاجبيّ فوق عينيّ الحولاوين. "اِنشالله تصير عَمَيّ!"، قالت من دون أن تضحك. جلستُ على الأرض ثانية، في زاوية

غرفة الجلوس قريبا من تمثال أمي حِصَّة، بين صادق وفهد وفوزية. لا أخبار ولا جديد في الجريدة يستدعي الاهتمام سوى ما غيَّر مزاج صادق على نحو مفاجئ. أمسَكَ بالجريدة يقرأ صفحتها الأولى باهتمامٍ بادٍ. احمرار أذنيه دفعني لقراءة ما جاء في صدر الصفحة. عنوان فرعي: "أدانتهم بحوادث تفجير مكّة المكرَّمة". أسفله عنوان رئيس: "السعودية تعدم 16 كويتيا وتبرئ 9". نَبَسَ صادق يوجِّه كلمته إلى لا أحد: "مظلومين". انصرف بعدها إلى بيته تاركا في داخلي سؤالا: من يكونون؟ نسيتُ الأمر تاليا، ثم تذكَّرته بعد مرور أربعين يوما، حين أدركتُ أنهم ينتمون إلى طائفة بيت عمِّي عبَّاس، كما قال عمِّي صالح. انزعج صادق حين سألته. وانزعجتُ أنا لقاء إجابته التي لم أفهم منها شيئا آنذاك. كنت أشعر أنهما، صادق وفهد، يفهمان أكثر مني بسبب أبويهما. كانا يسخران إزاء جهلي وكثرة أسئلتي، يطلبان مني أن أعود للعبِ بِدُمى المصارعين وجمع صُوَر هولك هوغان بدلا من أسئلتي الجاهلة. أتذكر امتعاض صادق يسألني عن رأي عمِّي صالح في جماعتنا حين اقتحمت الحرم المكِّي بالسلاح قبل عشر سنوات. وعندما ذهبتُ إلى والدتي أسألها عن جماعة جهيمان التي أخبرني صادق بشأنها، أجابت تلوِّح بسبَّابتها: "والله العظيم أحرمك من صحبة الإثنين!". شتمتْ صادقًا وفهدًا. لم أعاود السؤال ثانية. بقيتُ أسير الغيرة تجاه صديقيَّ اللذين يعرفان كل شيء!

انشغل عمِّي صالح، بعد مرور أربعين يوما على تنفيذ حكم الإعدام، بإخراج سيارتيه وسيارة زوجته من المرآب ليأويها محاذاة

الرصيف أمام بيته. استغلق عليّ إدراك السبب قبل أن يُفهمني فهد دافع أبيه إلى ذلك، خبرًا نقله أحد الجيران لعمي صالح صباحا؛ عمِّي عبَّاس بصدد إقامة مجلس عزاء، أربعينية، لمن ضُرِبَت أعناقهم من الكويتيين في المملكة العربية السعودية. الأبرياء تارة، المجرمون تارة أخرى. كانت أول مرة أسمع فيها الكلمة؛ أربعينية.

هاتَفَ عمِّي صالح والدي وبقية أصحاب البيوت في شارعنا، يطلب منهم إخراج سياراتهم من بيوتهم، وأسفل المظلات، وإيواءها خارجًا بمحاذاة الرصيف كي لا يزاحمنا ضيوف بيت عمِّي عبَّاس من المؤبنين في المساحات الفارغة أمام بيوتنا. عمِّي صالح يحفظ موقفا قديما لجاره اللدود، حينما أحاط المساحة المقابلة لبيته بالسلاسل كي لا تزاحمه سيارات المعزين عند بيت آل بن يعقوب وقت وفاة صاحب البيت العجوز في تفجيرات المقاهي الشعبية. ولكن، لو لم يفعلها عمِّي عبَّاس قبلا، هل سيكون موقف عمِّي صالح مختلفا؟

قليلٌ من الجيران تجاوب مع دعوة عمِّي صالح، كثيرٌ لم يفعل. عاود جارنا الاتصال بأبي فهد يُصحِّح خبرا نُقِلَ إليه: عبَّاس سوف يحضر مجلسًا تأبينيًا في جامع الإمام الحسين، لا صحَّة لما نقلته إليك صباحا.

عادت سيارات الرصيف إلى أماكنها أسفل المظلات.

***

يحدث الآن 4:42 PM

أعلق، داخل سيارتي في الزحام، لا يتسنَّى لي الخروج من المنطقة المطوَّقة من قِبَل رجال الأمن. إذاعة الكويت تبثُّ خبرَ تعليق الرحلات الجوية من وإلى مطار الكويت الدولي دونما إشارةٍ إلى أسباب. إذاعة الـ BBC تؤكد، في موجزها؛ مجلس الأمن التابع لهيئة الأمم المتحدة يوافق على مضاعفة قوات حفظ السلام داخل الأراضي الكويتية. أحد ضيوف برنامج المحطة يعقِّب على الخبر بعد الموجز: "يكفي الكويت رجلان يحفظان الأمن فيها بدلا من قوات حفظ السلام!". ينفجر ضاحكا. شيء فيَّ ينفجر باكيا. منذ شهور نسمع أنباء إرسال قوات حفظ السلام. ولا شيء عدا قواتٍ تحيط المنشآت النفطية. يُنبِّهني رنين الهاتف إلى رسالة نصِّية طويلة من الناشر: "شو صار! أتابع أخباركم بالتلفزيون.. طمِّني عليك يا..". أُهمل الرسالة قبل إتمام قراءتها. تطل في ذاكرتي صورٌ للبنان قديمة، وصوت أمي حِصَّة: "خبول!"، تردِّدها كلما أشار مذيع النشرة إلى حزب من الأحزاب اللبنانية النشطة وقتَ حربهم الأهلية الأولى. يهاتفني أيوب يقطع خيالاتي: الأمور تزداد سوءا. تزايد الاشتباكات على حدود المملكة العربية السعودية جهتيّ اليمن والعراق. أخبارٌ غير مؤكدة، ينقلها لي، حول قرارات مؤقتة من جانب السلطات في المملكة بإغلاق المنافذ الحدودية بينها وبين الكويت. بمعنى؛ كويتيّو الداخل..

في الداخل. أتذكّر والديَّ. أجيبه: من كانت لديه نية الخروج.. خرج منذ اشتعالها. يؤكد: مئات السيارات تصطف في طوابير طويلة لم يتسنَّ لها العبور. أُعقّبُ: الحدود الشمالية مفتوحة لمن أراد! مجنونٌ من يهرب من نارٍ كويتية بالكاد اشتعلت تـوًّا إلى حِمَمٍ عراقية نستنشقُ دخانها منذ سنوات. يسألني: إلى أي قسم من العراق يلجأون؟ تخرج الكلمة من بين شفتيّ: "خبول!". يطلق ضحكة مفتعلة: "اللهم لا ملجا ولا منجى". تحيلني عبارته إلى ضاوي. يختم أيوب مُطمئِنا: عموما، لا أخبار رسمية بعد. يسألني قبل أن يُنهي الاتصال: ألن تخبرني بما جرى فجر اليوم؟ أُنهي المكالمة: "بعدين". أتصلُ بضاوي مرارا. لا رد. أدير مؤشر المذياع إلى محطتنا. لا أفهم شيئا! ينطلق صوته في قصيدة، نعم قصيدة وهو الذي لا يفعل! هو الذي يرى فيها قصائد يُساء تأويلها. ما الذي يدعوه لأن؟! وكيف يتخلى عن؟ يجيء صوته غاضبا لا يشبهه، ثائرا على كل شيء؛ طبيعته وحالنا وضعف حرف الراء في لسانه:

تَفَجَّرْ
أيها الغضبُ المُهجّرْ
أيها الألقُ المغيبُ
في المدى المخنوقِ
في الأفقِ المُعفَّرْ

"تعويذة في زمن الاحتضار". قصيدة أخرى لخليفة الوُقيّان! هل يدري أيوب؟ هل يدري ضاوي بمَ يـردِّد؟ أهـو أوانها أم أوان

احتضار؟! ينخفض صوته هادئا بما يشبه استسلاما، في حين الأناشيد الإسلامية تتردَّد بصوت خفيض وراء صوته:

تَفجَّر
إن دودَ الأرضِ يزحفُ
والدَّبا المسعور يحصدُ حقلَكَ الأخضرْ

ما بال عينيَّ تذرفان الدمع عليك يا؟ كنت مطمئنا يا ضاوي، كيف صرت؟ هدوؤك يلقي القصيدة لا يُبدِّدُ حالة الارتباكِ فيَّ. أبحثُ عن منعطف جانبي في الشارع المزدحم يقودني إلى مقرِّنا. يجلدني صوتك يردِّد ما لا يشبهك:

تَفَجَّرْ
إن ليلاً قاتلاً
يَطوي المَدى
يَحتزُّ أعناقَ النجومِ.. البدرَ
يسقي شَفرةَ الخنجرْ
يَجيءُ... يُطِلُّ
محمولا على اسم الله
-جَلَّ اللهُ-
يَرقى سُدَّةَ المِنْبَرْ!

- الله أكبر!

* * *

الفصل الثاني عشر

في الثلاثين من أكتوبر 1989، مساء، كنا مع موعد انتظرناه طويلا. اندسَّ فهدٌ، بجسده النحيل، خلف خزانة التلفزيون الخشبية، يعبثُ بسلكِ اللاقط الهوائي يُحسِّن الصورة المهزوزة على الشاشة. ألقمت فوزية جهاز الفيديو شريط VHS. ضغطت زر التسجيل قبل أن تقفل عائدة إلى الأريكة. كان يوما حافلا، يوم افتتاح بطولة الصداقة والسلام الأولى، والتي صارت أخيرة. تسمَّرنا أمام شاشة التلفزيون في غرفة جلوس بيت آل بن يعقوب. أفراد البيت وتمثال أمي حِصَّة وصادق وأنا، وحتى تينا التي اتخذت لها ركنا بالقرب منا ترقبنا كما نرقب ما يجري على الشاشة، ننتظر بدء الأوبريت الغنائي لافتتاح البطولة. أجواء مغايرة. صوت التلفزيون المرتفع وصمت هدير الكنديشة، مع انقضاء فصل الصيف. هتافات الجماهير المحمِّسة في الشاشة. رائحة الشاي بالزعفران. الحليب بالزنجبيل. صوت قشور المكسرات تنفلق بين الأصابع والأفواه مِن حولي. كميات كبيرة من الآيسكريم اشتريناها، خصيصا لهذه المناسبة، من أبي سامح الفلسطيني قبل أن يختفي في بياته الشتوي. لكلٍّ منا ما يشغله في تلك

الأثناء. لم أكن مهتما بالرياضة عدا المصارعة الحـرَّة، ولا برياضـيين جاؤوا من أربع وأربعين دولة عربية وإسلامية للمشاركة في البطولـة. كل ما كان يشغلني ويستفز فضولي هو أمر دولتين تلتقيان مـرة أولى بعد قطيعة.. العراق وإيران. كنت في لهفة لإدراك الخامس من نوفمبر، بعد أيام من يومنا ذاك، حيث لقاء الفـريقين. التقيـا في موعـدهما. هتافات الجماهير عظيمة كانت عندما صافح قائِدا الفـريقين كلاهمـا الآخر. وعندما أهدى الشيخ فهد الأحمد، قبل بدء المبـاراة، كلاهمـا نسخة من القرآن الكريم كنت أسألني: لو جاء الشيخ فهد إلى شارعنا، يهدي كلاًّ من عمِّي صالح وعمي عبَّاس نسخة. انصرفتْ الفكرة مـن تلقاء ذاها مع انطلاق صافرة الحكم تعلن بدء مباراة أشـعَلها المعلِّـق الرياضي خالد الحربان، رغم تعادل سلبـي انتهت إليه المباراة.

كنا، يوم الافتتاح قبل المباراة بأيام، نتبادل الحديث همسا، قبـل أن تُسكتنا أمي حِصَّة: "هششـــــــــ..!" فور ما انطلق صـوت المذيع: "أما الآن، فليتفضل سعادة الشيخ فهد الأحمد الجابر الصباح، رئيس اللجنة الأولمبية الكويتية، عضو اللجنة الأولمبيـة الدوليـة..". تنتشي أمي حِصَّة لرؤية "الرجل"، على حدِّ وصفها له بما يشبه غزلا، فهو الشيخ، الرجل، الذي قاتل في صفوف منظمة التحرير الفلسطينية لسنوات ضمن العمل الفدائي ضد "اليهود" داخل الأراضي المحتلـة. هي لا تعرف التفاصيل أجزم، كما لم نكن نعرف شيئا عـن أمـور كهذه. كل ما تعرفه أن الرجل حارب اليهود، وهـذا أمـر يجـاوز الكفاية لامرأة مثلها. اعتلى، أبو أحمد، كما اعتدنا سماع كنيته مـن عمِّي صالح، المنصة ليلقي كلمته قبل بدء الحفل الذي قـام بصـياغة

كلمات أغنياته. ثارت حماسة الجماهير، ونحن في غرفة الجلوس، إزاء كلمات وجهها إلى أخيه أمير البلاد، قبل افتتاحه البطولة بدقائق: "يا جابر الخير.. هنا، الملتقى هنا، أخوة مسلمون التمَّ شملنا.. فهذا ابن عمّي، وهذا أخي، ودين السماحة إسلامُنا". كنا في صمت نتابع. افتتح الأمير البطولة. انطلقت المجاميع من طلبة المدارس، ترتدي ثيابا تقليدية للدول المشاركة، على أرض الملعب، على أنغام الأغنيات الوطنية، تؤدي استعراضات مع كل لوحة غنائية. أتذكر، وكأنني أسمعها الآن، هتافات الجماهير.. تصفق، هتف وتغني، وكان كلٌ منا، في بيت آل بن يعقوب، في أمسيتنا تلك، على ليلاه.. يغني!

خالتي عائشة لا تنفك تكلِّفُ تينا بعمل شيء. أي شيء، على ألا تجلس معنا في غرفة الجلوس بلا خدمة. أمي حِصَّة لا تبعد عينيها عن شاشة التلفزيون تصدر أمرها: اجلسي يا تينا! تنسحب خالتي عائشة إلى غرفتها حانقة. فهد وصادق يتابعان في صمت. يعقبان على كل عبارة يفوه بها رئيس اللجنة الأولمبية في خطابه، وكأنهما في مسابقة يستعرضان معلوماتهما. ينصتان إليه. يقول:

"هناك شعوب بتلك الديار.. تعاني المجاعة تخشى الدمار".

يتسابقان يجيبانه: "الصومال وفلسطين!". تمرُّ في مخيلتي صور علب تبرعات معدنية لا يخلو منها مكان، الأسواق والمساجد والمدارس، وحتى في غرفة فهد، صندوق يحمل صورة لقبَّة الصخرة، وأخرى تحمل وجه صبي إفريقي تسيل من عينه دمعة، تعلوها عبارة: من يمسح دمعة هذا المسكين؟

"دعونا ننادي باسم السلام.. ونصلح بين جارٍ وجار".

يجيبانه، يسابق أحدهما الآخر، كلٌّ وفق أولويةٍ نشأ عليها: "العراق وإيران"، أو "إيران والعراق"، وأنا، إزاء من يريد أن يصلح بين جارٍ وجار، وددت لو أجبته قبلهما: "عمي عبَّاس وعمي صالح!" أو "عمي صالح وعمي عبَّاس".

وجدتني مثل البقية تارة، أتابع ما يجري على شاشة التلفزيون. تارة أخرى.. أجدني مثل تينا، أتابع الوجوه من حولي. كل واحد يجذبه في حفل الافتتاح شيء. فوزية تتابع بابتسامة يثقلها حزن لم أفهمه، ربما كانت تشتهي شيئا من الممنوعات المثلَّجة التي بين أيدينا، أو ربما تتمنى لو أنها تشارك المجاميع الراقصة في الحفل، تعيد أمجادها الصغيرة. حدستُها تلعن أيامها التي دفعتها لأن تكون في السابعة عشرة من عمرها، امرأة تقيِّدها سلطة شقيق أكبر يرى في كل شيء تفعله نقيصة. فهد كالمنوَّم مغناطيسيًا، يجلس على الأرض مثنيًا ساقيه تحته، يتابع بشغف فاغرا فمه، عيناه باتجاه الشاشة بالكاد ترمشان لِئلا يفوته مشهد. أدريه لا يعنيه في افتتاح البطولة شيء، بعد عدم مشاركة مؤيَّد الحداد ضمن تشكيل فريق المنتخب في البطولة، بقدر ما يعنيه تصدي عبدالكريم عبدالقادر للغناء في حفل الافتتاح. يستمع إليه بطرب لا يناسب سنَّه. ربما لم ينتبه لكلمات الأغنيات بقدر انتباهه لصوت مطربه الأثير ووقوفه وسط مجاميع الطلبة ينشد أغنياته ويحرّك يديه بطريقة يتميَّز بها. أمي حِصَّة راوحت بين هزٍّ رأسها وابتسامات ودموع أهتها تجهش بكاءً من دون صوت، ربما لم يلحظها سواي، أثناء عرض لوحة فلسطين يؤديها عبدالكريم متماهيا

مع أصوات المجاميع من حوله: "وإذا بصوت ينادي، متى تعود بلادي". تتمخط في منديلها الورقي وتمسح وجهها قبل أن تنفجر تشتم "اليهود أولاد الحرام"، في حين تردِّد المجاميع الراقصة توقدُ حماستنا: "قد وضعنا الخط الأحمر، تحت مفهوم العبارة.. نحن أطفال ولكن، بالوغى نصبحْ كبارا".

سَيَّرتنا تلك الأغنيات، فهد وصادق وأنا، حتى أصبحنا مهووسين بجمع الحجارة حول البيوت قيد البناء في السُّرَّة، ونحن الذين ما جمعناها قط إلا للعبة عنبر. نطوي دَشاديشَنا. نرفعها مثل أكياسٍ نملؤها حجارة، نتَّخِذ أسماء جديدة، صبحي ومازن ومصطفى، نختبئ وراء التلال الرملية وأكياس الإسمنت، نمطر عمال البناء فوق السقالة الخشبية بحجارتنا. يلفتُ انتباهنا عامل يحمل مثقابا كهربائيا كبيرا. نتحوَّل إليه. نفرغ حمولتنا باتجاهه مطرا، نردِّد قبل أن نطلق سيقاننا للريح: "إن تكن تملك مدفع، فأنا عندي حجارة.. نحن أطفال ولكن، بالوغى نصبحْ كبارا". أتذكر فهدًا يلتقط أنفاسه جالسا على ركبتيه في الحوش بعد مقاومتنا احتلالاً وهميًّا، يقول: "ليتنا فلسطينيين". يناكفه صادق متفهِّما دافع أمنيته: "حتى يغني لنا عبدالكريم: يا زمان اشهد لهم.. أطفالنا من مثلهم؟". لا يخفيه فهد يجيب: "يا ليت!". كان يتقرَّب من الأولاد في بيت الزَّلَمات، يهتم بمصادقة سامر وحازم زميلينا في الفصل الدراسي. يردِّد ما يشبه أغنية شعبية محرَّفة حفظناها من أبي سامح: عَبِّي لي الجرَّة، عَبِّي لي الجرَّة، يَمَّا يا حنونة، عَبِّي لي الجرَّة، والكويت بعيده، بعْطَش بالصحرا..". وفيما نبدي إعجابا بشخصيّ محظوظة

ومبروكة، كان يذكرنا بمؤلف المسلسل، الفلسطيني طارق عثمان. يحكي لسامر وحازم عن دروس تلقاها من أمي حِصَّة، وعن صور برتقال ظلت عالقة في مخيلته منذ حدثته عن زيارتها لفلسطين صغيرة. تُقسِم بأنها كانت تخرج يدها من نافذة السيارة، تقطف برتقالا من شجرة تحاذي الشارع، بصورة لم تألفها قط. ترفع ذراعها عاليا تجمع برتقالا وهميا في حِجرها؛ هكذا هكذا!

كانت مناسبات رياضية وطنية مثالية للمِّ الشمل، شمل أفراد البيت على أقل تقدير. في بيت واحد، في وقت واحد، أمام شاشة التلفزيون، كنا مشغولين بنا عَرَبًا. نؤمن بكل ما يجيء بالأغنيات الوطنية. نفرح نغضب أو نبكي. يصدح عبدالكريم بعد وصلة فلسطين: "لبنان العروبة لا للحروب.. دم الأبرياء يغطي الدروب". تبرطم أمي حِصَّة. لا تصدِّق كيف لأبناء وطن واحد أن يشعلوه حربا أهلية. "خبول"، تكرِّر قولها. لو أنها، بعد سنوات، شهدت خبالا حل بنا!

في فبراير 1990، تكرر المشهد بتفاصيله في غرفة الجلوس. يوم افتتاح بطولة كأس الخليج العاشرة في الكويت. في وقت، رغم المنافسة، نصبح فيه خليجيين أكثر من أي وقت آخر. لا يكفُّ التلفزيون يبث أغنية شهيرة: "خليجنا واحد وشعبنا واحد". تصحو الأغنية في مناسبتين؛ بطولة كأس الخليج وعقد قمة مجلس التعاون الخليجي، ثم تختفي بقية الأيام إلا من تأثيرها في نفوسنا. كانت فوزية، بفضل البطولة الرياضية، قد خرجت من حالة ضيق ألَّمت بها قبل حوالي شهر من يومنا ذاك، حين توفي إحسان عبدالقدُّوس

واعتكفت في غرفتها أياما. أخرجتها البطولة من عزلتها. ألقمتْ جهاز الفيديو شريطا لتسجيل حفل الافتتاح. تجمَّع أفراد البيت، بالإضافة إليَّ وتينا، لكن من دون صادق الذي كان قد أدرك سنّ البلوغ مبكرا. نما شاربه سريعا. تغيَّر صوته وانتشرت البثور على وجنتيه. طرق باب بيت عمِّي صالح ذات نهار يحمل أطباق أطعمة تشتهر بها أمي زينب، الدولمة الدَسِمة، والدملوج، المحرَّم على فوزية، ذلك الذي نتلذذ به كلما نثرتْ فوقه مزيدا من السكر الناعم ومسحوق القرفة. حملت تينا الأطباق. كاد صادق يستأنف سيره إلى الداخل لولا أوقفه عمِّي صالح مالكا عذره يصرِّح: "صرت رجل.. ما يصير تدخل عند الحريم". كنتُ، قبلا، أنتظر زمنا يخطُّ فيه شاربي. أعمد إلى إزالة الزغب الناعم بشفرة الحلاقة بعكس اتجاه نموه. أدعكُ منبت الشارب الحليق بزيت الخروع، لعل الشعر ينمو سريعا خشنا ويصبح مثل شارب هولك هوغان. أرفع ذراعيّ كل يوم أمام المرآة في الحمّام، أمعن النظر في إبطيّ. أتحسَّس عانتي الملساء أتحرى جيوش الشعر تحتل جسدي. أتوق لعالم سبقني إليه صادق. عالم الكبار السحري. كانت أحلامه الليلية مصدر الإثارة الوحيد. يرويها لنا. ننصت إلى تفاصيل التفاصيل، مع ما يضيفه مبالغا، في حديثٍ عن أحلام تجمعه بنجمات السينما وممثلات التلفزيون ومذيعاته، وما يترتب على تلك الأحلام من آثار يكتشفها كل صباح. صار فهد يسرق كاتالوغات الملابس النسائية من غرفة فوزية، يعيرني إياها، بعدما يفرغ منها. أتصفح قسم الملابس الداخلية أتحسَّس الصور، أتخيل ما تخفيه خربشات اللون الأسود من أجزاء محرَّمة في

جسد العارضات، أُمهِّد لأحلام ليلية مستعجلا بلـــوغي. ولكـــني، كرهت البلوغ منذ مُنع صادق من دخول بيت عمِّي صالح. تمنيت أن أبقى طفلا طيلة حياتي لِئلا أُمنع أنا الآخر.

كنا نتابع الحفل، في صمت، أمي حِصَّة تمدُّ ســاقيها مُســندة قدميها بجوربيها الصوف إلى المدفأة. خالتي عائشة تقلِّــب حبــات الكستناء فوق الدُوَّة مخلفة رائحة احتراق وفرقعة القشور فوق الجمر. تترك دُوَّها تتجه نحو تمثال أمي حِصَّة تتأكد من ظهورنـــا جميعـــا في التصوير. فهد بفرحٍ مضاعف، وجود مؤيَّد الحدَّاد ضـــمن تشـــكيلة المنتخب، ومشاركة عبدالكريم في أوبريت الافتتاح. كان غائبا تمامـــا مع صوته. فوزية تنظر إلى ساعة الحائط تتحرى بدء استعراض لوحة الكويت.

عمِّي صالح شأن آخر. لم أره قط متهلل الوجه منتشـــيا كمـــا كان تلك الساعة. كيف لا يكون؟ وقد بدأت اللوحة الاستعراضـــية تُمجِّدُ صاحب الصورة في ممر بيته. رفع جزءٌ من الجمهـــور ألواحـــا ملوّنة شكلت في مجملها شعار الجمهورية العراقية. ارتفع منطادٌ ضخم يحمل صورة للرئيس العراقي تشبه الصورة المؤطرة في الممر القريـــب. انطلق الغناء ثنائيا، بين عبدالكريم عبدالقادر وعبدالله الرويشد، علـــى إيقاع الكاسور العراقي:

هلا بسيف العرب.. ينحط على يمناي

هلا بللِّي حكى التاريخ عن أصلهْ

هلا بِللِّي زَرَع نخلهْ

وسقاها من شطّ العرب ماي

لم تعنِ لي كلمات الأغنية شيئا عدا، شَطّ العرب، الكلمة ذات الارتباط الشَرطي بأمي زينب التي جاءت من هناك، والتي تذكرنا بها أمي حِصَّة كلما حيَّت صاحبتها مناكفة: "هلا بعجوز الشَّط!"، لترد عليها بِيبِي زينب: "هلا بعجوز النار!". تنتفض أمي حِصَّة دائما: "الله يجيرنا من النار!". رفع عمِّي صالح قبضته عاليا، على الطريقة الشهيرة للشيخ فهد الأحمد الذي شارك بكتابة كلمات أغاني الحفل، منتشيا بكلمات الأغنية: "الله الله يا بو عديّ". المجاميع الراقصة تردِّد مرحِّبة بالمنتخب العراقي: "هلا بهالجاي.. هلا بهالجاي". أجابه فهد تساؤلا محبطا: "أبو عديّ؟! ولكن عبدالكريم هو من يغني!". لم يحفل بملاحظة ابنه، منصرفًا عنه منصتًا إلى بقية الأغنية:

بغداد.. أنتِ على الدرب الطويل العين والحارس

يا هدَّة الخيل الأصيل.. صدَّام اِهو الفارس

لم يزل يطوِّح قبضته في الهواء يردِّد قافية الأغنية: "الحارس.. الفارس..".

فوزية، التي بدت ساهمة طيلة الوقت، تنتظر انتهاء استعراضات الدول، واحدة تلو الأخرى، تركت الأريكة باتجاه جهاز الفيديو أسفل التلفزيون، تتأكد من استمرار التسجيل قبل بدء استعراض لوحة الكويت في الختام.

انتهى حفل افتتاح البطولة الرياضية غناءً للكويت: "أنا كويتي أنا.. أنا قول وفعل.. وعزومي قويّة". تُذكرنا بالطائرة المخطوفة:

"أنا عن موقفي؛ تحكي الجابرية!". كانت فوزية في قمة سعادتها، وكنا كذلك. أتذكر وسع ابتسامتها، حتى بعد انقضاء الحفل. ارتفع صوت المكنسة الكهربائية تجرُّها تينا. أعدنا، ثلاثتنا، فوزية وفهد وأنا، ترتيب غرفة الجلوس. نلتقط قشور المكسرات من السجّاد نعاون تينا ونغني: "أنا كويتي أنا..". أخرست تينا إزعاج مكنستها، في حين انصرف عمّي صالح بصحبة خالتي عائشة إلى غرفتهما مدندنا:

"هلا بهالجاي.. هلا بهالجاي".

* * *

في فمي جرعةُ الماءِ تَنمو

تَزيدْ

وعلى جانبيَّ لظى النارِ يَصرخُ

هل مِن مزيدْ

نحنُ والصَّخرُ كُنَّا الوقودْ

نحنُ والصَّخرُ نبقى الوقودْ

خليفة الوُقيَّان

الفأر الثاني

لَظى

الفصل الأول

في الأسبوع الأخير من يوليو 1990، سافر والداك لقضاء بقية الصيف في لندن. لم يكن السفر يعني لك شيئا؛ وحيدا بلا أصدقاء مثل كل سنة، تقضي معظم الوقت في مَلَلٍ بصحبة والدتك، وأنت على مشارف رجولة تتحرّاها، تحمل أكياس مشترياهًا مطأطئا في أسواق أكسفورد. ألححتَ على أمك حِصَّة، توسلت إليها، قبَّلتَ جبينها أن تفعل شيئا، ولكنها بَتَرَتْ توسلاتك بـ: "لا تدخلني في حَرَج مع السِّت الناظرة". وحين انقطعتَ عن زيارة بيت آل بن يعقوب ثلاثة أيام، إضرابا وتعبيرا عن حزنكَ لتخليها عنك، أرسلتْ لكَ فهدًا يخبرك: "أمي حِصَّة تقول: الكلب اِللي عَضَّك.. طَقّيناه!". كانت قد قررت بتر سبب قطيعتك. ابتسمتَ تدفعه يوضِّح. قال إن جدَّته سوف تتصل بوالدك. طرتَ فَرَحا حين أفلحتْ جارتكم العجوز بإقناعه ببقائك في الكويت. غضِبَت والدتك. رفضتْ. رفعت سبَّابتها إلى السماء توشك تتم قَسَمها لولا أن عانقتها تكمِّم فمها بكفِّك: "لا يُمَّه.. الله يخليك!". كنت محظوظًا، أو ربما لا، حين سكتت عن قَسَمها تنظر إلى والدك. حاولتْ أن تثنيه عن قراره.

أجابها بلا حيلة: "العجوز تقول: الولد أمانة عندي". أزمعتْ تـرد. أطفأ غضبها: "اعتبرينا في شهر عسل!". تركتك، على مضض، لصالح العسل.

انتقلتَ إلى بيت آل بن يعقوب بعدما سافر الاثنان من دونك. وبعد قائمة تعهدات طويلة بينك وبين والدتك. كان الحيّ، ليلا، هادئًا مثل كلِّ صيف، صامتًا إلا من صرير سُوير الليل وأصوات سيارات قلَّما تعبر. معظم البيوت بلا أنوار، والسيارات تلُفّها الأغطية القماشية المغبرة أسفل المظلات، أصحابها في سفر. فرحك بوجودك في بيت الجيران استحال ندما عظيما، بعد يوم واحد من سفر والديك، عندما قبل عمك صالح استضافة كلب أبي سامي في حوش بيته خلال سفر أصحابه إلى أميركا. رفضت أمك حِصَّة، في البدء. ضربت صدرها بكفِّها: "كلب في بيتي؟!"، معللة؛ وجود الكلب في البيت يطرد الملائكة. حاول إقناعها: شارعنا مظلم بعد خلو البيوت من أهلها. السلوقي ينفع للحراسة، أيام معدودة ويعود إلى مكانه. لم تقتنع. ذكَّرها صالح: "أبو سامي جارنا". لم تكن في حاجة لتذكيرها بأن النبي أوصى بسابع جار. قبلت على مضض. ما تخيَّلتَ يوما يجمعكما مكان واحد وأنت الذي ينتفض كلما شرع السلوقي بالنباح. تقاسمتما الحوش وقت اللّهو، للكلب، في الزاوية، مساحة تحددها سلسلته المربوطة حول عنقه ليلا، ولك مساحة تبدأ حدودها من مبنى الملحق المطل على الحوش حيث المطبخ والديوانية، وتنتهي عند قفص الدجاجات القريب من السِّدرة. كرهتَ خوفك. خشيتَ أن يلحظه الآخرون. أخبار التلفزيون لا تكفُّ بين حين

وآخر تُشير إلى اضطراب كويتي عراقي يتابع عمك صالح تفاصيله باهتمام. كنت، لسبب تخجل من ذكره، تجلس داخل البيت مع أبي فهد تتظاهر بمتابعة التلفزيون لا تبرح مكانك. أخبار عن زيارة وليِّ العهد، الشيخ سعد العبدالله الصباح، إلى المملكة العربية السعودية فيما أطلقت عليه وسائل الإعلام "حوار جِدَّة" الذي جَمعَ وفديّ الكويت والعراق، في وساطة سعودية، من أجل حَلِّ المشاكل العالقة بين البلدين. كنت تسأل أبا فهد، لماذا؟ يجيب ولا تفهم. يُبسِّط إجاباته ولا تفهم، يُبسِّطها أكثر: "الكويت تسرق نفط العراق.. هُم يقولون". تستفهمه: "من هُم؟". يجيبك: "العراقيون". وعندما تسأله عن رأيِهِ يلوذ بصمته يفتعل انشغاله مع الأخبار في التلفزيون. قبل شهور خمسة من يومكم ذاك، كان العراق قد تقدَّم بطلب رسمي بتأجير جزيرتيّ وربة وبوبيان الكويتيتين. تلك أمور سوف تعرفها عندما تكبر. ما كنت تعي شيئا مما كان يدور حولك سوى قلق الناس إزاء ما تبثّه الأخبار، وأجوبة مبتورة على أسئلتك الكبيرة. الأمر الوحيد الذي تذكره جيدا أن عمّك صالح، ذات يوم، قال لوالدك، على رصيفٍ مقابلٍ لمسجد مريم الغانم في السُّرَّة: لو كنتُ مكان السُلطة هنا لوافقتُ على تأجير الجزيرتين للعراق وفوقهما جزيرة مَسْكان عطيَّة! والدك يرى في جاركم رجلاً مجنونا مفتونا بشخصية الرئيس العراقي يؤمن بكل ما يفوه به من ادعاءات، رجلاً متحاملا على السلطة منذ حلِّ البرلمان، باع عقله للمعارضة في تظاهرات دواوين الإثنين. جاركم يرى في والدك رجلاً انتهازيا لا يهمّه إلا المال، تاجر أزمات كما يسميه، استغل أزمة انهيار سوق

المناخ الاقتصادية بشراء الأسهم بأسعار زهيدة، رجلاً ارتضى قرار حلِّ البرلمان حلاًّ لا يتوافق مع الدستور، وشارك بالتصويت في انتخابات المجلس الوطني، البديل غير الشرعي للبرلمان الكويتي، مبرِّرا مشاركته بأنها من أجل استقرار البلد ونهوضه من أزمته الاقتصادية. تتذكر والدك، مقابل المسجد، يحاجج عمك صالح، ولا يخفي قلقه إزاء توتر العلاقات بين البلدين وما قد يفضي إليه مستقبلا. أشار صراحة إلى موضوع تأجيل النظام العراقي لمسألة ترسيم الحدود رغم ترسيم حدود بلاده، آنذاك، مع المملكة العربية السعودية والمملكة الأردنية الهاشمية. سرحتَ بعيدا تتخيل رسم الخرائط على الأوراق الشفَّافة في دروس الجغرافيا. "عندك تفسير؟"، سأل والدك جاركم في حين كنت تنقل نظرك بينهما منصتا وصور الخرائط المدرسية في رأسك، تبدو الكويت بينها صغيرة بالكاد تُرى. ارتفع صوت عمك صالح: "العراق ما يتجاوز حدوده! يا أخي كافي إشاعات!". لم يفُه والدك بكلمة. استطرد جاركم يذكِّر بزيارة الأمير إلى العراق قبل شهور، من يومكم ذاك، وكيف استقبله رئيس الجمهورية قبل أن يمنحه وسام الرافدين. "أعتقد كلامي واضح!". ختم صالح. تتذكر والدك لا يحير جوابا، يهزُّ رأسه يمضي نحو سيارته ساهما. تتذكر أسئلة توجهها إليه طيلة طريق عودتكما من المسجد إلى البيت، لا يلتفتُ إليك. سألته لماذا لا يوافقون على ترسيم الحدود؟ تضاعفت المسافة بين عينيه وحاجبيه لا يخفي ابتسامة دهشة: "ترسيم؟ اِش عرّفك بالترسيم يا بو عشر سنين؟!". أزعجك جهله. صحَّحت: "اِثنعش!". لم يرد. انشغل يصغي إلى الإذاعة. كرَّرت أسئلتك. نهرك:

"أوووه! اِنت ما تشبع أسئلة!". لا تفهم لماذا يُخرِسُ الجميع أسئلتك. لم تفهم والدك ولا جاركم. لم يكن أبو فهد مؤمنًا بأن "الريِّس" حامي البوابة الشرقية وحسب، بل منذ قام الأمير بحلّ البرلمان وتعطيل الدستور وفرض رقابة مسبقة على الصحف عام 1986 وهو على قناعة بأن الحياة البرلمانية لن تعود إلى الكويت إلا بوساطة عراقية أو بضغوط من "الريِّس". عدوى الافتتان بالـ"رَيِّس" انتقلت إلى أمك حِصَّة، لم يكن يعنيها من أمر صاحب الصورة في جدار ممر بيتها شيئا لولا تصريحه، قبل أربعة شهور من يومكم ذاك، بأنه سوف يجعل النار تأكل نصف إسرائيل. تتذكر سؤالك لها وهي التي تقول إن النار لا توَّرِثُ إلا الرماد. تجيبك منتشية بأن النار "زينة" إذا ما وَرَّثَت رمادا يهوديا. يتدَّخل صالح يشرح فروقا بين اليهودي والإسرائيلي. تقاطعه: "كلهم يهود!".

بعد سفر جاركم أبي سامي وعائلته بيومين، أو ربما ثلاثة، انتشرت في الحيّ إشاعة حول سبب سفرهم، رغم اعتيادكم فراغ بيتهم كل صيف، قيل إن زوجته تلقت اتصالا من سفارة بلدها يحثها على ترك الكويت في أسرع وقت. قيل، أيضا، إن بعض سفارات الدول الأجنبية فعلت بالمثل مع رعاياها في الكويت. عمّك صالح لا ينفك يردِّد: "إشاعة.. إشاعة". يطمئن نساء بيته مستعيدا تصريحات وزير الخارجية الشيخ صباح الأحمد: "المشكلة الكويتية العراقية.. سحابة صيف". وأنت، إلى جانبه تجلس أمام التلفزيون، لا تنفك تسأل أسئلة لا تناسب "الجهال" كما يقول. يجيبك على مضض، وتسأل. يصمت. تسأل. يرتفع صوته مرة أولى في وجهك: "اِنت

وين وهذي السوالف وين؟". يسألك لماذا لا تخرج مــع فهــد إلى الحوش؟ يغوص رأسك بين كتفيك لا تُحير جوابــا. يتــرك غرفــة الجلوس باتجاه الممر المفضي إلى حوش البيت. يعــود بعــد دقــائق، متفهما، وبنبرة هادئة يقول: "ربطت السلوقي".

* * *

الفصل الثاني

لأنك كنت أمانة لديها، لم تتركك العجوز لتنام في غرفة فهد، بعيدا عن عينيها. أفسحتْ لك ركنا صغيرا للنوم في غرفتها. مرتبة إسفنجية على الأرض، أسفل سريرها، فوق سجّادة حمراء قانية كثوب فؤادة. تلاصق سريرها طاولة صغيرة، تحمل أدوية القلب والضغط والسُّكّري وساعة جرَسٍ منبِّهة وكأسا زجاجية يغوص فيها طقم أسنانها. لا شيء يغري صبيًّا في مثل سنِّك للمكوث في غرفة كتلك، وكل ما فيها لا يشبهك؛ قِطَع سجّاد عتيقة، سرير نحاسي ولحاف صوفي بألوان نَمِر، مشط خشبي ومسحوق حِنّاء وصابون سِدْر وصابون نابلسي، برطمان عسل، وتين مجفَّف وثلاثة أكياس تمور؛ برْحي وسَعْمَران وإخلاص. بسكويت مالح منتهي الصلاحية وزجاجات تضم أشياء تُميِّز من بينها حبّات الهيل والزعفران، كسرات بخور ودهن عود معتَّق، وأشياء لا تعرفها من أحجار سوداء وأدوات كشط جلد الأقدام المتيبِّس، روائح نفاذة؛ دهان ڤِكس، ودهان آخر تحمل علبته صورة نَمِر أحضرته تينا من سريلانكا، وروائح أخرى ثقيلة، محببة، تسكن المكان مثل غيمة. تنام العجوز

باكرا وهذا ما يزعجك. سمحتْ لفهد في اليوم الثاني أن يشاركك فراشك بعد إلحاحكما، مادام السهر ممنوعا. كانت تفصل بينكما بواسطة وسادة طويلة. تستغرب حرصها: "لا تزيحوها!". تسألها مناكفا: "ترسيم حدود؟". تستلقي على سريرها النحاسي: "سِدّ بوزك واِخمد!". كنتما تكتمان ضحكاتكما بسبب شخيرها كلما ارتفع فور استلقائها على السرير. كنت تلاحظ حركتها في الظلام، تستيقظ بين حين وحين ترفع رأسها عن الوسادة تنظر نحوكما قبل أن تغط في النوم مرة أخرى. لم تفهم الداعي إلى مبالغتها في مراقبتكما على هذا النحو حتى الليلة التالية. استيقظتَ، في منتصف الليل، على صوتها زاجرا حفيدها: "اِخمد يا فهد!". يرتفع شخيره فجأة. تستطرد العجوز تحذره بأنها تستطيع رؤيته حتى في الظلام. تزجره: "حرام!". لا يرد. تختم تحذيرها تذكّره بأن كفّه سوف تَحبَل إذا ما كرَّر فعلته! منذ تلك الليلة وأنت تنام بلا الوسادة الطويلة الفاصلة، وبلا فهد. نبَّهكَ الأمرُ إليك. تُناوشك أحلامٌ لا تتم. تخشى أن تدُّس كفَّكَ في مكان سرِّي، تكتشف جدَّة طارئة على جسدك تستعجل بَلَلا، حدَّثكم عنه صادق، يشبه زلال البيض. خشيت أن يفتضح أمرك، يُقبض عليك تمارس اكتشافك، تُطرد من البيت رجلاً بكفٍّ حُبلى.

ما عاد شخير العجوز يضحكك. تتقلَّب فوق مرتبتك الأرضية تحاول اقتناص فرصة نومٍ إذا ما خَفَّ الشخير، بعض دقائق، كلما غيَّرتْ من وضعية نومها. تستعيد كلمات العجوز: "أقدر أشوف في الظلمة". تخالها مشعوذة. تطوف في خيالك صورة الكأس الزجاجية

تصطك بداخلها الأسنان بما يشبه ضحكة كارتونية. يهرب النوم من عينيك ثانية. تعتصر وسادتك. تتأفف. "احمد خَمَـدك الله"، تقـول العجوز. تشكو لها مللك وهروب النوم من عينيك. تعدك: "بـاكر أقول لك قصة". كنتَ قد حفظتَ كل قصص جنيـات السِّـدرة: "أعرفها". أخفضت صوتها تضفي على حديثها شيئا من غمـوض: "باكر أسولف لك عن الفيران الأربعة". خوفك من الفئران لا يردع فضولك: "ليش باكر! ليش مو ألحين؟". تقول إنها حكاية طويلـة. تنهض جالسا على ربلتيّ ساقيك، تنظر نحوها في الظلام تسأل عـن الفئران الأربعة: ما أسماؤها؟ تنقلب على جانبها. تجيبك: فأرٌ اسمـه جمر. تستدرجها تُكمل: والآخر؟ تتأفف وهي تُسميه: رماد. ينفـد صبرك: بقي فأران. يرتفع شخيرها ناعما. تخمِّن أنت الاسمين. لعلهما ميكي ماوس وجيري. تطرد الفكرة. تحاول أن تنام. تحصي خرافا في مخيلتك. لا فائدة. تحصي فئرانا. يطير النوم من عينيـك. يضـطرب النور المتسلل في الشِّق الأفقي أسفل باب غرفتها، يلفت انتباهـك، ينبِّهك إلى مرور أحدهم. "أمي حِصَّة!". تنبهها. تجيـب بصـوت بالكاد يخرج من حنجرتها: "هممـــــ". يرتجفُ صوتك:

- "في أحد يمشي وَرا الباب!".

تنقلب على جانبها يئِنُّ سريرها إثر حركتها:

- "اِنت حلمان".

تمعن النظر. الظلُّ يراقص النور أسفل الباب لا يزال. تؤكد:

- "والله في أحد وَرا الباب!".

تطمئنك:

- "سلوقي زوج الأمريكية ما يخلّي الحرامية تقرِّب من باب الحوش. نام يا خوّاف".

- "في ظِلّ تحت الباب؟ شوفي شوفي!".

تطلق زفرة نفاد صبر:

- "هذه فوزية جايَّه تذكِّرني بموعد الدوا".

ولأن فوزية لم تنطق وراء الباب. تصرُّ أنت: "لأ.. مو فوزية". تترك مرتبتك متجها إلى مكبس الضوء. تنتفض العجوز رافعة لحافها إلى منتصف وجهها: "يا ويلك! ارجع لفراشك!". تدريها تتحاشى النور كيلا ترى وجهها من دون طقم أسنانها، وهي التي ما انفكت تردِّد بحروف تشبه الحروف: "ما تشوفني بلا ضروس إلا على موتي!". تجلس فوق مرتبتك مثنيا ساقيك تحتك، تراقب اضطراب النور أسفل الباب. تؤكد أن مَن وراءه ليس لِصًّا ولا فوزية!

تتأفف العجوز:

- "يمكن الفيران!".

تتكوَّر وراء لحافك. تغرق في بحرٍ من عَرَق. تلعن اليوم الذي طلبتَ فيه وساطتها لدى والدك لتبقيك في الكويت. تلتقط أطراف

النوم. تخرج ساقا من تحت لحافك، تحرِّك أصابع قـدمك المتعرِّقـة، تباعد بينها، يلامسها هواء الكنديشة. تتذكر الفئران. تخفي سـاقك داخل اللحاف مرة أخرى. ينفجر صوت فؤادة متضخما في رأسك: "آتية.. آتية..". يختفى صوتها ما إن ينطق فهد، وراء الباب، بصوت أعلى من الهمس قليلا: "صلاة الفجر".

تتحلَّقون حول سفرة الطعام الأرضية بعد أوبتكم من المسجد، عمّك صالح وفهد وأنت. تدخل أمّك حِصَّة تحمل إبريق الحليـب، تتبعها خالتك عائشة بصينية الطعام. خادمتكم السيريلانكية لا تصحو فجرا: "لأنها ما تصلي مثلنا..!"، تردُّ العجوز على كنَّتها. سألتَها قبل سنوات، تينا وفلورنس مسيحيتان.. "ليش تحبين هـذي وتكـرهين هذيك؟!". إجابتها جاءتك جاهزة: تينا خادمة، وفلـورنس زوجـة مسلم، لا يخاف الله! ماذا لو اعتنق أبناؤه دين أمّهم! ختمتْ: "مصيبة تصيب الظالم! أسئلتك دمها ثقيل!".

نور يسبق الشروق لوَّنَ نوافذ غرفة الجلوس بزُرقة رمادية. عبق مكانكم بروائح خبز وباقلاء ونخِّي وحليب مُهَيَّل. رَنَّ جرس الهاتف. "يالله خير". قالت العجوز، قبل جلوسها، متوجسة من رنينه فجـرا. قفز فهد يحمل السمَّاعة. التفتت إليه أمُّهُ بوجه باهت: "آنا قلبـي قارصني.. ما وَرا هالتليفون إلا مصيبة". تنهرها أمّك حِصَّة: "فال الله ولا فالك يالساحرة". يعيد عمّك صالح، إلى الآنية، حبَّة باقلاء كان قد التقطها لتوِّهِ. ينظر كلكم إلى فهد باهتمام. يرد التحيـة. يهـزُّ رأسه. يمدُّ يده بسماعة الهاتف إلى أمِّه: "يُمَّهْ.. خالي يسأل عنـك". تلتقط أمّهُ السمَّاعة. يضطرب حاجباها. ترتعش شفتاها قبل أن تعيد

السمّاعة تقول: "مصيبة!". أردفتْ: "الكويت راحت!". لم تفهم كيف تروح الكويت، وإلى أين؟ قالت عائشة: "الجيش العراقي..". عيناها على عمّك صالح تحديدا. تكمل خبرا تلقته للتوّ: ".. دخل الكويت!". دخول.. هي أقصى كلمة تصف الحدث يومكم ذاك، لعلكم تستوعبون، قبل أن تمر أيام تتغيَّر فيها المفردة، تكبر وتتشكَّل بقدر ما تسمح به قدرتكم على الاستيعاب تدريجيا لهضم الحقيقة. دخولهم صار أزمة، الأزمة صارت غزوا واحتلالا. أُمّك حِصَّة تهذي بشيء، غير مصدِّقة فعلة الرئيس العراقي: "الحيّ يقلب". تسارع إلى دوائها. تتساءل: "وين اِللي يَبي يحرق إسرائيل؟!". لا تتذكر شيئا مما تقوله خالتك عائشة، ولا النظرات المذعورة المستفهمة لكل من حولك، لا تتذكر شيئا عدا عمّك صالح يصيح في زوجته: "إشاعات.. إشاعات". وددتَ لو تجري إلى فوزية المعتكفة في غرفتها مفجوعة بقرار اتخذه شقيقها بعد تخرجها في الثانوية قبل أسابيع: "لا دراسة في الجامعة!". تصيح بها: "الجيش العراقي.. دخل الكويت!". تنظر إلى عمّك صالح تدفعك كلمة دخل، تستعيده مترنما قبل شهور سِتَّة: "هلا بهالجاي.. هلا بهالجاي!". تنظر إلى زوجته تسأل نفسك كيف تنبأت بأن الهاتف يحمل مصيبة!

لم تلبث الأخبار، التي أرادها أبو فهد إشاعات، أن تصير بعد شروق الشمس حقيقة. إذاعة بغداد تصدر البيانات، واحدا تلو الآخر، أخبار، زغاريد، تصريحات حول تحرير الكويت. تحريرها ممن؟ تتساءلون. صوت المذيع يوسف مصطفى، منفعلا على غير عادته، في إذاعة الكويت قبل انقطاع بثها، يناشد العالم: "هنا الكويت.. أيها

المواطنون الكويتيون الأحرار، أيها العرب في كل مكان، لقد كشَّر الغدر عن نابه، وكشف الطغيان عن مخالبه..". تمر الساعات طويلة. رنين الهاتف لا يتوقف. والدتك تتصل من الخارج منهارة. تلفظ كلمات بالكاد تعيد ترتيبها: أخبار الـ BBC.. العراق الكويت حرب.. سيأتي خالك حسن يأخذك معه إلى الفيحاء.. وعليك أن تبقى معه في بيته "فهمت؟!". عمّك صالح أمام شاشة التلفزيون كالصنم لا يتحرك فيه شيء عدا جفنيه يرمشان. المشهد أمامكم على الشاشة أسفل أبراج الكويت الثلاثة، رجال بدَشاديش كويتية ووجوه غير، يهتفون ويردِّدون هوسَة عراقية، تماما مثلما كنتم تفعلون أمام كاميرا الـ HITACHI، يرحبون بجنودٍ أشاوس هبّوا لنصرة الثوار المطالبين بتحريرهم من قارون الكويت والطغمة الغاشمة، وعلى الشاشة كلمات بالخط الأصفر: "الثوار الكويتيون يرحبون بجنود العراق الأماجد". أنت لا تفهم شيئا. أنت تشعر وحسب. تشعر بشيء لا تدريه. أسئلتك التي غصَّ بها رأسك ماتت على شفتيك. لست قادرا على الاعتكاف في غرفة مثل فوزية، أو الصلاة والدعاء مع أمّك حِصَّة، أو الرَّد على الهاتف كما يفعل فهد، أو أن تبقى صلبا بلا تعبير مثل خالتك عائشة. أو أن تغمض عينيك لهذي مثل تينا تستعيد صور دماءٍ سُفِكت في اشتباكات نمور التاميل مع الحكومة السنهالية في سريلانكا. مثل عمّك صالح تماما كنت. ساهمٌ هو يتابع شاشة التلفزيون. ساهمٌ أنت تتابع الوجوه من حولك. أصوات مروَحيّات في سمائكم. تمنّون أنفسكم لو أنها كويتية ولكنها ليست. شيء من طمأنينة أحاطتكم بعد تلقيكم أخبارًا شبه مؤكدة:

غادر الأمير وولّي العهد قصر دَسْمان. وصلا إلى السعودية. ذاكرتك الصغيرة استدعت أحلام فوزية الكبيرة؛ التخرج في الجامعة، مصافحة أمير البلاد. ماذا لو طال أمد بقائهم وامتد؟ ماذا لو أن الأمير..؟ تهزُّ رأسك طاردا الفكرة. ما كدتم تتنفسون الصعداء إزاء وصول رأس السلطة إلى السعودية حتى هاتفكم ليلا من يؤكد: "استشهاد الشيخ فهد الأحمد أمام بوابة قصر دَسْمان". تضاربت الأقوال حول كيفية مقتله. المؤكد أنه ما علِمَ بخروج أخيه الأمير. اتجه إلى قصر الإمارة دَسْمان. اشتبك مع أفراد من الحرس الجمهوري العراقي مقابل البوابة قبل أن يخرّ صريعا بثلاث طلقات. انفجرت أمك حِصَّة تبكيه. تضربُ فخذيها حسرةً: "راح الرجل!". بكته عائشة. بكته فوزية. كنت تستدعيه في آخر مرة شاهدته فيها عبر التلفزيون يوم بطولة الصداقة والسلام. تتردَّد داخل رأسك أغنية افتتاح البطولة: "هُنا هُنا هُنا.. الملتقى هنا.. إخوة مسلمون.. التمَّ شملُنا!". غصَّ رأسك بالأسئلة. الوهن الذي أحاطكما أنت وفهد دفعكما إلى النظر نحو عمّك صالح تستمدان منه شيئا من قوّة، ولكنه مرَّر إبهامه أسفل عينين فضحهما احمرارهما يتظاهر بعكس حاله. هزَّ رأسه إزاء الخبر. خانه صوته بما يشبه الرجاء: ممكن.. ممكن إشاعة.

* * *

الفصل الثالث

وطنك الذي تعرفه باسمه: الكويت، استحال خلال أيام إلى المحافظة التاسعة عشرة من محافظات العراق العظيم. صفتك مواطنا كويتيا ما عادت. كما يزعم التلفزيون والمذياع، أنت منذ انقضاء الأسبوع الأول للاحتلال مواطن عراقي من سكان محافظة النداء السليبة. محافظة اقتطعها الاستعمار ظلما، عادت، بفضل الله وعزم جنود المجد والسؤدد، إلى حضن الوطن الأكبر. "الله أكبر"؛ تلفظها أمك حِصَّة أمام ادعاءات مذياعها. حالكم كانت ثورة، كما صَوَّرها إعلام النظام العراقي في الأيام الأولى، مستفيدا من تظاهرات دواوين الإثنين المناهضة لقرار حلّ برلمانكم. استنجد أصحاب الثورة بالجمهورية العراقية الشقيقة. الثورة صارت، خلال أقل من أسبوع، جمهورية الكويت الفتيَّة يرأس حكومتها مواطن كويتي أظهرته شاشات التلفزيون يرتدي بشتاً يصافح "الرَيِّس". أمك حِصَّة، أمام الشاشة، تسند كفَّيها إلى رأسها: "يا الله غربله!". مع انقضاء الأسبوع الأول أعلن ثوار مزعومون انضمام جمهوريتهم الفتيَّة إلى الجمهورية الأُم!

عمّك صالح، مساء اليوم الأول، الخميس، الثاني من أغسطس 1990، خرج من عزلة ساعات قضاها في غرفته، يمنّي نفسه: أيام وتعود الأمور إلى نصابها. ليس غريبا أنك لم تفهم شيئا مما حدث. صالح نفسه لا يفهم شيئا. يوم ثانٍ للاحتلال، قطع النظام الجديد الاتصالات الدولية مبقيا عليها محليّة. يومٌ ثالث ترفض تينا عرض أمّك حِصَّة لاصطحابها إلى سفارة سريلانكا مفضلة البقاء إلى جانب "ماما كبير" كما تسميها. "بنت حلال.. أحسن من غيرها"، تقول العجوز عن تينا، تتحلطم بينها وبين نفسها: "مَن تَرَكَ داره قَلّ مقداره". تتهكّم على من سارع بالخروج من الكويت: "دجاج!". يأخذك كلامها إلى وقت مضى. كلامها قبل سنتين أسفل السِّدرة؛ دجاجات تتخلى عن بيضها المكسور لفئران لا تجرؤ على الاقتراب من القفص لولا صفار البيضة المكسورة والزلال المسكوب. يوم رابع، هاتَفَكَ خالك حسن يخبرك بأنه يرتب أموره لإيصال أسرته إلى المملكة العربية السعودية برًّا. بصفتك ابن شقيقته وبصفته خالك هو مسؤول عنك. قال آمرا: "جهِّز جنطة خفيفة.. باكر الفجر". اعتصرك حزن مباغت وأنت الذي كرهت بقاءك في بيت آل بن يعقوب، كيف لك أن تترك السُّرَّة؟ ماذا لو استعصت العودة؟ اكتفى فهد بسؤال حائر غلفه حزن: "تتركنا؟". غمزتَ له تدعوه لأن يتبعك إلى بيتك. لا سلطة لأمّك حِصَّة في أمر كهذا. لا وساطات في ظرف استثنائي. حسمتَ أمرك. ذهبتَ وفهد إلى بيتكم. يبدو كئيبا مثل أي وقت. انحنيت أمام غرفة والديك. سألك فهد: "ليش؟". أجبته: "المفتاح!". أزحت طرفا من قطعة سجّاد أسفل الباب.

التقطت سلسلة مفاتيح. نظرَ إليك فهد لا يسأل ما شأن غرفتهما بتجهيز حقيبة سفرك! كان يدندن بصوت خفيض يداري حزنه. شأنه كلما أراد أن يبدو في حال غير حاله: "المفتاح عند الحدَّاد". كنت تجرِّب مفتاحا تلو آخر. فتحتَ باب الغرفة. التفتَّ إلى صاحبك: "المفتاح عندي". قفزَ على كلمات الأغنية منهيا: "والمطر عند الله". فتشت في الأدراج. عثرت على جواز السفر بين شهادات أسهم وكمبيالات والدك. نظرتَ إلى فهد تسأله أين تخفيه؟ ابتسامته الواسعة سبقت اقتراحه. فور عودتكما، أقعى فهد بجسده النحيل، أسفل السِّدرة، مثل قِطٍّ يتبرَّز، يحفر بعمق شبرين. كنتَ مرتبكا أمام السلوقي المستَفَزّ في زاويته يرتفع نباحه. دسَّ فهد كيسا بلاستيكيا يحمل جواز سفرك. ردم الحفرة بقدميه. ضرب كفَّيه ببعضهما بعد إنجاز مهمَّته. هزَّ مؤخرته للكلب الغاضب: "ميااااو!". ضحكتما كثيرا، رغم قلقكما، لا تفقهان مدى خطورة ما يجري. دلفتما الممرّ إلى غرفة الجلوس. لكزتَ فهدًا تشير بذقنك إلى الجدار الخالي إلا من نبتات متسلقة تحيط مربَّعا فارغا بين مزهريَتي ريش الطاووس: "راح الرِّيس!"، قلتَ له. أضاف: "وورق الجرايد". خالك، الذي جاء بصحبة ابنه ضاري، فتَّش كل مكان في بيتكم. قرَّر السفر من دونك. أحاطك بين ذراعيه يعتصرك. لحيته الكثّة تلامسُ خدَّكَ: "أوصل الأهل وأرجع الكويت". كنت تتبادل النظر مع فهد تكتم ابتسامة. غادر خالك موصيا جارتكم العجوز بالعناية بك إلى حين عودته. ركضتما، أنت وفهد، إلى أسفل السِّدرة تستخرجان جواز السفر. اختلفتما على مكان دفنه. لم تعثرا على شيء. رفعتَ رأسك

تنظر إلى الأغصان، تضربُ كفَّيك ببعضهما: "سكِّنهم مساكنهم". آمنتَ بأن جنيَّات السِّدرة صادرت جواز سفرك. يوم خامس علِمتَ بعودة الخال إلى بيته، بصحبة أسرة كويتية، بعد مصادرة سيارته الـقان عند منفذ النويصيب الحدودي. دَعاكَ. رفضتَ. تركك وشأنك في رعاية العجوز على أن يزورك بين يوم وآخر. أخوال فهد يعزمون على الخروج من الكويت، يتصلون بشقيقتهم: "عايشة! تعالي معانا السعودية". رفضَ صالح؛ لا خروج! انتشت أمك حِصَّة لجوابه. استفهمته زوجته. أجاب بأن الحدود غير آمنة. صفعت العجوز الهواء أمام وجهها تمطُّ شفتيها محبطة. يومٌ سادس، الأحداث من حولكما لا تزال في طور الأزمة. التصقتَ بأمّك حِصَّة. كانت تحمل مذياعها الترانزستور. بيانات القيادات العراقية لا تزال. أخبارٌ تشير إلى نية انسحاب بعد استتباب الأمن وتسليم زمام السلطة إلى، من أسموهم، ثوارا كويتيين. هزَّتْ العجوز رأسها بلا يقين: يفوتك من الكذاب صدقٌ كثير! يومٌ سابع.. يتصرف صالح وفق ما يرِده من مكالمات الهاتف؛ جنود الاحتلال يقتحمون البيوت لا يتورعون عن دخول غرف النوم بحثا عن ممنوعات أو مطلوبين. على إثر الخبر يوجه كلامه إلى عائشة وفوزية. يقرر رجل البيت أن تبقى النساء بالحجاب والدرَّاعة حتى في وقت النوم. لا يخفي قلقه: "أخاف على الحريم يُمَّه". تتذكرهما، زوجته وشقيقته، حتى وقت دخول كل منهما غرفتها ليلا، ترتديان الدرَّاعة المنزلية واسعةً طويلة الأكمام. عائشة بالحجاب طيلة الوقت. فوزية تكتفي تعقص شعرها وراء رأسها. لا عِطرٌ ولا زينة ولا أي شيء. تتذكر أمك حِصَّة مهمومة: من أراد

أن..، تبتر جملتها. تستطرد متجاوزة كلمةً محظورة: .. لن يرُدَّه ثوب طويل أو حجاب! يومٌ ثامن، دفعك جرس الباب للخروج صحبة فهد. كنتما أمام شاب كويتي مرتبك. بدا في أول الثلاثين بشارب كثٍّ ولحية قصيرة سوداء داكنة، اعتمر غترة مهترئة. وجهه مألوف، لعله من سُكّان المنطقة. مدَّ يده إلى فهد يناوله كيسا بلاستيكيا يحمل شعار السوق المركزي لجمعية السُّرَّة التعاونية. "شنو هذا؟"، سأله فهد. أجابه الشاب باسما: خبز.. خبز وجُبن كيلا تضطروا للخروج. استدار الشاب قبل أن يسأله فهد: "منهو اِنت؟". أجابه ماضيا في السير نحو سيارته: "جاسم". فتح صندوق السيارة يحمل كيسا آخر يمضي نحو بيتكم. التفتَ إليكما مستطردا: "جاسم المطوَّع". كبس زر الجرس. نبهته إلى خلو بيتكم من أصحابه: "سافروا". مسح بنظراته البيت يتفحَّصه قبل أن يمضي نحو بيت عمّك عبّاس. عدتما إلى الداخل. وبخكما صالح. لا تأخذا شيئا من غريب! أكد له فهد: "مو غريب!". قال إن وجهه مألوف، شاهده في السوق المركزي ربما، أو في المسجد أو في ساحات كرة القدم الترابية. فوزية تستل منشورا ورقيا بين أرغفة الخبز. تُناوِله أخيها بعد قراءته. تسأله متحمِّسة: "نروح؟!". يقرأ عمّك صالح المنشور الداعي إلى التظاهر في إحدى المناطق. يصرخ بفوزية موجِّها سبَّابته إلى السُلَّم: "غُرفتك!". تجري إلى غرفتها باكية في حين يطوي الورقة في كفّه يهرع إلى المبخر يشعل فيها النار: "جَهَّال"، قال عنهم، لا يعرفون فداحة ما يقدمون عليه! التفتَ إلى أُمِّهِ بعدما أحال الورقة رمادا: "مو من صالحنا نتحرَّش فيهم". أمك حِصَّة، رغم انشغالها مقرفصة خلف آلة

خياطتها على الأرض، في حِجرها علبة حلــوى مــاكنتوش ملأتها بَكراتٍ وإبر ومشابِك ودبابيس، تخيط فتقا في ثوب صلاتها، تفتعــل ابتسامة تعني بها شيئا ما. احمرَّ وجه ابنها. ذكَّرها، كمن يبرِّر، بمقتل مصورٍ شابٍّ في تظاهرة الرميثية قبل يوم. أوقفت العجوز دوران آلة الخياطة. قالت من دون أن تنظر إليه: "الحافظ الله". بدا عمّك صالح بغضب يشوبه شيء من خجل. مضى إلى السُـــلَّم ينـــوي مصـــالحة فوزية. هو على يقين بأنها لن تفتح له باب غرفتها. التفـــتَ إليـــك: "تعال ويَّاي". عند غرفتها في الطابق العلوي هَمَسَ لك آمرا: "طِـــق الباب". أوشكتَ أن تطرق بابها لولا أمسكَ صالح بيدك. قرَّب أذنه إلى الباب ينصت. كانت فوزية ترتل القرآن بحسٍّ شـــفيف يلامـــس القلب. تنهَّدَ صالح بوجه باسم. يقول إن شقيقته تتلو القرآن علـــى طريقة الشيخ بن عبيدان إمام مسجدهم القديم في كيفـــان. طـــرق الباب. سكتت عن الترتيل. لم ترد. دفعك تناديها: "فوزية!". لم ترد. ألصقتَ شفتيك في الزاوية بين الباب وإطـــاره: "عمّـــي فوزيـــة.. افتحي". فتحت بابها. نظرت إليك بملامح امتعاض إثر خـــديعتك. دخل عمّك صالح بوجه مسالم. كدت تتبعه لولا ألصق كفَّه علـــى صدرك: "خلاص.. روح اِنت!". أطبق الباب. ما أوشكتَ على قطع منتصف درجات السُلَّم نزولا حتى انطلقت صـــرخاته في الأعلـــى. تركت أمك حِصَّة آلة خياطتها تهمّ بالصعود. عنـــد أول درجـــات السُلَّم كانت، تستند إلى الدرابزين. ظهر ابنها آخر السُلَّم في الأعلى يحمل أوراقا مطوية: "هذي البنت مجنونـــة!". لم تنطـــق العجـــوز. أستطرد: "تُعَلِّق أعلام الكويت وصور الأمـــير وولي العهـــد علـــى

خزاينها!". عبث في أدراج خزانة التلفزيون في غرفة الجلوس قبل أن يعثر على أعواد ثقاب أخذها معه إلى الحوش.

يومٌ تاسع، ليس عدا إذاعيّ لندن ومونت كارلو مصدر أخبار موثوقة مع سيطرة قوّات الاحتلال على التلفزيون. لا يترقّب أفراد البيت شيئا كترقّبهم مواقف الدول العربية، أثناء القِمَّة الطارئة في القاهرة، يحبسون أنفاسهم بانتظار إدانةٍ ووقوفٍ إلى الجانب الكويتي. بين امتنان وخذلان كانت حالكم. دولٌ مع. دولٌ ضد. دولٌ بين بين.

زاركم، صبيحة اليوم التالي، الشقيقان أبو طه وأبو نائل. نادى فهدٌ أباه: "يُبَه! الزَّلَمات يسألون عنك". نظر الرجل إلى ابنه مستفهما؟ أوضح فهد بأنهم الفلسطينيون أصحاب البيت في آخر الشارع. ارتبك صالح يسأل ماذا يريدون. مَطَّ فهد شفتيه رافعا كتفيه: "ما أدري". تبعتماه إلى باب الحوش حيث التقى الزائرين. بدا وجِلا.

- "خير؟"، سألهما.

أجاب أبو نائل بما يشبه عتبًا:

- "هون؟! بصِرش عالباب نحكي يا زلمة؟!".

لم يجبه صالح. تدخل أبو طه:

- "مش مشكلة، معك حق، بس احنا اجينا عشان نقول.. مرّينا عَـ بيوت الحيّ..".

قاطعه أبو فهد:

- "مو شغلي بيوت الجيران.. خير؟".

توقفت سيارة قريبا من رصيفكم. تعرَّفَ فهد إلى سائقها. أخبر أباه:

- "يُبَه.. هذا جاسم المطوَّع".

ارتبك صالح من قدوم صاحب الخبز والجبن والـ.. منشورات. تجاهل تنبيه ولده. التفت إلى أبي طه:

- "شنو بعد؟ خلِّصنا.. بسرعة!".

هزَّ أبو طه رأسه متفهما:

- "إحنا ما خصناش بِلّي بتسمعوه بالأخبار.. إنت عارف من إيمتا إحنا ساكنين هون.. واللي يجري عليكم يجري علينا..".

قاطعه مرة ثانية:

- "ما أعرف شي.. خير؟".

تدخل أبو نائل:

- "طيب.. خَلَص فهمنا..".

أشار إلى أخيه وهو يهم بالانصراف:

- "يلاّ نروِّح..".

أمسك أبو طه ذراع أخيه: "استنى!". نظر إلى أبـــي فهد:

- "ما حداش من الجيران مانع نكون موجـــودين هـــون.. وولادنا، زَيّ ولادكم، ما بيعرفوا مكان غـــير.. أصـــلا بيموتو لو..".

قاطعه مرةً أخيرة:

- "مو شغلي!".

استدار عائدا. أطبق الباب الحديدي الأسود. فتحه ثانية تلبيـــة لرنين الجرس. كان جاسم المطوّع يحمل كيس خبز. سارع عمـــك صالح قبل أن ينبس الشاب بكلمة:

- "مَحْنا بحاجة لأغراضك!".

مدَّ جاسم كيسه البلاستيكي إلى أبـــي فهد يخبره بأن لكم، بين أرغفة الخبز، مبلغًا من المال وَرَدَ من الحكومة في الخارج.

***

الفصل الرابع

تكاثر الذباب في أحيائكم إثر تكدُّس أكياس القمامة على الأرصفة أمام مساكنكم. تسلل إلى البيوت. ذباب كبير لزج بزُرقة لامعة يُسمع طنينه عن بعد. ذبابٌ فجٌّ لا يفهم لغة أمك حِصَّة "كِشْ كِشْ". تزايدت قطط الشوارع رغم غياب رائحة السمك في مطبخ تينا. استأنستم صغار القطط بدلا من طردها. الروائح الكريهة باتت جزءا من المكان. تنتظرون المتطوعين من شباب المنطقة لإزالتها وإحراقها بعيدا عن أحيائكم بعد هرب عمال التنظيف الأجانب من البلاد. لم تعد المياه بالوفرة التي كانت. تنقطع في فترات متفرقة. اقتصدتم في الشرب والغسيل. كنتم تنظفون أجسادكم بمناشف مبلولة بالماء الساخن بين يوم وآخر. تناكفون بعضكم، أنت وصادق وفهد، كلٌّ يسخر من رائحة الآخر. اسودَّت رقابكم وركبكم، تنثُّ أجسادكم رائحة حامضة. "خِسنا وخاسَت الديرة!"، تعلِّق أمك حِصَّة، ضاغطة أنفها بين إصبعيها، كلما مرَّ واحدكم بالقرب منها. وإذا ما تدفقت المياه في الحمَّام سخيةً، نادتكم تنزعون ملابسكم مكتفين بسراويلكم الداخلية، تدعك أجسادكم، بالصابونة الحمراء

أو الصابون النابلسي، متأففة وهي تنظر إلى المياه السوداء تسيل من أجسادكم على بلاط الحمَّام الأبيض: "نزل منكم نفط يا عيال!". كانت قد ملأت قدور الطبخ الكبيرة وأحواض الاستحمام ماءً للشرب تحسُّبا لانقطاعه فترات طويلة. لم تبدِ العجوز قلقا من انقطاع الماء، بين وقت وآخر، إلا في ما يخص اِخلاصة وسعمرانة وبرحيَّة، بنات كيفان الثلاث: "خوفي النخل يعطش". ما كنتَ تفهم كيف توزِّع مزاجها على هذا النحو. إيمان وصلابة نحو وطن محتل، وقلق دائم من عطش النخيل.

ما عادت الفئران تحوم حول قفص الدجاجات أسفل السِّدرة وحسب؛ تسللت إلى البيوت. كنت تشمُّ رائحةً ترابية حامضة، لا تعرف مصدرها، إذا ما استلقيت على أرائك غرفة الجلوس. ورغم أنك لم تشاهد فأرا داخل البيت قط، فإن أمك حِصَّة تؤكد، كلما أزاحت مساند الأرائك كاشفةً عن فضلات بنيَّة داكنة تقارب حبَّات الرُّز حجمًا، تقول إنها الفئران، ليس ضروريا أن تراها لكي تعرف أنها بيننا. تتذكر وعدها، تذكِّرها: "متى تقولين لي قصة الفيران الأربعة؟". تفتعل انشغالا بتنظيف المكان. تجيب: "في الليل". يأتي الليل، مثل كلِّ ليل. تنزع طقم أسنانها. تتحدث في ظلام غرفتها. تُمهِّد للقصة: "زور ابن الزرزور، اِللي عمره ما كذب ولا حلف زور..". ثم يسبق شخيرها الحكاية.

طبيعة ما أَلِفتموها قبلا قرَّبتكم إليكم. رنين جرس الباب يتواصل. عديد من الشباب المتطوعين في السوق المركزي لجمعية السُّرَّة يطوفون البيوت يسألون عن حاجات الأهالي، يقدِّمون خبزا،

حليب أطفال، حفاظات، وكل ما من شأنه أن يقلل دواعي خروج الأهالي. يسأل فهد: "كل يوم خبز خبز! ما في سمك؟". تلومه جدَّته: "لا يا بطران!". تتحسَّر على الحال كيف صارت والأسلاك الشائكة والخنادق تحاذي بحر الخليج على امتداد الساحل الكويتي. تمدَّ كفَّها تشير ناحية بيت الجار. تتحدَّث عن قارب عبَّاس الذي لم يبرح مكانه منذ مصيبتكم.

ذات نهار، كنتَ وفهد أسفل السِّدرة تنثران حبوبا تستدرجان الحمام والزرازير: "تَعْ تَعْ". الطيور لا تقترب. لا تدري لماذا تطمئن الحمامات لأمك حِصَّة ولا تطمئن لكما. يبرِّر فهد: "صوت أمي حِصَّة غير". رنَّ جرس الباب. تراكضتما إليه. سيارة جمع النفايات الضخمة يقودها رجلٌ مُلَثَّمٌ بغترته، نظَّاراته سوداء. يقف بالقرب من بابكم شاب أسمر آخر، يبدو في منتصف أو أواخر العشرين، يلفُّ غترته حول رأسه بإهمال. "عندكم زبالة؟". جرى فهد إلى الداخل يسأل تينا أن تخرج ما لديها من قمامة، في حين بقيتَ مع الشاب في الخارج. كان ينظر إلى بيتك. يمضي نحوه، يقف بين السيارات المكسوَّة بالقماش، يتفحص البيت كمن ينوي شراءه. عيناه سوداوان واسعتان بشكل ملفت تخالُ نظراتها تخترق ما تقع عليه. له شارب دقيق أسود وحاجبان مرسومان بعناية. عاد فهد تتبعه تينا يحملان أكياس القمامة. "منهو اِللي يطق الجرس؟"، ارتفع صوت صالح خارجا من الديوانية في ملحق البيت. "سيارة الزبالة.. عمّي". تقدَّم صالح نحو الشاب. تعرَّف إليه: "عبداللطيف؟!". صافحه يُحيِّيه: "قوَّاكم الله". ألقت تينا وفهد أكياس القمامة في مؤخرة السيارة، في

حين سأل أبو فهد: "ما عدنا نشوفك في مسجد الغانم!". يبدو الشاب في عجلة من أمره: "أصلي في مسجد الربيعان". كان ينظر إلى بيتك وهو يجيب. نبَّهه أبو فهد: لا زبالة لديهم.. محظوظون تركوا البلاد قبل.. التفت حوله، أخفض صوته: قبل دخول الجماعة! هزَّ الشاب رأسه بنظرات تخترق البيت الفارغ من أهله. قفز إلى مؤخرة سيارة النفايات بتشبُّث بمقبض حديدي قبل أن يدير الرجل الملثَّم محركها ماضيا إلى البيوت المجاورة يستأنف عمله. سأل فهد: "تعرفه يُبَه؟". أومأ صالح: "عبداللطيف.. ولد عبدالله المنير".

أسبوع ثالث.. إذاعتكم الكويتية، بأصوات عراقية، تهيب بمواطني المحافظة التاسعة عشرة إلى مزاولة أعمالهم والعودة إلى وظائفهم في الوزارات والمؤسسات: "ومن يتخلف يُعرِّض نفسه لمساءلة القانون".

كنتم في غرفة الجلوس، مضى شهرٌ على الثاني من أغسطس، عمّك صالح عاد لتوِّه، بوجهٍ محبط، من السوق المركزي لجمعية السُّرَّة التعاونية. يصف الذعر في وجوه تتحرى خبرا أكيدا بين مئات الإشاعات. قيل؛ جماعات من الجالية الفلسطينية تنضم إلى صفوف الجيش الشعبي العراقي. تُنبِّهه أمك حِصَّة إلى ما بدأ به القول: قيل. لم يبال صالح بردِّ أمه، راح، إزاء تجهُّم العجوز، يصف ما رآه في جمعية السُّرَّة، عربات السوق تغص بالمواد الغذائية، كأن أصحابها عزموا على الاعتكاف في بيوقم سنوات؛ معلَّبات، أكياس رُز، خبز، سكر، قناني مياه معدنية. ملصقات على بوابة السوق الكهربائية تحث سكّان المحافظة على ضرورة استبدال لوحات السيّارات. وجوب

القيادة باللوحات الجديدة العراق-كويت، وإلا.. حُرِمَ أصحاب السيارات من التزوّد بالوقود. التلفزيون يحدِّد مهلة أخيرة لاستبدال اللوحات، 26 سبتمبر. قيل إن من يتخلّف تُصادر سيارته إن كان محظوظا، إن لم يكن.. يُصادَر هُوَ. تمرُّ ساعات. عمّك صالح لا يني، بين حين وآخر، يقف على رصيف بيته يتحقّق من سيارات الجيران، يتفحَّص لوحاتها، إن بادر أحدهم واستبدل لوحته لربما أزال عنه بعض الحَرَج: "لستُ أول من يفعل"، ولكن اللوحات كويتية لا تزال. القلق الذي طوّق أبا فهد انتقل إليك. لأنك لا تفهم الكثير، ولأن أسئلتك مزعجة، تستنجد بأعين الكبار مؤشرًا لما ينبغي أن تكون عليه حالك. وأعينهم لا تحمل سوى ترقب لآتٍ مجهول. الغريب أنك لم تفتقد والديك. ما افتقدته هو الطمأنينة في بيت آل بن يعقوب والحرية التي اعتدتها فيه. لعل ما استثار حنينك إلى والدتك، يوم صاحت بك العجوز: "تعال اِسمع"، هو صوتها في برنامج "نداءات كويتية" تبثُّه إذاعة المملكة العربية السعودية حيث أقامت هي ووالدك، برنامج يصل كويتيي الخارج بكويتيي الداخل. جاء صوت والدتك مكسورا: "آنا وأبوك بخير..". حثّتك على ترك الكويت مع من يعزم على الخروج إلى المملكة. لم تلتقط أنفاسها تستغل الثواني المخصصة لكل متصل: "ولدي أمانة في رقبتك يا أم صالح.. ولدي أمانة". انخرطتْ في نوبة بكاء قبل أن ينطلق نداء كويتي آخر يبحث عمن لا يستطيع جوابا. كنتم في شتات. بين لاجئ وآخر مقطوع عن العالم. ليس كإذاعة المملكة العربية السعودية إذاعة تشعركم بضعفكم عبر برامجها الداعمة. في برنامج

"رسائل كويتية"، يناشد المذيع المواطنين السعوديين بالتبرّع إلى ضيوف المملكة من الكويتيين. يشير إلى أعداد العائلات "اللاجئة"، وإن لم يستخدم اللفظ. عائلات تسكن فصول المدارس السعودية. تتجسَّد نداءات المذيع في مخيلتك على شكل عُلَب تبرعات نقدية لا تحمل صورة قبّة الصخرة ولا صورة صبي إفريقي. تتخيلها عُلَبا تحمل صورة طفل بألوان علم الكويت. يشاركك فهد خيالك: "علب تبرعات للكويتيين.. من يمسح دمعة هذا المسكين؟". أشفقتَ على من خرج. أحببت بيت آل بن يعقوب. أحببت السُّرَّة أكثر.

بصفتك أمانة، أمرتك العجوز: لا خروج من البيت! وإذا ما حاججتها بأن فهدًا يقضي معظم وقته في حوش عمّك عبَّاس. قاطعتك: "صالح كفيل بولده". هاتَفَك خالك حسن ينوي زيارة البصرة ليجري اتصالات دولية مع أقاربكم في الخارج. خشيت ألا تعود. تحججت بضياع جواز سفرك لم تعرف أن لا حاجة لوثيقة سفر تنقلك بين محافظات وطن واحد. تتدخل أمك حِصَّة: "الولد أمانة عندي يا بو ضاري". تسمَّرتَ أمام النوافذ، مصدرا وحيدا لأخبار تفهمها مقارنة مع أخبار إذاعة لا يفهمها سوى الكبار. تترقَّب جنود الاحتلال كلما مرَّت سيارات الجيب تُمنّي نفسك بألا تتوقف أمام الباب بنية الاقتحام. لمحتَ فهدًا وصادقًا، بصحبة سامر وحازم، في الحديقة الصغيرة في حوش الجار، تحت ظلال السِّدرة في جزئها المطل على بيت عمّك عبَّاس. ينحنون على الأرض يلتقطون أشياء بين الأعشاب الجافة. لست بحاجة لأن تُخمِّن.. حجارة! وقد صنعوا منها تلاً صغيرا. سبب كافٍ لمكوث فهد فترات طويلة في

بيت صادق بعيدا عن عينيّ أبيه. قلقك عليهما، ربما، أو غيرتك إزاء اجتماعهما من دونك دفعك للوشاية بهما عند عمّك صالح: "فهد يجمع صخر في بيت عمّي عبّاس!". لم يكترث الرجل بدءا: لعله يجمعها للعبة عنبر! استدرك يسأل غاضبا: "في بيت عبّاسو؟!". هززتَ رأسك تؤكد. أخبرته بأنهما جمعا حجارة كثيرة. لا علاقة للأمر بلعبة شعبية تحتاج إلى سبعة أحجار فقط. غاص رأسك بين كتفيك خجلا إزاء صرخة أبي فهد وسط حوش بيته: "فهد!". لم يرد. نظر إليك: "روح هاته!". أربكتكَ صيغة إلقاء القبض تلك. لم تجد فهدًا في حوش الجار. كان في أسفل السُلَّم في غرفة الجلوس يعبثُ وصادق بخيوط مطاطية وشرائط لاصقة يصنعون النبيطة. "أبوك يَبيك"، أخبرته وأنت تتفحَّص جِدَّة طارئة على المكان. الجدران، في بيت جاركم، لم تعد بصورها التي رأيت مرة أولى. مسحتَ غرفة الجلوس بعينيك. لا صُوَر لآل البيت، لا جياد بيضاء لا أسود لا سيوف، جدران عارية تماما. نظرتَ إلى الأرفف في خزانة التلفزيون، ليس عدا صورتين لصادق وحوراء.. لم تعد صور الإمام تتوسطهما.

ما كاد فهد يفتح باب البيت الحديدي حتى عاجله أبوه بصفعة دوى صوتها في أذنيك: "صخر يا ابن الكلب؟! وفي بيت عبّاسو!". لا تفهم لِمَ يشتم الرجل نفسه. الذي تفهمه أنك كنت السبب وراء الصفعة. ثار شاتما الحجارة وأصحابها. يشرح لابنه أن المحتل لا يعرف شيئا في أرض قيد الاحتلال، أهل الحجارة، "اِللي تقلّدهم"، ساعدوا المحتل أرشدوه إلى بيوت المطلوبين! مثلك فهد تماما، لا يصدِّق كلام أبيه. صاح عمّك صالح بابنه: تتَّخذ من الواشي قدوة؟! تتذكّر أبا

طه. أبا نائل. أيكون بيت الزَّلَمات خطرا يهدِّدُ شارعكم؟ كرهتَ نفسك لما جلبته لصديقك وأنت من وشى به وبحجارته. كرهتَ نفسك أكثر إزاء وصف أمك حِصَّة تلومك على وشايتك: "يا شَبَّابْ النار!". تدريها مانحة ألقابًا يصعب الفكاك منها؛ السِّت الناظرة، قط المطابخ، الساحرة، زوج الأميركية. كنت تحتمل تلميحاها وتشبيهها لك بالقرود، سخريةً، ولكنك لست مستعدا لقبول اللقب الجديد، عتبًا؛ شبَّاب النار، وأنت الذي كرهت النار منذ قالت إنها لا تورِّث إلا رمادا! وقفَ فهد أمام جدَّته يُخبرها بما قاله أبوه عن الفلسطينيين. مدَّت كفَّها أمام وجهه بأصابع متباعدة. "أصابعك ماهي سوا!". سمعها صالح. صاح يؤكد: "سوا!". ذكَّرته بالكويتي الذي أسماه الاحتلال رئيسا لحكومة الكويت المؤقته. سألته: "اِنت وهو.. سوا؟!".

انزويتَ بعيدا. تلوم نفسك كثيرا قبل أن يصالح الرجل ابنه ليلا. من عادته أن يرضيه بشراء هدية من "ألعاب الوليد"، أو "مركز نحن والأطفال". في ظرفكم إياه، ما من هدية متاحة عدا: قُل لصادق أن يأتي إلى هنا وقتما شاء.. لو أراد.

رجاه فهد: أو أذهب أنا إليه..

ردَّ أبوه حاسما: "لأ!".

***

الفصل الخامس

دأبك، في ظرف اعتيادي، أن تجري نحو الهاتف فضولا كلما شرع بالرنين. كنت مولعا بالأجراس؛ جرس الهاتف، جرس الباب، وجرس المدرسة كلما انطلق يعلن نهاية حِصَّةٍ دراسيةٍ مِمِلَّة. في ظرف استثنائي، لم تكره شيئا كما كرهت رنين الأجراس. جرس الباب، إذا ما كان أهل البيت في الداخل، يعني حملة تفتيشية في الغالب، أو، في أحسن الأحوال، جاسم أو عبداللطيف، يوزِّع أحدهما الخبز غلافا لمنشورات مناهضة أو مبالغ نقدية ترد من الحكومة في الخارج، ويسأل الآخر عن القمامة. جرس الهاتف يعني توجيها لما سوف يفعله صالح على إثر خبر يُنقل إليه. منذ يوم الاحتلال الأول وهو يتصرَّف بشكل آلي بعد كل مكالمة. يقفل سمَّاعة الهاتف، يحرق صورا له بالزيّ العسكري زمن التحاقه بخدمة التجنيد الإلزامي. يقفل سمَّاعة الهاتف، يتجِّه إلى المطبخ في الحوش يعمل مع تينا على ملء غالونات بلاستيكية بمياه الشرب. يقفل سمَّاعة الهاتف، يدفن بندقية صيدٍ بالقرب من السِّدرة في الحديقة. يقفل سمَّاعة الهاتف، يُؤوي السيارات الثلاث داخل الحوش لِئلا ينتبه جنود الاحتلال إلى أرقام لوحاتها تحمل اسم الكويت لا تزال.

بقيتم على حال الفزع هذه مع كل اتصال ينقل خبرا أو إشاعة محتملة التصديق؛ نية المحتل قطع المياه عن الأهالي، عقوبة تصل إلى الإعدام لمن يحتفظ في بيته بسلاح حتى لو كان بندقية صيد، اعتقال أي رجل له صورة بزيٍّ عسكري. فوزية في غرفتها معظم الوقت لا تفتح لأحد. تستثنيك إذا ما طرقت باهها تحمل خبرا يهمُّها. ولأنك تدري أن كيفان تعني لها الكثير، تحمل لها أخبار عمليات مقاومة استثنائية في تلك المنطقة، وكيف صار الناس يسمونها كيفان الصمود. يتهلل وجه فوزية: "كيفان غير". تجيبها: "والسرّة بعد". تمُدُّ سبّابتها تضغطُ سرَّتك، تتهكَّم على اسم المنطقة. لا تدري ما الذي أصابك لحظة ملامسة إصبعها لجسدك. جيش من النمل يدُبُّ صاعدا من ظهرك إلى رأسك. نظرتَ إلى وجهها بشفَّةٍ مرتخية. عقدتْ حاجبيها: "شفيك؟". تركت غرفتها راكضا لا تملك إجابة.

انكسرت حرارة الصيف في سبتمبر مع ظهور نجم سهيل جليًّا في سمائكم. قليلا ما يزوركم نوم. رتابة أيامكم، في وقتٍ تنقطع فيه الكهرباء وتتعطل أجهزة الكنديشة، تدفعكم للخروج إلى الحوش تفترشون الأرض. شارعكم هادئ إلا من صرير سُوير الليل. كل سُبل تسليتكم لا تتعدى سور الحوش. كان القمرُ بدرا أتاح لكم رؤية معقولة في الظلام. حملت العجوز عصا طويلة ثُبِّتت في رأسها سكينا مثل رمح، وفي يدها الأخرى تحمل مصباحًا يدويًا. سألتماها وهي تمضي نحو قفص دجاجاها، ملقية مِلفَعَها على رأسها كيفما اتفق مثل غُترة: "وين؟". أجابت من دون أن تلتفت: "القُمبار". قهقه عمك صالح. سكت سُوير الليل فور مشيها بين الحشائش حول

القفص. ارتبكتْ خشية أن تكون قد دهسته من دون قصد. توقفت لثوانٍ تتحراه يستأنف صريره. ابتسمتْ فور ما فعل. انحنت فوق الحشائش تُحدِّثه. تحضُّه يواصل غناءه حتى تستجيب أُنثاه الغائبة. أدارت ظهرها تعالج المصائد تخلِّصها من فئران نافقة بواسطة رمحها: "ما تشمّون الريحة؟!". تهزّون رؤوسكم. "معلوم! ما دام ريحتكم خايسة!"، قالت العجوز تاركة جملتها مفتوحة. انشغلتَ وفهد بمداعبة قطط صغيرة استأنستموها. أمك حِصَّة رحبت بوجودها، ما عادت تخاطبها طاردة: "تِتْ تِتْ"، لعلها تُخلِّص قفص دجاجاها من الفئران. لولا تزايد الفئران ما رضينا بالقطط، قالت مبرِّرة، قبل أن تتدارك: زمن أغبَر! فئران وقطط وكلاب في بيتي!

فرغتْ من التقاط الفئران النافقة. تركتما القطط وشأنها. تبعتماها إلى باب الحوش. أرسلتكما لرمي كيس الفئران خارجا في الساحة الترابية إلى جانب بيت أبي سامي. وقفتْ تتفحَّص النخلات الثلاث. عَلَتْ وجهها ابتسامة مطمئنة. "يُمَّه حِصَّة! تحبين بنات كيفان وايد؟". بدت شاردة حين أجابتك: "واحب صويحبها". تدهشك قدرتها على أنسنة الأشياء وهي تحكي عن اِخلاصة وسعمرانة وبرحيَّة. كيف أحضرها أبو صالح، رحمه الله، فسائل من أماكن بعيدة؛ القصيم والبصرة والأهواز، انتقاها من بين عشرات النخيل لتسكن قربه بدلا من غرسها مع أخريات في مزرعة الوفرة. كان يسافر كثيرا، وإذا ما طابت له بَلَحة، عند مضيفه، سأل عن مصدرها، يدفع كل ما لديه لقاء أن يحظى بفسيلة من النخلة الأم، يحملها معه عائدا، يغرسها في حديقة بيته أو في مزرعته. حدثتكما

عن لقائها الأول في بيت كيفان، وكيف تعارفت الفسائل الصغيرة إلى بعضها البعض، تحمل كل واحدة تاريخها غائرا في نتوءات جذعها. كيف كبرت، وصارت تُنافس واحدتها الأخرى، محبَّة لأصحاب البيت تطرح أشهى الثمار. قفلت عائدة إلى الداخل وهي تترحم على زوجها وتدعو بطول العمر لـ بُنيّاتها الثلاث.

تحلَّقتُم حول المذياع على بساط خشن مخطط بالأحمر والأزرق وسط الحوش. يشرب الكبار الشاي في جوٍّ معقول خفيف الرطوبة، يستمعون إلى الإذاعة وقت النشرة كأن أخبارها لا تشبهها في غرفة الجلوس. سكت صرير سُوير الليل ثانية. رَقَّصَت العجوز حاجبيها: "وصلت حبْيبته". استلقيتما على ظهريكما، تتوسدان فخذي العجوز، تحدِّقان في النجم الضيف، في سماء أحالَ البدرُ سوادها زرقةً داكنة. أطفأت أمك حِصَّة مذياعها. "يا حَلاة القَمرة". تنظر إلى السماء يجرُّها حنين إلى زمنٍ كانت فيه السماء أقرب كما تقول، في بيت طيني قديم في المرقاب، تطل حجراته على حوشٍ مفتوح على السماء. "كنا نعرف السما أكثر.. وكانت تعرفنا". زفرتْ. "وقت القيظ، قبل الكنديشة، ننام في السطح.. القاع فراشنا والسما لحافنا". نظرتَ إلى وجهها. كانت تحدِّق في البدر لا تزال. سألتها: "يُمَّه حِصَّة! كم عمركِ؟". أخفضت رأسها: "والله ما أدري يا وليدي، آنا قديمة!". نظرتْ في الفراغ كأنها تتهجى كلماتٍ خفية: "الله يرحمها، أمي شريفة، تقول: جيتي يا حْصَيصه للدنيا سنة الطَّبعة، أو عقبها بسنة سنتين، عقب ما غرقت المراكب في مغاصات الخليج". بترتْ كلماتها: "إيه.. ذاك زمن وهذا زمن". قالت إنها سوف تحكي لكم

حكاية، ما دام سهيلا في ضيافة سمائكم. التفتَّ إليها: حكاية الفئران الأربعة؟ صفعتك على جبينك: "لأ"، لأن حكاية الفئـــران الأربعـــة طويلة "وايِد". تلومها: "ملّينا من قصص جنيات السِّدرة!". تجاوزتْ قولك تنظر إلى سِدرتها في الظلام: "سَكِّنهم مساكنهم". حـــدَّقتْ في السماء ثانية. شرعت تحكي عن سهيل وأساطيره، سهيل الذي يـــأتي مُبشرا بالشتاء والمطر. ليته يُبشرنا برحيلهم عن أرضنا مع انســـحاب الصيف، تُمنِّي العجوز نفسها. أبقت عينيها على الســـماء. "هـــذي قصة حكتها لي، حلوة اللبن، أمي شريفة، ربـــي يتغمدها برحمتـــه، يوم كنت صغيرة". أغمضت عينيها تستل نَفَسا عميقا: "زور ابـــن الزرزور.. اِللي عمره ما كذب ولا حلف زور..". راحـــت تقـــصُّ وهي تُمسِّد رأسيكما: سهيل وصاحبه، دَخَلَت بينهما الفئران..

- "وين دخلت؟"، سألتَها.

شدَّت شعرك تكتم ضحكة:

- "ماني رادَّة عليك".

استطردتْ تحدِّثكم عن قصة جرَت في زمن سحيق في مكان ما بين الصـــحراء والســـاحل.. "زمـــان! لا نفـــط ولا كهربـــا ولا كونكريت..".

قاطعتَها:

- "يُمَّه حِصَّة! وين صارت القصة؟".

أجابتك:

- "إذا قاطعتني بعد مرَّة.. ماني مكملة!"

حدَّثتكم عن سهيل وصاحبه اللذين لا يجمعهما رابط عدا عشق فتاة تدعى عاقِبة، وأرض ورثاها من أسلافهما منذ سنوات طويلة، يفلحانها، يعيشان على محاصيلها، ولا يعرفان مأوى سواها. يعتنيان بها نهارا. يتناوبان على حراستها ليلا. ولأنهما لم يبرحا أرضهما يوما، أو يهملاها، أو يسلِّماها إلى أغراب يفلحونها، لم تتمكن الفئران من سرقة محاصيل الأرض من رُزٍّ وحنطة وذرة وشعير. جاعت الفئران. وإذا ما جاع فأرٌ استمات ليحصل على ما يسد جوعه وإن جاء امتلاؤه على خراب ديار. أدركت الخبيثة أنها لن تسود الأرض ما لم تتمكن من الدخول بين سهيل وصاحبه. لم ترغب بالتخلّص منهما معا، لأن الفئران بطبيعتها تأتي على الحصاد ولكنها لا تفلح الأرض. كان بقاء أحد الصديقين ضروريا من أجل حياة الفئران. يفلح الأرض كي تستمر في عطائها موسما تلو آخر. تسرقه إذا ما هدَّه التعب ونام ليلا بلا صاحبٍ يسهر على حراسة جهده. ولأنها تعرف أن كلا الصاحبين يهيم بعاقِبة ويرى أنه الأجدر بحبِّها، لم تجد الفئران سواها سبيلا إلى الدخول بين سهيل وصاحبه لتفرِّق بينهما. هاجمت الفئران عاقِبة داخل خيمتها البعيدة. صرخت الفتاة. استجارت. هبَّ سهيل وصاحبه يسابق واحدهما الآخر لنجدتها. يجريان في الظلمة. يتبعان صوتها ونور سراجٍ يتسلل من خيمتها. دبَّت الغيرة بينهما. كلاهما يصبو إلى نجدة الفتاة ونيل ودِّها. تشاجر سهيل وصاحبه بالقرب من الخيمة، كلاهما

يدَّعي أن عاقِبة نادته باسمه. حمل سهيل حجرا. شـــجَّ رأس صـــاحبه. سقط على الأرض يسيل الدم من مفارق شعره. جزع سهيل لمـــرأى الدم. سقط على ركبتيه يهزُّ كتفيّ صاحبه. ظنه ميتا ولم يكن. صرخ شاتما نفسه. جرى هربا من ذنبه المضطرج بدمائه. لم يجد وسيلة يكفِّر بها عن خطيئته عدا اعتزاله العالم ولجوئه إلى جنوب السـماء. بعيـدا. وحيدا لا يجاوره نجم. صارت السماء تصرخ ألما لحـال الصـاحبين. ترسل دمعها مدرارا على الأرض. عندما نفرت الفئران إلى أرضـهما استعاد الفتى الجريح وعيه. لم يجد سهيلا حوله، أعطته عاقِبة سـراجها ليبحث عن صاحبه. لم يجده في الأرض التي أحالتها الفئـران خرابـا. مضى يهيم في القِفار حاملا سراجه ينادي سهيلا الـذي اختفـى في السماء، ولا يظهر إلا مرَّة كل عام في مثل يوم نداءات عاقِبة عنـدما تتذكر السماء الفجيعة وتبكيهما. يمكث سهيل أياما يطل على الأرض يراقب ما حلَّ بها. يبحث عن صاحبه الذي حمل سراجَ عاقِبة وغـابَ في القِفار يبحث عنه. هكذا صار سهيل نجما. أما صاحبه فقد اختفى، طاله النسيان، ولم تحفظ الأسطورة اسمه، إلا أن الناس صارت تناديـه بــ شهاب، يدَّعي البعضُ رؤيته، بين ليلة وأخرى، حاملا سـراجه خاطفا في السماء. ماتت الفئران على أرضٍ خرَّبها رحيل صـاحبيها. بقيت عاقِبة وحيدة بلا سراج.

- "يا ليت إذا مِتّ أصير نجمة"، قال فهد لجدَّتِه.

انتفضت: "فال الله ولا فالك!" تخشى مرور ملَـكٍ صـدفة في الجوار، يسمع أمنيته. يحملها إلى الله:

أردف ينظر إلى وجهها:

- "عشان أشوفكم من فوق إذا اِشتقت لكم"، قالها حزينًا.

صفعته جدَّته على جبينه: "يجعل يومي قبل يومك". سألتَها: "وقصة الفيران الأربعة؟". حجبتَ جبينك بكفيك خشية صفعة مماثلة. ولأنها لم تكترث، أظهرتَ لها عدم اهتمامك بقصة سهيل التي لا يمكن لها أن تكون حقيقية. أجابتك: "اِبن الزرزور عُمره ما كذب ولا حلف زور!". تذكرتَ مصير من يحلفُ زورا: "تطيح علينا السما!". كان ينبغي أن تسقط السماء، يسقط معها سهيل، يلتقي صاحبه، كنت تفكِّر قبل أن تستغفر. شرع السلوقي بالنباح. التصقتَ أكثر بأمك حِصَّة. تحلطمت العجوز، قالت إنها ما حَسَبَتْ حساب طول بقائه في بيتها. وافقها صالح: "ولا آنا"، ثم شرع يقنع نفسه بأهمية وجود الكلب من أجل حماية البيت. واصل الكلب نباحه. التفتَ صالح إلى فهد يأمره بأن يفك قيد السلوقي، يأخذه إلى الحوض الترابي لعله يقضي حاجته. نظر إليك مناكفا كاشفا سِرّك: "تخاف من الكلب يا ولد؟". أجابته العجوز دون أن تنظر إليه: "غيره يخاف كلاب لابسة ثياب!". امتقع وجهه. نظرت إليك تأمرك بِفَك قيد السلوقي. شلّك طلبها، بالكاد ابتلعت ريقك: "آنا؟". ربَّتت على ظهرك: "يلله يا سبع!". سبقك فهد إلى زاوية الحوش يصيح بك: "تعال!". أوقفته جدَّته: "اقعد اِنت!". تصببت عرقا رغم اعتدال الطقس. صرتَ تكيل الشتائم، في سَرِّك، لـ سهيل الذي دفعكم إلى مسامرته في الحوش. ما كدتَ تترك مكانك على الأرض، تجُرُّ

خطواتك إلى زاوية السلوقي، تقطع نصف المسافة تحدِّقُ في عينيه، حتى انطلقت صيحات تكبير وهتافات من أسطح البيوت المحيطة تُندِّد بالاحتلال. أجفل الكلب في البدء. أجفلت أنت. انطلقت أعيرة نارية كثيفة تتوهج حُمرة تملأ سماءكم كالمطر. حاكاها السلوقي نباحا. انتفضتم فرارا إلى الداخل. آخر الواصلين إلى غرفة الجلوس كانت أمك حِصَّة تكنس الأرض بخطواتها تحمل مذياعها فَزِعة من سيل الطلقات النارية: "إذا دَلَق سهيل لا تأمن السيل!". انفجرتم ضاحكين، في ذروة هلعكم. رَنَّ الهاتف يُخرس ضحكات غرفة الجلوس. تبادلتم النظرات كما في كل مرة يرن فيها جرس. حمل صالح السمَّاعة بوجه من تلقَّى خبرا مفجعا. تمتمت أمّه: "سترك يا ستَّار". لم يتحدث كثيرا. كان ينظر إلى أعلى السلَّم. أدركتم خطورة المكالمة من رعشات كفَّيه. همست عائشة: "خير؟ عسى ما شر؟". أشار لها بكفِّه أن تصمت. تمتم إلى مهاتِفِهِ: "لا حول ولا قوة..". أطبق السمَّاعة يطلق زفرة طويلة يحدِّق في الأرض. لم يفُه بكلمة. صاحت به عائشة: "خير؟ اِشفيك؟". ارتفع صوت أمك حِصَّة منبِّها: "صوتك يا عائشة!". اختفى صالح في غرفته تتبعه زوجته. فضولكما، أنت وفهد، في أوجِهِ. سألتما العجوز. أجابت: ننتظر عائشة لعلها تعود بخبر. عادت كنَّتها بوجه باهت. أخبَرَتْ هامسة: اقتياد فتيات إلى مراكز أمنية. تلكأتْ عائشة أمام سؤال أمّك حِصَّة: "ليش؟". ارتبكت في إجابتها تنظر إليكما، الجهَّال، بطرف عينيها: لماذا برأيك؟ ضربت العجوز صدرها بكفِّها من دون أن تنطق. هزَّت أم فهد رأسها:

- "الله يستر على بناتنا..".

لم يمكث صالح في غرفته طويلا. خرج يحمل آلة حلاقة كتلك التي يحلق بها مشتاق الباكستاني رؤوسكم. ارتقى السُّلَّم، بخطوات سريعة، إلى الأعلى. بهتت العجوز تنظر إليه وسع عينيها. صرخت به في حين كانت تهم بالوقوف بطيئة الحركة تمدُّ ذراعها إلى فهد كي يُسنِدها:

- "وين رايِح؟ اِصبر يا صالح خاف الله!".

دفعتْ كنَّتها تصيح:

- "روحي اِمسكيه يا عايشة!".

تسمَّرتما، أنت وفهد، في مكانكما، في حين تجرُّ العجوز خطواتها تتكئ إلى الجدار نحو السُلَّم تنادي ابنها. لا يصلكم من الطابق العلوي إلا طرقات عنيفة على باب غرفة فوزية وصوت عائشة تصرخ:

- "اِفتح الباب.. صالح! عليك الله لأ!".

* * *

الفصل السادس

مكوثك في غرفة العجوز ليلا قرّبها إليك أكثر من أي وقت مضى. انزعاجك الذي كان، ما عاد. أحاديثها الليلية في الغرفة لا تشبه أحاديث النهار خارجها، وكأنها إذا نزعت طقم أسنانها، في الظلام، تستحيل امرأة أخرى. آمنتَ بأن هذا الطقم يحول بينك وبين سماع الكثير من القصص، ما كان للعجوز أن تتحرر منها لولا انتزاعها إياه. بتِّ تسبقها إلى غرفة نومها فور فراغكم من تناول العشاء، في حين تذهب هي إلى الحمَّام تتوضأ قبل النوم. تستغرب وضوءها في غير وقت صلاة. تجيبك دائما: حتى أموت طاهرة إذا ما قبض الله روحي وأنا نائمة. تمضي إلى غرفتها تحمل منشفة مُعَطَّرة، تُجَفِّفُ ساعديها. تشبك ذراعيك أمام صدرك تتكئ إلى الحائط، بالقرب من الباب، تنتظرها تفرغ من إعداد المساحة المخصصة لنومك. وإن اقتربتَ مساعدا نهرتك: لستُ عجوزا! تهيئ لك المرتبة أسفل سريرها رغم صعوبة انحنائها. تراقبها بحب. تتنشّق رائحتها الليلية المنعشة، صابون لايف بوي، أو صابونة حَمْرا، على حدِّ وصفها. تُسند كفّيها إلى ركبتيها: "يا الله عليك ولا على غيرك". تسحبُ شفتيك إلى فمك لِئلا

تُفلت ضحكة. عجيزتها الكبيرة تبدو أكبر عندما تنحني. تمضي صوبَ خزانة ملابسها تفتح بابها الخشبـــي، تنتشر في جـــوِّ الغرفـــة رائحـــة كريات النفثالين البيضاء. تنزع مِلفَعَها وتودع أساورها الخزانة. تمسك بزجاجة كلونيا أُم بنت، Pompeia Lotion، تفرغ قدرا كـــبيرا مـــن السائل الذهبـــي في كفَّيها قبل أن تقفل إلى سريرها. تجلس. تطلـــب منك أو تأمرك: اطفئ النور. تفتعلُ حزنا في تعبيرات وجهك: لـــيس الآن يُمَّه حِصَّة. تهزُّ رأسها: اطفئ النور.. لن ننام قبل أن نُسَوْلِف.. لا تقلق. تتَّسِع ابتسامتك. تُطفئ النور من دون أن تترك مكانك بالقرب من الباب. لا تطيل انتظارك. تشعل النور فجأة بعد ثـــوان. تجـــدها، بوجه متأهب واثق، تبتسم ابتسامة واسعة مفتعلة تؤكد بقاء أسنانها في فمها. تمسك بزجاجة محلول الأسنان تنظر إليك كاشفة لعبتك: اطفئ النور وتعال اجلس في فراشك يا يهودي! تتودَّدها مفتعلا حزنك: أريد أن أراكِ تنزعين أسنانك أرجوك. تقاطعك: على موتي!

تطفئ النور. تتحسَّس طريقك بيديك وسط الظلام. تقرفص في فراشك أسفل سريرها. يُخرِسُك خشـــوعها. تنصـــت إلى همســـها تخاطب الله مردِّدة أذكار ما قبل النوم. معها فقط تشـــعر الله قريبـــا كأنك، وفق مخيلتك، تُحلِّق في السماء. تقرأ العجوز المعوِّذات. تنفثُ في كفَّيها. تُتَمتِم بكلمات بالكاد تلتقط بعضـــها يُمَيِّزُهـــا حـــرف الـــ سين. هي لم تنزع طقم أسنانها إذن. ســـبحان.. اللهم رب الســـموات الســـبع.. اللهم إني أســـألك.. الذي أطعمنا وســـقانا وكفانا.. فليـــس قبلـــك شـــيء.. باســـمك اللهم.. أســـلمتُ نفســـي إليك.

فور ما يخبو حرف الـ سين في أذكارها تلفُظُ سين سؤالك، تُبادلك سينُك بـ سين السوالف التي تُحب. كانت تجيبك على كل سؤال. تحكي لك عن كل شيء عدا قصة الفئران الأربعة التي وعدتك بها. تؤجلها إلى ليلة تليها. تتحدث عما تريد هي قوله. تفهم بعضا من كلامها. تجهل الكثير منه. تتحدث هي بدافع الحاجة إلى الحديث. بسؤالك أم من دونه. أمك حِصَّة، في الليل وحسب، شأن آخر. في سوالف الليل تتعرَّف إلى ما لم تعرفه من قبل. لماذا تقسو أمّك حِصَّة على ابنها صالح. لأنه يقسو على فوزية، صالح رجل البيت، في البيت وحسب، رجل على شقيقته، قليلة الحظ، المريضة يتيمة الأب. لماذا هي مريضة. ابتلاء من الله. لماذا يبتليها الله. يختبرها. لماذا يختبرها. لأنه يُحبُّها. ألا يحبُني الله وأنا سليم البدن معافى من الأمراض. اخرس واستغفر الله. أستغفر الله. عَفيَه على وليدي. ماذا لو نَجَحَتْ في الاختبار هل يُشفيها الله. الاختبار عند أمك السِّت الناظرة في المدرسة يا خِبل. أستغفر الله، متى ابتلاها الله. ما رأيتُ "جاهل" يسأل كما تفعل أنت. أنا لستُ "جاهل"، متى ابتلاها الله. عند موت أبيها في تفجيرات المقاهي الشعبية قبل خمسة أعوام. كيف. بكت كثيرا، حتى أنني لقاء بكائها لم أقوَ على البكاء، لم أبكِ أبا صالح، بكيت فوزية، بنت أبوها، كما كان يُسميها رحمه الله، بكيتها حينما نقلناها إلى المستشفى مهدودة الحيل. أُغمي عليها. صالح الذي أردته رجلا في غياب أبيه، صار طفلا. عائشة، من يومها، هي عائشة، لم ألحظ لها حزنًا على غياب أبي صالح، ربما تحسبه حيًّا في الصور التي تحتفظ بها الخِبلة!

تصمت العجوز..

يُمَّه حِصَّة، هل نِمتِ. من أين يجيء النوم يا ولدي، اللهم شافِها وعافِها..

حدَّثتكَ عن حبها لفوزية، بنت أبوها وعُوينة أمها، وكيف كتب الله لها الحياة بعد موت تسعة ذكور في بطنها، بين ولادة صالح وشقيقته. شرعت تستعيد كلام طبيب ابنتها بعد فقدان أبي صالح، ارتفاع حادٌّ مفاجئ في مستوى السُّكر، حالة عرضية، بسبب أزمة نفسية. لا يخفي الطبيب قلقه إزاء احتمال تطور الأزمة العابرة إلى مرض دائم، مردّهُ استعدادها وراثيا، وإهمالها للعلاج وتهاونها في أكل الممنوعات.

ثم، ماذا حصل يُمَّه حِصَّة. لم تكُن حالة "أُم يومين" كما أخبرنا طبيبها، ما ورَّثتُ ابنتي إلا المرض، كانت تُذكرني بمواعيد دوائي، أصبحنا نُذكر بعضنا. هل يكره عمِّي صالح فوزية. صالح يكره ضعفه، مسكين لا حول له ولا قوة، هو يحب شقيقته ويخشى عليها، وفوزية رغم ما فعله بها يوم أمس لم تُقاوم، هي تفهم أنه يحبها وأن ما فعله ليس إلا تعبيرا عن خوفه عليها، أنت كنت في الحوش حينما نزل إلى غرفة الجلوس يحمل آلة الحلاقة يبكي مثل الـ "جاهل" يا رُوَيّحَة أُمّه. هل رأيتِ فوزية يُمَّه حِصَّة، هل فتحتْ لكِ باب غرفتها. رأيتها يا عُوينة أُمّها، مثل حمامة منتوفة الريش. هل أزال صالح شعرها على الصِّفر؟ ها؟ يُمه حِصَّة! نِمتِ؟

بكت العجوز مثل "جاهل".

وددتَ لو أنك ترى وجهها، ولكن الظلام. توقفت العجوز عن البكاء تستغفر ربها. راحت من دون أن تسألها تتحدث عن صالح:

"صالح، الله يصلحه، ابني وليس ابني، منذ صغره لا أفهمه. ليته مثل ولده، سَميّ جدِّه فهد الله يغفر له، وارث ملامحه وطِباعه..".

تطلق زفرة تشبه ضحكة. توصيك خيرا بحفيدها. تعرج بحديثها إلى صادق. أنتم الثلاثة. بنات كيفان. رَبْعُكَ عزوتُك. تصمت قبل أن تخُصَّ فهدًا محبة فائضة في حديثها. هو وحيد أبويه منذ جراحة أُجريَت لعائشة. لم يعد يستفزك أمر الرَحِم، ولا علاقة إزالته بعدم إنجاب مزيدٍ من الأبناء بعد فهد. كنت تنصِتُ إلى العجوز كمن يتعرَّف إلى امرأة لم يكن يعرفها قط.

تستطردْ:

".. أصبح فهد رجلا، يشبه جَدَّه، حتى في حبه لـ مُطَبَّق السمك.. قِطّ المطابخ".

تسكت العجوز. تخالها تبتسم لمرآى زوجها في مخيلتها. تردف:

"صالح حْبَيِّبْ، لكنه يُصغي كثيرا، كلمة تأخذه بعيدا، وأخرى تعيده إلى حيث كان. ينصت إلى عائشة.. إلى أصحابه في الديوانية وتجمُّعات المسجد.. إلى التلفزيون وأخبار الإذاعة والجرائد.. وآخرها ما يُسمونه تظاهرات دواوين الإثنين".

لا تدري سببا وراء انفلات العجوز حديثا عن ولدها الـــذي لا يهمك أمره بقدر ما يهمك معرفة المزيد عن فوزية. تتـــذكر عمَّـــك صالح يتصرف وفق ما يرده من مكالمات هاتفية منذ يوم الاحـــتلال الأول. تستطرد أمك حِصَّة:

"أكمل دراسته الجامعية في القاهرة. صور جمال عبدالناصر التي علَّقها أبو صالح على جدران البيت تضاعفت بعودة ابنه من مصر".

تصمت قبل أن تسألك:

- "تعرف الزعيم عبدالناصر؟".

لا ترد على سؤالها. تستأنف:

- "الله يخلف عليك! ما تعرف الرجاجيل!".

يرتفع صوتها:

- "عبدالناصر اِللي حارب اليهود!".

تستطرد متهكمة بأنكم تردِّدون، كالببغاوات، كل صباح "تحيا الأمة العربية" وأنتم لا تفقهون شيئا!

لا تأبه بصمتك تواصل:

"الله يرحمه، أبا صالح، كان رجلا، يحب جمال، يسجِّل خطاباته ويسمعها ولا أم كلثوم في زمنها. أما صالح، ربـــي يصلح حاله، كل يوم شكل. معاهم معاهم، عليهم عليهم! مرة يقصِّر دِشْداشَتَهُ، مـــرَّة

يلبس مثل الإنكليز. يُحب تعليق الصُوَر، مرَّة جمال عبدالناصر، ومرَّة الكافر أبو لحية منتوفة..".

رغم عدم رضاها عن حال ابنها، تتحدث عنه بحبّ. تتذكره وقتَ عاد، في أول إجازة دراسية، من القاهرة، ببذلة بنيَّة وشعر لامع مفروق وشاربٍ دقيق. يقف أمام المرآة في غرفته، يلبس مثل المصريين، يستمع إلى عبدالحليم حافظ، ممسكا بمشط بروش يقرِّبه إلى شفتيه يحاكي أغنياته.

تقاطع نفسها كأنها تذكرت شيئا مهما. تحدِّثك عن زمن قيام العَجَم على شاه إيران. حمل صالح صورة الإمام الخميني، يحدِّثُ والديه عن رجلٍ عاد من منفاه من أجل ثورة إسلامية.. "وأنا وأبوه، يا عون الله، ما نفهم شيئا من قوله عدا ثورة إسلامية.. حياها الله! مَن يعاف الإسلام؟ الإسلام زين".

تتحسَّس قنينة الماء في الظلام. تبسمل. ترتشف قبل أن تكمل:

قامت ثورتهم. أزال صالح كل الصور عن جدرانه وقتَ حرب العراقيين والإيرانيين. عَلَّقَ صورة صدّام حسين. لا أدري ما الذي أصاب أولادنا، من يومها صار واحدهم يحسب الله في صفِّه ضد الآخر.. ما كنا نعرف شيئا من هذا والله.. فتنة.. فتنة، اللهم يا كافي، أنجس من ذيل فأر!

تناجي الله تسأله هدايةً، لصالح وعبَّاس، رأفة بها وبجارتها زينب. تطلقُ زفرةً حرّى: "يطلع من بطنك دودٍ ياكلك!".

وَلَد!

تسمعني؟

يا ولد!

اِنت نِمت؟!

***

الفصل السابع

قارب الاحتلال شهره الثاني، والحال تزداد سوءا، والمحتل يحكم قبضته على كل شيء. أفزعتكم طلقات نارية قريبة من بيوتكم فجرا. عاد صالح من صلاة الفجر في مسجد مريم الغانم يحمل خبرا؛ قيل إن شابًّا أطلق أعيرة نارية على سيارات عسكرية كانت في طريقها إلى منطقة الجابرية. لو سمعه عسكر الاحتلال ينطق اسم المنطقة المحظور! وقد اتخذت مناطقكم أسماء جديدة فرضتها قوات الاحتلال؛ جابريتكم صارت منطقة الأحرار، ديناركم الكويتي صار، بعد أيام، عراقيا. مناطقكم السكنية؛ السالمية، سلوى، الخالدية والشويخ.. صارت لها مسمَّيات جديدة؛ حي النصر، حي الخنساء، الجمهورية والرشيد. لو استمرت حالكم.. لن تعرفوكم. انزعج عمك صالح إزاء سؤالك: لماذا تغيير الأسماء؟ ارتفع صوته: أنت لا تكفّ عن الأسئلة؟! وحدها أمك حِصَّة تجيب: كي لا تعود الكويت كويتية! تخيفك إجابتها. تأمل ألا يطال السُّرَّة اسمٌ جديد.

هاتَفكم، يومكم ذاك، خالك حسن يؤكد أن جنودا يقومون بحملات تفتيشية عشوائية في البيوت بحثا عن متورطين بالهجوم على

الرتل العسكري بالقرب من جسر الجابرية. حذّر خالك أبا فهد ألا يقترب أحدكم أو يدخل بيت شقيقته. أوصاه بعدم السماح لك، تحت أي ظرف، بدخول بيتك. وإن سُئلتم عن البيت أو أصحابه ادَّعوا بأنكم لا تعرفون عدا أن أهله في سفر. قام صالح يذرع غرفة الجلوس جيئة وذهابا: "أبو ضاري في راسه شي!". صاح بكما يتناهبه قلق من زيارة محتملة: "اِنت وفهد.. لحقوني". تبعتماه إلى غرفة فوزية. أمركما بتفتيش غرفتها جيدا لعل المجنونة تحتفظ بما يودي بحياتكم. فتح الخزائن وشرع، مع ابنه، يبحثان بين الملابس وفي الأرفف. نظر إليك وهو يشير إلى أدراج مكتبها الصغير: "شوف هناك!". فوزية، بوجه متورم من النوم أو البكاء، بحجاب يلتصق بجلدة رأسها، تتفهم دوافع نظرتك المكسورة إليها، لا تمانع. تُشير نحو أدراج مكتبها تحثك على البحث. تقدَّمتَ نحو المكتب وفي رأسك صورة الفراشة الوردية. شعرٌ أسود طويل يجاوز منتصف مؤخرتها كما تصفه أمها، أو تحت ظهرها كما تصفه هي. ما كدت تفتح دُرجا أول حتى أطبقته بسرعة تنتقل إلى الدرج أسفله. لفتَّ إليك انتباه صالح من دون قصد. تقدَّم إليك آمرا: "افتحه!". فتحت الدرج الثاني في الأسفل. زجرك: "الأول". نظرك باتجاه فوزية. هزَّت رأسها موافقة. فتحته ببطء كاشفا عن قطع شوكولاتة ماكنتوش كثيرة فوق كيس بلاستيكي يحمل اسم وشعار مكتبة البدور. كتمتَ أنفاسك ترقبا. فتح أبو فهد الكيس البلاستيكي يتفحَّص محتواه؛ ثلاث روايات لـ إحسان عبدالقدُّوس. أطلق زفرة ارتياح. أعاد الكيس. التقط قطع الحلوى تاركا لها واحدة. أطبق درج المكتب: "هذا يضر صحتك".

لم يقل شيئا آخر. كنت تُسائلك: ماذا عمّا يضرُّ بعقلها وأخلاقها؟! قبل انصرافكم، التفت صالح إلى فوزية بوجهٍ سَمِح: "إذا رجعت الكويت.. ". ابتسم قبل أن يستطرد: "تسجلين في الجامعة".

عصر يومكم إياه، اجتمعتم في غرفة الجلوس تنصتون إلى إذاعة مونت كارلو تتابعون تفاصيل مؤتمر جِدَّة الشعبي. لقاء يجمع الحكومة في المنفى وأطيافا من الكويتيين ضمنهم أصوات معارضة منذ تعطيل البرلمان. صوت الأمير في خطابه يعتصر قلوب النساء في بيت آل بن يعقوب. يُبكي فوزية. أمّك حِصَّة كما لو تحاور أحدا، لا تنفك تهزُّ رأسها تردِّد: "إيه.. إيه"، وراء كل عبارة يفوه بها عبدالعزيز الصقر في كلمته ممثلا الشعب الكويتي في المؤتمر. عمّك صالح ينصت مضيِّقا عينيه. لا تعرف سببا وراء ركله للمذياع وغضبه على نحو مفاجئ: أخرِسوه! انزلق المذياع على الأرض بعد إصرار الصقر: إن موقف بعض القيادات الفلسطينية لن يؤثر على تضامننا الثابت مع الشعب الفلسطيني في كفاحه العادل لتحرير وطنه. التقطت أُمّك حِصَّة المذياع، كمن تحمل رضيعا، نظرت إلى ابنها: هل جُننت؟! لا تدري سببا لرد فعلها، تأييدا لما جاء في البيان أم خوفا على مذياعها. أعادت تشغيله. واصل صوت الصقر: ".. إننا نعلن على الرغم من آلامنا وجراحنا وما جرَّه عدوان النظام العراقي الآثم من المصائب والويلات على شعبنا، فإننا لا نُضمر للشعب العراقي الشقيق شراً ولا نحمل له حقداً". أخرستْ العجوز مذياعها صامتة ساهمة. ارتفع صوتٌ في الشارع ينادي: "بَرِّد.. بَرِّد..". جاء أبو سامح بائع المثلجات في غير أوانه. كاد يفرُّ قلبك من مكانه فرحا لولا اتساع

عينيّ عمّك صالح الذي هَمَّ واقفا: "القَوَّاد! والله جريء؟!". استغربت لفظه وهو الذي لا يفعل أمام أهل بيته. لم تلبث نداءات البائع طويلا أمام صوت جاء أكثر ارتفاعا أوقف نداءاته. مضى أبـــو فهـــد إلى الخارج بدِشْداشته المنزلية يستطلع الأمر. تبعتمـــاه، أنـــت وفهـــد، يقودكما الفضول. وجدتم جاركم عبَّاس يصيح بالرجل الواقف وراء عربته والشمسية الحمراء مكسورة: لا خير فيكم يا أولاد الـــ..! فتحَ غطاء عربة الآيسكريم والرجل يحاول أن يثنيه بلا حول. انحـــنى أبـــو صادق على الأرض مقابل بيته يحمل بين يديه حفنة تراب. صاح أبو سامح، بضعف، بلهجة أعادتكم إلى صوت المدرسة: "يا عمِّي شـــو دخلني؟!". هالَ عمّك عبَّاس التراب على المثلَّجات داخـــل العربـــة. وضعَ أبو سامح كفَّيه على رأسه: "يا عمِّـــي عيـــب.. حـــرام!". اجتمعت الكلمتان في غير موضعهما وِفقَ ارتباطٍ شَرطي مع أسئلتك؛ عيب حرام. فارَ غضب عمّك صالح: "اِنتو تعرفون الحرام؟! أبوكم.. أبو منظمة التحرير يا أولاد الحرام!". بكيتما، أو أوشـــكتما، أنـــت وفهد إزاء منظر الرجل يدفع عربته بعيدا عن بيوتكم. تذكرتما حديث الرجل عن عربةٍ ألحقتْ أبناءه الثلاثة في الجامعة. لا شأن لكم بمنظمة التحرير. لا شأن لكم بما لا تفقهون. لا شأن لكم بشيء عدا رجـــل لاسمه على ألسنتكم طعم الـــڤـــانيلا والشـــوكولاتة والكاراميـــل. رحل بوجهه الكهل الذابل، بلحيته النابتة زغبا أبيض وبشرة حمَّصتها الشمس. اختفت نداءات الـــ: "بَرِّد.. بَرِّد". غادركم أبو سامح مع أغنية "عَبِّي لي الجَرَّة". لطالما تمنَّيتَ اتفاقا بين جاريك. اتفاقهما جـــاء على ما لا تشتهي. إثر عودتكم إلى الداخل وجدتم العجـــوز تنتظـــر

صامتة. سأل فهد أباه: يُبَه! هل كان عمِّي عبَّاس على حق؟ جاءت إجابته أكيدة: طبعا! نظرتما، أنت وفهد، إلى بعضكما في حيرة حَدَسَها صالح. رَبَّتَ على ظهر ابنه. برَّر: "آنا وأخوي على ابن عمِّي.. وآنا وابن عمِّي على الغريب". لا غريب في نهاركم ذاك سوى اثنين؛ وصفه جاره اللدود بابن عمّ، ووصفه لأبي سامح بالغريب!

عيناك، لا إراديا، انتقلتا إلى أمك حِصَّة مؤمنا بأنها سوف تقول شيئا إزاء جِدَّة الوصف..

ولكنها لم..

* * *

الفصل الثامن

كنتم ثلاثتكم في الحوش، قبل مغيب الشمس، أمام الكاميرا الـ HITACHI المثبَّتة إلى حاملها المعدني ذي القوائم الثلاثة. يرتدي فهد تي-شيرت أصفر لنادي القادسية يتقمَّص مؤيد الحدَّاد هدَّاف بطولة كأس الأمير 90، ويظهر صادق بـ تي-شيرت النادي العربي الأخضر، يتبادلان الكرة ركلا بالقرب من السِّدرة، يفتعلان جوًّا آمنا يضفيانه على التصوير، في حين تتحدَّث أنت إلى الكاميرا تحضيرا لإرسال شريط الفيديو مع من يخرج إلى المملكة العربية السعودية آملا وصوله إلى أيدي أبويك. كنت قد حصلت منذ أيام على شريط كاسيت يحمل رسائل صوتية منهما. أوصله مَن تسلَّل برًّا بعد إغلاق الحدود الكويتية السعودية أمام العائدين. لم تفتعل ابتسامتك أمام الكاميرا وأنت تتحدث إلى والديك. كنت حقيقيا، سعيدا بكل شيء رغم خطورة ما يجري خارج البيوت، ورغم أخبار الاعتقالات والحكايات المسربة لوسائل التعذيب في المراكز التي اتخذها جنود الاحتلال سجونا لانتزاع الاعترافات. كنت تسترسل حديثا. تبتسم:

- "احنا بخير.. يُمَّه..".

تلمع عيناك دمعا إزاء اللفظ: يُمَّه. تخنقك عبرة. للكلمة "يُمَّـــه" وقعٌ موجع إذا ما جاءت في وقتٍ لا تسمعك فيه. ينطلق نفير سيارة جمع النفايات. تسارع قبل أن تقاطعك زيارة عبداللطيف المحتملة: لا تقلقا علي، أنا لا أخـــــــرج من..

يقاطعك صادق وفهد في خيبة:

- "عيد التصوير.. عيد!"

يشيران إلى السماء حيث مروحية الاستطلاع فوق رؤوسكم يبدِّد هديرها جوّا آمنا افتعلتموه. توقفون التصوير تنتظرون ابتعـــاد المروحيـــة واختفاء صوتها. تستأنفون عملكم. يتَّخذ صاحباك مكانهما في الخلفيـــة يتبادلان بينهما كرة القدم في دور مُملٍّ مكرور. تحاور الكاميرا: أنـــا لا أخرج من البيت يُمَّه.. أنام في غرفة أمي حِصَّة.. لم أشاهد جنديا عراقيا حتى هذا الوقت لا تقلقي.. أصلا لا جنود في السُّرَّة!

تقاطعك أصوات أعيرة نارية في آخر الشارع. يصيح فهـــد في خيبة:

- "أووووه!".

يسقط صادق على ركبتيه أرضا:

- "تعبنا!".

تتودَّد لهما. تبتسم راجيا:

- "نعيد.. نعيد آخر مرة..".

تعيد التسجيل تكرِّر كلاما لم تنسَ منه شيئا عدا ابتسامتك التي كانت توًّا. خيوط عرق تنحدر من شعرك خلف أذنيك تستقر في ظهرك. صديقاك من خلفك، اسودَّت ياقتاهما عرقا، يركلان الكرة بينهما مُرهَقَين، بوجوه متعبة وحواجب معقودة وآذان ترهف السمع تحسُّبا لأي صوت يُفسد جوَّ التصوير. بالكاد أنجزت شريطك الفيديو. استبدلتم الشريط، تخلقون أجواء تسليتكم بعد استنفاد كل الألعاب داخل سور الحوش؛ كرة القدم، عنبر، الغميضة وشدّ الحبل. تمقت هذه اللعبة الأخيرة. تستبدل مكانك في كل مرة، تارة تشُدُّ مع صادق، ومع فهد تارة أخرى. تكره أن تكون في ذلك الموقف، بين اثنين ليس لك إلا الانضمام إلى أحدهما ضد الآخر في لعبة تعتمد على القوّة وحسب. تركتم ألعابكم تلك، تقتلون الوقت تمثيلا ارتجاليا. يتقمَّص فهد، أمام الكاميرا، عبدالكريم عبدالقادر بإيماءات يديه يُفخِّمُ صوته يغني: "للصبر آخر.. خلاص، عافَك الخاطر". تدفعانه، صادق وأنت إلى الكفِّ عن تقليد عبدالكريم: "ملّينا!". يعدكم: "آخر أغنية.. والله والله". تمهلانه وقتا يختار أغنية أخرى. وقفَ جامدا فاتحا ذراعيه أمام الكاميرا. استلَّ نَفَسا عميقا. أغمض عينيه بشدَّة. فتحَ فمه واسعا. شرع يغني بصوتٍ وإن لم يشبه صوت مطربه، فإنه يشبه أسلوبه إلى حدٍّ مذهل: "وإذا بصوتٍ ينادي.. متى تعود بلادي؟". نبَّهه صادق ما إن فرِغَ من غنائه: "هذي أغنية عبدالكريم عن فلسطين". هزَّ فهد رأسه من دون أن ينطق. وقفتما، أنت وصادق، تتقمَّصان شخصيات مختلقة تفتعلان حوارات سخيفة. يتحوَّل صاحباك إلى كرة القدم. يتحسَّر صادق على عدم مقدرتكم الخروج ولعب الكرة في حديقة جمال عبدالناصر. تقفُ أنت

وراء الكاميرا تتابع لعبهما. تُعلِّقُ بأسلوب خالد الحربان: "فهد آل بن يعقوب.. معاه الكرة.. يعدِّي.. قووووووول!". قاطعكم رنين جرس الباب يغرِّد بإلحاح. تبادلتم نظرات ملؤها الفزع. الإصبع المجهولة تواصل ضغطها مكبس الجرس. أمَّلتَ نفسك عساه عبداللطيف، رغم عدم رؤيتكم له منذ فترة بصحبة سيارة جمع النفايات التي اكتفى قائدها بإطلاق نفير سيارته كلما مرَّ بشارعكم. تقدَّم فهد صوبَ الباب. "لا تفتح!"، هَمَسَ صادق محذِّرا. توقف الرنين ليطرق المجهول الباب الحديدي بقوّة. أوشكتم على الهرب إلى الداخل لولا ارتفع صوت عالٍ: "افتحوا الباب!". امتقع وجه صادق: "بِيبي زينب!". هرع إلى الباب يستطلع أمر جدَّته. هالكم منظرها، تلهث حافية بلا عباءة، بَدَت نحيلة أكثر، بالكاد لفَّت مِلفَعَها بلا إحكام تتطاير منه أجزاء من شعرها الأشيَب. هرولتْ إلى الداخل تصيح: "عبَّاس.. عبَّاس!". تبعتموها بوجوه صفراء. تعثَّرَتْ عند عتبة الباب. أسندها صادق. هرع أصحاب البيت إلى الممر تدفعهم نداءات الجارة العجوز. ما كادت ترى عمّك صالح حتى أمسكت بيديه باكية: عبَّاس.. أخذوا عبَّاس! خانتها ركبتاها. سقطت أرضا. ذُهل صالح لا يبادر قولا أو فعلا. احمرار أذني صادق انتشر في وجهه:

- "أبوي!".

خرج من البيت راكضا. سارعت خالتك عائشة وفوزية تسندان أمك زينب، كنتَ تحدِّق في وجه أمك حِصَّة. بقيت واقفة تنظر إلى ابنها. مرتبكا كان غير قادر على النظر إلى عينيّ أمِّه. انفرجت شفتاه غاضبا: فعلها الفلسطيني!

ما جاء في بالكم أن يكون المعني أبو سامح. أمّك حِصَّة لا تزال صامتة تنظر إليه بعينين تقولان: "ماذا بعد؟"، ولا بعد أمام الرجل، بين النساء، عدا الذهاب إلى غرفته يجلب مفتاح السيارة. لحقت به خالتك عائشة. صاحت بها أم صالح تنهرها: عائشة! ابقي هنا!

خرج عمّك صالح من غرفته بغترة حمراء لفَّها، حول رأسه، كيفما اتفق. اتجه إلى الخارج مطأطئ الرأس بِدِشْداشَتِهِ المنزلية. صاحت به زوجته تسأل عن وجهته. أجابها ماشيا:

- "مخفر السّرَّة..".

تبعته مُحُذِّرة:

- "عليك الله لا تروح.. آنا قلبي قارصني!".

نظر صالح إلى عينيّ أمه. كانت تحدِّق فيه لا تزال. مضى في سيره. نبَّهته عائشة تتشبَّثُ بحُجَّة:

- "ولكن لوحة السيارة.. كويتية!".

توقف عمّك صالح عند أول الممر يفكر. نظر إلى أمِّه. كانت تُحدِّق في عينيه. نكّسَ رأسه ساهما. ما رأيته ضعيفا حائرا كيومكم ذاك. فاجأك يناديك. نظرتَ إليه مرتبكا. سألك:

- "وين القاري؟".

***

الفصل التاسع

فوق طبقات الغبار المتراكمة في حوش بيتك لمحت آثار خطوات، رسمتْ طريقها بدءا من باب الحوش اختفاءً وراء الباب الداخلي المفضي إلى غرفة الجلوس، ثم رسمت خطا آخر من الداخل إلى الخارج. شغلك الأمر. الأكيد أنها لم تكن خطواتك أو خطوات فهد، يوم بحثكما عن جواز سفرك، قبل شهرين. كدت تدخل البيت متجاوزا الحوش لولا خوفك من مجهول يتربص بك، وانصياعا لتحذير خالك حسن من الدخول. عمّك صالح ينتظر في بيته عودتك بالدراجة. سلّمته إياها ورأسك يغص بأسئلة بعدد آثار الأحذية فوق الغبار في حوش بيتك.

خرج صالح، ولم يعد منذ أن غادر بدراجتك باحثا عن عبّاس في مخفر السُّرَّة، حيث عسكر الاحتلال. آخر صورة تذكره فيها مطأطئا، في الحوش، يتحاشى نظرات أمِّهِ، يطوي أطراف دِشداشَتِه حول خاصرته، يركب الدراجة مثل طفل. آخر صوت له: "وين القاري؟". كل من في البيت يسأل يتحدث يدعو ويصلي إلا العجوز صامتة على غير دأب. شاحبة. ترسلك عائشة إلى بيت

عبَّاس. لا جديد بين نحيب النساء عدا ضربات أمك زينب على فخذيها باكية:

- "ما نُعرف إبراهيم.. والله ما نُعرف إبراهيم!".

تكرر ردَّها على من اقتحم بيتها من الجنود يسأل عن صاحب الاسم. توسلت إليهم أن يتركوا لها ولدها؛ "وليدي، الله يرضى عليك. ما بقلبَك رحمة. بالله وبِيك. داخلة عليك"، تظنُّ أن لهجتها شفيعتها، لعلها تُلين قلوبهم، ولكن، لسانها العراقي لم يفعل. ما من لهجة تحاور أوامر عسكرية لها لغتها الخاصة. مرَّ يوم، يوم ثان، لا أخبار عنهما، صالح وعبَّاس. هرع أقاربهما يبحثون. لا جدوى. كنت قد هاتفت خالك حسن تخبره بالأمر. وعدك أن يتصرف. طرق باب البيت بعد زيارة مخفر السُّرَّة وعدد من المدارس التي أحالتها القيادات العراقية مراكز تجميع المعتقلين: "لا خبر.. لا يعرفون شيئا". العجوز مضربة عن الطعام كما اكتشفت أنت وتينا. لا يدخل جوفها عدا الشاي شيء. تستلقي أسفل سريرها النحاسي ليلا. الغرفة مضاءة حتى وقت متأخر. تتلو العجوز ما تحفظ من آيات قرآنية بصوت مسموع وخشوع مضاعف. تأمرك بعد نفاد مخزون ذاكرتها: توضأ. قبل أن تطلب منك الإمساكَ بالمصحف لقراءة آياته. تُبرِّر العجوز: لا أدري أين أضعت نظارتي. تدريها لا تقرأ. لا تملك نظارة. لم تخرج من دروس برنامج محو الأميِّة إلا بحفظ أرقامٍ أعانتها على استخدام التليفون ومعرفة أسعار بضائع السوق المركزي. تدريها لا ترضى أن تبدي إليك حاجة. تحث خطوَك، متفهما، نحو خزانتها

الخشبية حيث المصحف: أنا أقرأ لكِ ما تريدين يُمَّه حِصَّة. تملأ أنفك رائحة النفثالين بمجرد فتح باب الخزانة. تقرفص فوق مرتبتك على الأرض. تتمتم العجوز: ألا يا من أعاد يونس من بطن الحوت.. أعده سالما. تفتح المصحف بين يديك تقرأ. يقاطعك طرق فوزية على الباب: "يُمَّه.. لا تنسين الدوا". تتابع قراءتك لدقائق قبل أن تتوقف تذكِّرها: "الدوا.. يُمَّه حِصَّة!". تستأنف قراءتك وأنت تتابعها. تمسك العجوز بأشرطة الأدوية. تجمع في كفِّها اليسرى أقراصا خمسة. تمسك، بالكفِّ ذاتها، كأس الماء. تلصق كفَّها اليمنى بفمها تلتقم الهواء، قبل أن تمسك الكأس بيمينها تُقرِّبه من شفتيها. عيناك على كفِّها والدهشة في وجهك. تعيد العجوز كأسها بعد ارتشافها قدرا قليلا من الماء. تجمع أقراصها، خلسة، في منديل ورقي. ترميه في سلة القمامة أسفل طاولة أدويتها. بقيت طوال الليل تتساءل دون أن تجرؤ على السؤال. كنت بين نوم ويقظة عندما جاءك صوتها بما يشبه حلما: "يا شَبَّاب النار!"، حذَّرتكَ من أن تفشي ما رأيت. ولأنك تكره أن تشِمك بلقب، أذعنتَ.

يوم ثالث منذ اختفائهما. عائشة متماسكة كما تعرفها، أو ربما تفتعل تماسكا. لا تكف اتصالاتها عبر الهاتف. تفرقع أصابعها. تقضم أظفارها. تختفي في غرفتها. تخرج بعينين متورمتين وأنف أحمر. ينفلت صوتها عاليا تصرخ بفهد، تُسمِع جدَّته: "راح أبوك!". تضغط فكَّيها تشتم لا أحد. ترمق أمك حِصَّة بطرف عينيها: "حسبي الله على من تسبَّب". العجوز التي لا يرتفع صوتٌ في حضرتها تلوذ بصمتها، مخطوفًا لونها. وجهها باهت أصفر. أنت وحدك تعرف

أسباب ذبولها في حين البقية تردُّه إلى غياب ابنها. كنت في مأزق بين أن تكون شَبَّاب النار أو حافظ السِّر. تحدِّق في وجهها في حين تهزُّ رأسها بما يشبه صلاة. أمك زينب وخالتك فضيلة وحوراء، تناوبن على زيارة بيت آل بن يعقوب بوجوه مرهقة: "أي أخبار؟". لا أخبار. أمك حِصَّة تذبل، جفاف شفتيها يقلقك، أصابعها ترتعش. تقترب منها فوزية. تعانقها. تمسح على ظهرها تقول: "يا نظر عيني إنِتي". تُذكِّرها: "أخذتِ الدوا؟". تهزُّ العجوز رأسها إيجابا. تجري أنت نحو غرفتها. يفزعك تضاعف أعداد المناديل الورقية التي تحوي أقراص أدويتها في سلة القمامة. وددتَ لو أنك تخبر الجميع، ولكنك لست شَبَّاب النار! تبًّا! لو كنت شبّاب النار.. لو!

عائشة لم تقوَ صبرا، جميع إخوتها في السعودية: "لا حول ولا قوَّة". هاتفت خالك حسن ليصحبها إلى مخفر السُّرَّة. ذهبتما، فهد وأنت، معها. لفتت انتباهك لوحة سيارة خالك لدى وصوله؛ العراق - كويت. نقطة تُحسب لأبي فهد. ضايقك كثيرا انصياع خالك حسن. ما كدتم تخرجون من شارعكم، مرورا ببيت الزَّلّمات، حتى أوقف خالك سيارته يستطلع أمر صراخ نساء البيت. كان أبو طه ممدَّدا يحمله أخوه وأبناؤه إلى السيارة. أزمة قلبية. عرفتم في ما بعد أن الرجل سقط فور صدور قرار السلطات العراقية بمساواة الدينار الكويتي بالدينار العراقي، مع إعطاء مهلة اثني عشر يوما قبل محاسبة كل من يتعامل بالدنانير الكويتية. لم يحتمل الرجل فكرة أن المئة ألف دينار حصيلة شقاء عمره في العمل استحالت في يوم واحد إلى ما يساوي ستة آلاف فقط!

ترجل خالك حسن وعائشة من السيارة، في حين بقيتَ وفهد داخلها أمام مخفر الشرطة الذي خلته، منذ إنشائه، مستشفى للطب النفسي كما أوهمكم مسلسلكم التلفزيوني الأثير. فرقٌ كبيرٌ بين طرافة مشاهد المجنونات وبين كآبة منظر العسكر في مخيلتك داخل المبنى الأحمر. تخيلت أبطال مسلسلك المحبَّب، محظوظة ومبروكة والدكتور شرقان ومدير المستشفى أبا عقيل، مقيدين بالسلاسل معصوبي الأعين، وفؤادة مكمَّمة الفم لا تقوى على الصراخ: "احموا الناس من الطاعون!". لم تمض دقائق حتى خرجت عائشة يصحبها خالك حسن يمسِّدُ لحيته بوجه محبط. لم تستدل عليه. ما كدتم تبتعدون بالسيارة أمام مواقف السيارات حتى صاح فهد: "يُمَّه! شوفي هناك.. القاري!". كانت دراجتك مربوطة بسلسلة إلى أحد القوائم. ارتفع صوت عائشة: "الله يلعن القاري وصاحب القاري!". غصْتَ في مقعد السيارة يضغط فهد على ركبتك مهوِّنا.

بحث خالك حسن، في الأيام التسعة لفقدان جاريك، في كل الأماكن المحتملة. معتقل المشاتل ومراكز التحقيق المنتشرة في المحافظات وثلاجات حفظ الموتى في المستشفيات. لا شيء. أمك حِصَّة تضمُر. لا تسمع لها صوتا عدا ترنيمة خفيضة لا تميِّزُ إن كانت أغنية أو تلاوة قرآن. تقتعد كرسيها الخشبي قصير القوائم أسفل سِدرتها. تنتف خبزا تنثره على الأرض تنادي: "تَعْ تَعْ". فوزية، بحجابها الملتصق بجلدة رأسها، لا تخفي قلقا إزاء طارئ حلَّ بأمها.

كنت في غرفة الجلوس. يومٌ عاشرٌ منذ خرج صالح بدراجتك. انفجرت عائشة فجأة تصرخ في وجه العجوز المقرفصة في زاويتها تفتعل انشغالا تخيط أثواب الـ "ساري" لـ تينا: حسبي الله عليكِ ما رأيتُ امرأة بقسوة قلبك! ارتعدت أوصالك إزاء ارتفاع صوتها في حضرة العجوز. كانت أمك حِصَّة تدير آلتها تحدِّق في موضع الإبرة دونما انفعال إزاء ثورة كنَّتها: راحَ الرجل بسبب عنادك، لا أحد يفهمك في هذا البيت كما أفعل، احتملتك سنوات من أجل صالح ولن أحتمل المزيد في غيابه! زادت العجوز سرعة دوران آلة خياطتها تشغل نفسها عن سماع ما تكيله لها كنَّتها من كلمات كالسكاكين. تقدَّمت إليها عائشة. انحنت على آلة الخياطة تمسك عجلتها توقف هديرها. قرَّبت وجهها إلى وجه أمك حِصَّة. هَمَسَت: لن تعطينا مِمَّا أعطاك زمانك. هزَّك ارتفاع صوتها أكثر: انظري إليّ! لم تقوَ العجوز نظرا إلى عيني كنَّتها. مطأطئة. منكفئة على ذاتها، بثوبها البني الواسع، هزيلة مثل خيشة رُز مهملة. واصلت عائشة تضغط فكَّيها تقول: تريدينني مثلك أرملة شهيد؟ عينا أمك حِصَّة على موضع الإبرة لا تزال. عينا عائشة على وجه العجوز: تتوقين لرؤية فهد مثل ابنتك مريض بلا أب كي يستريح قلبك؟ كرَّرت تأمرها صارخة:

- "حطّي عينك بعيني!".

رفعت العجوز رأسها تنظر إلي عينيّ عائشة. تفرَّستَ وجه أمك حِصَّة. عيناها حمراوان بلمعة تسبق الدمع. شفتها السفلى ترتعش.

رَنَّ جرس الباب. خرجت العجوز من صمتها تشهق، كأنما مسَّـــتها كهرباء. انفلتت دموعها سخية على وجهٍ يبتسم وِسعَ شفتيه:

- "وليدي صالح!".

***

الفصل العاشر

أُلقي القبض على عبَّاس بسبب خراطيش فارغة عثر عليها جنود الاحتلال في الساحة المزروعة أمام بيته. حدث ذلك أثناء الحملة التفتيشية، بعد أن أطلق الشاب المجهول أعيرة نارية على رتلٍ عسكري يعبر شارع علي بن أبي طالب في طريقه إلى الجسر الواصل بين السُّرَّة والجابرية. وجود أغلفة الطلقات، في حد ذاته، إدانة لصاحب البيت رغم خلو بيته من السلاح. ما كنتم لتعرفوا هذه التفاصيل لولا أخبركم أبو سامح الذي كان وراء رنين جرس الباب نهاركم ذاك. جاء من دون عربة الآيسكريم. مَدَّ يده إلى عائشة بورقة وقال إن كلاهما، عبَّاس وصالح، هناك. قرأت أم فهد بين ما دُوِّن في الورقة: "دائرة الأمن في البصرة". ضربت صدرها بكفِّها: "البصرة؟!". نظرتَ إلى فهد. تذكرت أغنية أُمِّه: "وين راح أبوي؟ راح البصرة.. راح البصرة!". نظرت عائشة إلى عيني الرجل الذي همَّ ينصرف. "بَرِّد!"، استوقفته تناديه بنداءاته. انفلتت منه ضحكة لا تشبه ضحكة: "بطَّلنا نبيع!". استمهلته: "اِصبر.. لا تروح.. عليك الله!". دعته للدخول إلى الديوانية في ملحق البيت المطل على الحوش.

تلفَّتَ قبل أن يقول: "لكن بسرعة". جاء خالك حسن ملبيا هاتف عائشة. اجتمع بالرجل ليعرف منه التفاصيل. لا تفاصيل عدا أن تهمة صالح هي سؤاله عن عبَّاس، ولا تهمة لعبَّاس عدا خراطيش الطلقات الفارغة أمام بيته. لا شأن لعبَّاس على ما يبدو بأغلفة الذخيرة الفارغة، يقول أبو سامح، أغلب الظن أنه إبراهيم منصور، أو المنير.

- "عبداللطيف المنير؟".

سأله خالك متجاوزا اسم إبراهيم منصور. ولكن الرجل لا يتذكر اسمه الأول، قال إنه كان يراه في السوق المركزي لجمعية السُّرَّة، وكثيرا ما كان يمر أمام بيته بعربة الآيسكريم، وأخيرًا أصبح يراه في شوارع السُّرَّة يطوف بسيارة جمع النفايات قبل أن يتوارى عن الأنظار. قيل إنهما، إبراهيم منصور والمنير، يعملان مع جماعة جاسم المطوَّع المسلحة. كلاهما مطلوب للجهات الأمنية العراقية بعد اعتقال جاسم. تبادلتما النظرات أنت وفهد. أنتما تتذكران الاسم جيدا. جاسم الخبز والجبن والمنشورات. توقفتما عند عبارة اعتقال. يقول الرجل، وشى أحدهم بجاسم، أُفرِجَ عنه بعد اعتقاله وتعذيبه، بقي تحت المراقبة بغرض اكتشاف بقية أفراد المجموعة، اعتُقِل مرة أخرى. امتقع وجه خالك حسن: من أين لك كل هذه التفاصيل؟ من أخبرك بهذه الأسماء؟ ارتفع صوت أبي سامح. ردَّ كمن تلقى إهانة: دفنتُ ثلاثة من أخوتي في هذا البلد.. أنا كويتي أكثر منك! تمالك أعصابه وهو يستطرد: أطوف شوارع السُّرَّة منذ ما يزيد على الستة عشر عاما يا أبا ضاري، أعرف جاسم جيدا، وأعرف

عبداللطيف شكلا، وحده إبراهيم منصور لا يبدو من أبناء السُّـــرَّة. فتح خالك زرَّ دِشداشَتِه. نظر إلى عيني الرجل يبطن اتهاما: من الذي وشى بالمطوَّع؟ أجابه أبو سامح: رجل عسكري يعمل في الجـــيش، تقرَّبَ منه، كشف سِرَّه. مسَّدَ أبو ضاري لحيته. واصل اســـتجوابه: الجيش العراقي؟ هزَّ أبو سامح رأسه يؤكد: الجيش الكويتي. انفعـــل خالك حسن: هذا غير صحيح. أصَرَّ أبو ســـامح: هـــذا صـــحيح. تململت عائشة في جلستها. أطلقت زفرة تنبَّه لها خالك حسن. سأل الرجل: من أخبرك بمكان صالح وعبَّاس؟ نهض أبـــو ســـامح يرفـــع ذراعيه: لا تورطني أرجوك سوف يخربون بيتي لو..

هزَّ خالك حسن رأسه في خيبة. ضيَّق عينيه يسأله مقاطعا: أَفا! تعمل معهم يا أبا سامح؟ انتفض الرجل: معاذ الله! ولو! عيب علـــيّ يا زَلَمة! استل نفسا قبل أن يُطأطئ مستطردا: لو أجبتـــك فســـوف تضعنا كلنا في كفَّة واحدة.

***

الفصل الحادي عشر

كانت زيارتك الأولى للعراق. قطع خالك حسن طريق سَفوان متجها إلى البصرة. الطريق رغم قصرها طويلة. جهاز تبريد الهواء ينفخُ منهكا رغم اعتدال الطقس خارج السيارة المخنوقة بأنفاسكم، بالكاد يلطف الجوّ داخلها. المحميات الزراعية تتناثر على جانبيّ الطريق. تشاهد أشجار أثل متفرقة غير بعيدة. كنت تلتفت تكتشف جدَّة الأشياء وراء زجاج النوافذ. وجوه المزارعين. الغترة البيضاء المِرقطة بالأسود. أنابيب الآبار الارتوازية، وبيوتًا طينية صغيرة متناثرة في المساحات الفضاء. طرقٌ شبه معبدَّة على جانبيّ الطريق تسلكها سياراتٍ عسكرية تمضي في الصحراء نحو وحداتٍ عسكرية. الصمت هو كل ما يجمعكم. تنصتون إلى صوت الإذاعة. ثقبٌ صغير تنفذ إليكم من خلاله أحوال العالم. كنتم تخشون أن يمر الموجز من دون ذكر للكويت. تفزعكم فكرة أن يُنسى أمركم. مذيع ومذيعة يتناوبان قراءة موجز الأخبار. مشايخ اليمن يقفون موقف المملكة العربية السعودية ضد رئيس بلادهم الداعم للعراق. تنصت في داخلك إلى نداءات بائع الصُّرَّة: "خام.. خاااام". إيران تعلن أنها مع

دول مجلس التعاون الخليجي لإيجاد حلٍّ سلمي للأزمة. يقفز في مخيلتك وجه حيدر البَقّال بابتسامته ذات السِّن الذهبية. هكذا كانت الوجوه والأصوات تستدعي نفسها مع كل دولة يشار إليها في خبر. تينا. الأستاذ دسوقي وجابر المصري. شاكر البهري وعلامين البنجابي. الحلاق الباكتساني مشتاق. عدنان السوري والأستاذ مُرهف. زميل الفصل عبدالفضيل السوداني وآخرون. كنت من دون قصد تقولبهم. تُعلِّبَهم. تضعهم في مراتب مختلفة وفقا لمواقف أنظمتهم. كنتم، رغم ظرفكم، كمن حقق انتصارا إزاء سماع خبر رياضي وقت الموجز، على غير عادة: بكين تطرد العراق من الألعاب الأولمبية. جاءت كلمة طرد تعويضا عمَّا لم تقدروا عليه إزاء العسكر في وطنكم.

خالك حسن خلف المقوَد. ابنه ضاري لصق الباب، تشاركه المقعد في المقدِّمة. عائشة وفضيلة وحوراء وصادق وفهد في المقاعد الخلفية. تكدَّستم في السيارة كما نصح أبو سامح خالك حسن: خذ معك النساء والأولاد تسهيلا لزيارة المعتقلين. تركتم أمك حِصَّة في البيت، برعاية أمك زينب وفوزية وتينا. لم تتمكن من السفر بسبب سوء حالتها بعد تلقيها أخبار أبي سامح. خالك يعرف الطريق جيدا، يزور سنترال البصرة، منذ أيام الاحتلال الأولى لإجراء المكالمات الدولية مع أقاربكم في الخارج. أثناء الطريق، مرورًا بمدخل الشارع المؤدي إلى قضاء الزبير، أشارت فضيلة إليه أن ينعطف يسارًا. صوَّبت سبَّابتها نحو جامع يبدو بعيدا، تميِّزه منارة أثرية. طلبت النزول هناك: خمس دقائق.. لن أتأخر. تفهَّم خالك حسن

رغبتها. أوقف السيارة بالقرب من جامع خطوة الإمام علي في الزبير. ترجلت فضيلة يتبعها التوأمان حوراء وصادق. مدَّ فهد ذراعه من مقعده وراءك. قَرَصَ أذنك. تجاهلته. سأل ماذا يفعلون؟ لم يجبه أحد. مكثت فضيلة مع التوأمين قرابة العشر دقائق، تتوسل وتبتهل للإمام أن يرد لها غائبها. عادت بوجه مطمئن قبل أنَ يدير خالك سيارته نحو مركز مدينة البصرة.

تتذكر جيدا كيف كان خالك، في سنترال البصرة، باهتا. مدَّ يده إلى موظف السنترال بورقة تحمل أرقام هواتف مختلفة. أشار الرجل نحو إحدى الكبائن. مرَّ الوقت سريعا. لا تتذكر عدا صوت والدتك عبر الهاتف تتخلل نشيجها جملٌ مبتورة. سرعان ما انتهت المكالمة لتتوالى المكالمات الأخرى على عجل. خالك حسن يطبق كفَّه المرتعشة على سمّاعة الهاتف. تتذكر حزنا يغلِّفُ صوته كأنه يلقي رموزا في بيت قصيدة: "راح، قبل يومين، هو وفايز كنعان أمام بيت الأخير في الفيحاء.. لم أكن في البيت. ولدي ضاري شاهد كل شيء".

أمام مبنى دائرة الأمن أوقف خالك سيارته. ترجَّل يصحب عائشة وفضيلة والأبناء في حين أبقاك وضاري في السيارة. الفناء المقابل للمبنى يغصُّ بسيارات تحمل اللوحات الجديدة، العراق-كويت. عائلات كثيرة تسأل عن أبنائها تتحرى خبرا أكيدا. مرَّ وقت طويل. ضاري لا يبعد عينيه عن باب المبنى يقضم أظفاره: تأخوَ أبـي! استفهمته عن سبب قلقه، متجاوزا عِلَّةً في لسانه لم تألفها قبلا. عيناه مصوبتان نحو الباب. تكثَّفت أنفاسه على زجاج

النافذة الجانبية: أخشى أن يُمسكوه. شيءٌ من قلقه انتقل إليك. ارتعشت شفتاه قبل أن تنفرجان عن جملته: ذبحوا عبداللطيف وفايز كنعان، وصَوَّبوا شخصا آخر. شرع يصف المشهد على الرصيف المقابل لبيتهم، تلفتُ انتباهك، مرة أخرى، استحالة الراء واوًا على لسانه لدى نطقه الرصيف. بقيتَ سنوات لا تفهم خللا حلَّ بلسانه. كيف تحوَّل ضاري إلى ضاوي؟

سألته عن الشخص الثالث: قد يكون إبراهيم منصور الذي أخبرنا عنه بائع الآيسكريم. نفض رأسه مؤكدا عكس حدسك. استشعرتَ دفئا أسفل فخذك الأيمن تشرَّبه مقعدكما. عاود ضاوي قضم أظفاره كأنه يوشك أن يلتهم أصابعه. أردف ونظره وراء الزجاج: رأيتهم من نافذة غرفتي قبل يومين، لا تزال بقع الدماء البنيَّة المتحجِّرة هناك، بقع دماء وجزء من جلدة رأس مسلوخة على الرصيف، شكل الشعر والدماء والــــ..

لاذ بصمته. لزمك الأمر وقتا لتدرك أن من راح هو عبداللطيف المنير. وجدت تبريرا لاختفاء سيارة النفايات وعودتها لاحقا يقودها الرجل الملثم وحيدا، يكتفي بتنبيهكم بواسطة نفير السيارة إلى طوافه في شوارع المنطقة، بعد سقوط صاحبه متورطا بعمليات مسلحة. تهلل وجه ضاوي عندما كشف باب المبنى عن أبيه بعد حوالي ساعتي انتظار.

عاد حسن تتبعه وجوهٌ محبطة. نظرتَ إلى عائشة وفضيلة، يتبعهما الأولاد، مثل دجاجتين وأفراخهما. تخالهما أختين، بنفس

الوجوه المحمرة اللامعة. في المصائب كل الوجوه تتشابه. تكدَّس الجميع في السيارة. نظر خالك إلى ابنه تدفعه الرائحة. فتح زجاج النوافذ. همَّ ينطلق لولا ظهور رجل عسكري عند باب المبنى. أشار له أن يترجل. تحدَّث العسكري إليه. كان خالك حسن يهزُّ رأسه منصتا قبل أن يعود إلى السيارة يخبر فضيلة وعائشة: يريد مالا. سألته خالتك فضيلة: كي يطلقوا سراحهما؟ أجابها: كي يسمحوا بزيارتهما نهار غد. عدَّ خالك دنانيره العراقية: لا تكفي! بكت فضيلة. عائشة تعض شفتها السفلى تنظر إلى لا شيء. دسَّت فضيلة يدها داخل ثيابها تُخرج عُقدا وأساور ذهبية: "هذا كل ما لدي!". رفض خالك حسن المجازفة برَشوَتِه ذهبًا. أدار محرك سيارته باتجاه شارع الكويت. لفتَ انتباهك الاسم الممنوع في وطنك. تعرف الكويت وطنا. تعرَّفتَ إليها، في العراق، شارعًا. أوقف خالك السيارة في ساحة قريبة. استأنفتم الطريق مترجلين صوبَ سوق الصاغة في العشار نهاية سوق المغايز، مرورا بمحال التوابل في سوق الهنود. أجواء شبيهة بشارع الغربللي في سوق المباركية في الكويت لولا اختلاف اللهجة. دكاكين شعبية على جانبي السكَّة. ساعات وملابس وأحذية وسجَّاد وأوانٍ ومحال صيدلة ودندرمة. لفتَ انتباهك العراقي هناك، لا يشبهه في أرضك. لا علاقة للزيّ العسكري بالأمر. شيء تجهله يُفرِّق بين الإثنين.

دخلتَ وصادق وحوراء، مع خالتك فضيلة، محل ذهب. محل صغير منخفض السقف بإنارة خافتة. وضعت فضيلة عُقدها وأساورها فوق المنضدة الزجاجية أمام البائع العجوز الأصلع كثّ

الشارب. سألها بصوتٍ مدخنٍ عتيق: رهن؟ هزَّت رأسها: بيع. ثبَّت الرجل نظارته على أرنبة أنفه مكوِّرا شفتيه يتفحَّص العُقد بأدواته. ينقل نظره بين العقد وبينكم يتفرَّس وجوهكم. سأل قبل أن يزنه: من الكويت؟ أومأت فضيلة موافقة. كان غريبا على أُذنيك سماع الاسم، كويت، في العراق وهي الكلمة المحظورة في وطنك؛ محافظة النداء. تنحنح الرجل. قال: اعذريني لو سألتُ. نظر نحو الباب قبل أن يردف سؤاله عن حاجتها إلى المال. غطَّت فضيلة وجهها بجزء من عباءتها تخفي بكاءً. طلب منها الجلوس. غاب في غرفة جانبية لها باب صغير يحمل الأساور والعُقد. عاد يحمل مظروفا ورقيا وكأس ماء ناولهما أم صادق. نهضت تومئ له شاكرة قبل أن تمضي إلى الخارج من دون أن تحصي الأوراق النقدية في المظروف. "الله يساعدكم"، قالها الرجل عند باب محله مودِّعا.

في السيارة، ناولت فضيلة خالك حسن المظروف. مزَّق طرفه. أخرج الأوراق النقدية يحصيها. التفت إليها مستنكرا: "بس؟". عاود النظر إلى داخل المظروف الورقي. دَسَّ كفَّه. اتسعت حَدَقتاهُ ينظر إلى أم صادق. أخرج العُقد والأساور الذهبية. سألها: ما هذا؟!

***

الفصل الثاني عشر

تطلبت زيارتكم لصالح وعبَّاس أن تمكثـوا ليلـة في البصـرة. الليلة، بسبب إجراءات الزيارة، صارت ليلـتين. التقيـتم عبَّاسـا وصالحا في نهاركم الثالث. بعد قضاء ليلتين كئيبتين في غرفة في فندق حَمدان تطلّ على نهر العشّار، اضطررتم خلالها للنوم علـى ضـوء المصباح بسبب ضاوي: "أخاف من الظلمة". في حين قضى خالـك ليلتيه متقلبا فوق المقعد الخلفي لسيارته عوضا عن تأجير غرفة، توفيرا لمال زيارة المعتقلَين اللذين عُرِضا، في اليوم الثالـث، مقيـدَين بـين عشرات شباب وشيوخ كويتيين أمام أهلهم. لم تتجـاوز الزيـارة نصف الساعة، لا تتذكر منها عدا نشيج النساء، واخـتلاط الـدمع بالعرق، والذعر على وجهي جاريك حليقي الرأس في ساحة ترابيـة صغيرة بعد إزالة العُصابتين عن أعينهما. لم يتجاوب العسـكر مـع توسلاتكم في تمديد وقت الزيارة. متى يُطلق سراحهما. لا جـواب. لاشيء معلوم قبل المحاكمة، قال رجل عسكري. جاء وقع الكلمـة، محاكمة، كبيرا في نفوسكم، ورغـم اللقـاء عـدتم إلى الكويـت بقلق أشد.

ما إن دلفت السيارة شارعكم حتى لاحظتم زحمة السيارات أمام بيت الزَّلمات. كانوا يستقبلون المعزِّين في وفاة أبي طه الذي لفظ أنفاسه الأخيرة في المستشفى بعد غيبوبة دامت أسبوعين. تذكرتَ وجه الرجل خائبا إزاء استقبال عمك صالح عند باب بيته قبل أسابيع. سألكم خالك حسن: هل ستذهبون لتعزيتهم؟ أجاب فهد نيابة عنك وصادق: "أبوي ما يرضى". لم يُجب خالك. همستَ بأذن فهد: نسأل أمي حِصَّة. تعرفها ستدفعكم لتعزية من شاركتموهم لعب كرة القدم في الساحات الترابية لسنوات.

ما كان مقدرا لك أن تسألها. ما جاء في بالك أن غياب ليلتين في العراق من شأنه إحالة أمك حِصَّة إلى كتلة آدمية مثل كومة ثياب رثَّة على فراش المرض. سقطت أثناء غيابكم بعدما هدَّها التعب. أمرت بأن يوضع سريرها النحاسي في غرفة الجلوس، مقابل الممر، حتى إذا ما أقبل صالح تلقَّتهُ فور دخوله. لم تقوَ حراكا، متأملة عودة ابنها معكم. لم يتوقف حرق البخور بانتظار أن يكشف عنه ممر غرفة الجلوس. أسرعتَ أنت وفهد بالدخول تسبقان الجميع. أفزعك وجه أمك حِصَّة. مغمضة عينيها. فاغرة فمها، بما يشبه ابتسامة، من دون أسنان. بدت امرأة أخرى تكبر تلك التي تعرفها بسنوات طويلة. أمك زينب تقرأ القرآن عند رأسها. فوزية تمسح العرق عن جبينها، وعلى الأرض إلى جانب السرير تجلس تينا تُدلِّكُ ساقيها. ركضتَ صوبها. سألتْ أمك زينب: هل عدتم بهما؟ لم تجبها. اكتفى فهد بهزِّ رأسه، يقف إلى يمين السرير النحاسي، ينظر إلى وجه جدَّته الجديد. قرَّبتَ وجهك إلى وجه أمك حِصَّة، مادًّا عنقك أسفل أنبوب المغذي

المعلَّق في حامل معدني إلى جانب سريرها. إبــرة المغــذي، كأنهــا مغروسة في قلبك. تخترق جلد كفِّها. تغوص في عِرقها النافر. ترسم بقعة زرقاء داكنة. كنت تنصت إلى نبضك في أُذنيك. تشعر بتــدفق الدم في صدغيك. تكتم عبراتٍ غلبت فهدًا. قبَّلتَ جبينــها: "يُمَّــه حِصَّة شلونك؟". لا ترد. تسمع صفير أنفاسها البطيئة. أنت تعرفهــا من دون أسنان تتحدَّث كثيرا. ما بالها الآن صامتة. ترفــع صــوتك تحدثها لعلها تستجيب. شرعتَ تطمئنُها: "عمّي صالح بخير". جــاء اسم ابنها كروحٍ دبَّت في جسد ميت. رفعت ذراعها ترتعش. فتحت كفَّها تنثر لا شيء في الهواء. حرَّكَت شفتيها طويلا. بالكاد خــرج صوتها رقيقا يرتجف: "تَعْ تَعْ". طفتَ ببصرك على من حولك ترجــو إجابة: ما بها؟ أطبقت أمك زينب مصحفها فــور دخــول عائشــة وفضيلة. سألت: أين هما؟ هزَّت عائشة رأسها. اكتفت تُطمئِن على غير عادتها: هما بخير.. سوف يُطلق سراحهما قريبا. نظــرت أمــك زينب إلى وجه جارتها العجوز. لا تزال تردِّد: "تَعْ تَعْ". حــدَّقت أم عبَّاس في عائشة. قالت: لو عدتم بصالح، الآن، صالح علــى الأقــل. انتفض جسدها تكتم نحيبا.

مرَّت أيامٌ ثلاثة ثقيلة. يزوركم خلالها طبيبٌ فلسطيني يعمــل في مستشفى هادي في الجابرية. هو من اكتشف، يوم سفركم، عــزوف العجوز عن أخذ الدواء. يستبدل أكياس المغذي. لا يخفي قلقا: حالتها غير مستقرة. سيارات الإسعاف، وأهم المعدَّات الطبية، سلكت طريق اللاعودة ناحية حدود الشمال منذ الأسابيع الأولى للاحتلال. العسكر

الذين سمعت عنهم كثيرا أصبحتَ تراهم بشكل يومي. تُميِّزون حرسا جمهوريا عن جيشٍ شعبـــي بألوان طاقيّاتهم. يقتحمون بيت آل بـــن يعقوب والبيوت المجاورة يسألون عن إبراهيم منصور المتـــواري عـــن الأنظار. يطأون السجّاد بأحذيتهم العسكرية يركلون أبواب الغـــرف. يحققون معكم. مع الخادمة. مع العجوز التي تجيبـــهم "تِـــتْ" تـــارة و"كِشْ" تارة أخرى. ينصرفون: "عجوز خرفانة!". في اليـــوم الرابـــع لعودتكم من البصرة كانت أمك حِصَّة في طارئ جديد علـــى حالـــة جديدة. محاطة بالجميع. عائشة وفوزية وفهد وتينا وأمـــك زينـــب. شفتاها، مسحوبتان إلى ثغرها، لا تكفّان عن الحركة من دون أن تلفظ كلمة مسموعة. كلمات هوائية دافئة تنطلق من فمها مهجور الأسنان. قرَّبتَ أذنك من شفتيها لعلّك تلتقط جملة. غريبة رائحة ثغرها. عائشة تجلس بالقرب من تمثال أمك حِصَّة. تسند مرفقيها إلى ركبتيها. تحمل وجهها بين كفَّيها تحدِّق في أرض غرفة الجلوس. لفتَ انتباهك التمثال عاريا من عباءته المثقّبة. مهملة على الأرض أسفل القـــوائم المعدنيـــة الثلاثة. كانت الدائرة الصغيرة أعلى عدسة الكاميرا الــــ HITACHI تومض لونا أحمر. تعرف جيِّدا ما يعنيه ذلك. لم ينتبه لاستغرابك أحدٌ عدا تينا تنظر إلى الكاميرا. نظرتْ إلى عائشة. لكزتكَ هامسة: امـــرأة مجنون. أوقفت أمك حِصَّة حركة شـــفتيها. فتحـــت عينيهـــا علـــى اتساعهما تحدِّق في سقف غرفة الجلوس كأنها تتهجى حروفا في الهواء. أمسكتَ كفَّها بلطف خشية أن تؤلمها إبرة المغذي. بـــاردة كانـــت. ارتبكت فوزية. "يُمَّه.. يُمَّه". فمها مفتوح لم يزل. تسارعت حركـــة بؤبؤيها تُمشِّطُ السقف هبوطا نحو الممر وراءكم. "تَعْ تَعْ". اختلجـــت

عروقها النافرة في رقبتها. ضغطتْ كفَّك. أغمضت عينها اليسرى. بقيت اليمنى مفتوحة، ثابتٌ بؤبؤها على الممر. أرخت قبضتها. حرَّرتَ كفَّك. لا تتذكر عدا الأصوات تنطلق في اللحظة ذاتها. نشيجٌ هارموني وداعي: يُمَّه يُمَّه.. أم صالح.. يُمَّه يا نظر عيني.. خالتي.. ماما كبير.. يُمَّه حِصَّة! سحبتَ خُطاك نحو تمثالها في الزاوية مثل رجل آلي مأمور. تدريها لا تتحرك. تستحيل صَنَما إذا ما واجهتها عدسة الكاميرا. "آنا أصحِّيها"، لم يسمعك أحدٌ وأنت تقول. وقفتَ وراء تمثال أمك حِصَّة في زاويته لا تعي فعلا أقدمتَ عليه. أدرتَ وجه الكاميرا إلى الجدار، بعيدا عن وجه العجوز ذي العين المفتوحة على ممر بيتها. صحتَ بأعلى صوتك تُنبِّهها متجاوزا نحيب غرفة الجلوس: "تستحين من الكاميرا يُمَّه؟!". بقيَ الصنمُ ساكنا. نحيبهم إزاء الفجيعة لم يمنعهم يصمتون ينظرون إليك. انحنت أمك زينب تحمل العباءة من الأرض أسفل الكاميرا. رمتها مثل شبكة صيدٍ على جسد جارتها تغطيه. تقدَّمت صوبك. عانقتك. غاص وجهك بين رقبتها ووجهها. لها رائحة أمك حِصَّة. كنتَ تغالب نشيجك: "بِيبي زينب.. شفيكم؟!". يأتيك صوتها، واهنا، تئِنُّ عند أذنك:

يا حْبَيبة قلبي يا أم صالح..

يا حْبَيبة قلبي يا حِصَّة..

أغمَضَتْ عينا مطمئنة على أهلِ بيتها..

أبقت عينا تتحرى عودة صالح!

***

الفصل الثالث عشر

أنتم لا تبكون موتاكم، أنتم تبكونكم بعدهم. تبكون ما أخذوه برحيلهم. يخلفونكم بلا جدار تتكئون عليه، وأمك حِصَّة جدارٌ، رغم تصدعاته، كان متكأكم الآمن. ترك غيابها غصة في حلوقكم، لا أنتم قادرون على لفظها ولا على ابتلاعها. رحلت. شعرتَ وكأن بيت آل بن يعقوب بلا سقف يحميه. أخذت معها أجمل ما في بيتها؛ صوتها الأخضر، رائحتها الخليط من كلونيا أم بنت والصابونة الحَمْرا والنفثالين ودهن العود والحناء، هدير مكنة خياطتها، ضحكة تينا وانخفاض صوت عائشة وبصر فوزية. بكى مَن حولك كثيرا. كلما تمالكت نفسك انفجر مَن أمامك باكيا يستدر دموعك. تهرب إلى عائشة تستمد شيئا من صلابتها. كان يوما أطول من سائر أيامك الطويلة وقت الاحتلال. كنت مشدوها إلى حدٍّ عجزت معه على البكاء. فهد كان مثلك تماما. تجلسان في زاوية غرفة الجلوس، بالقرب من تمثال أمك حِصَّة، بحواسٍ تلتقط كل ما يجري. لم يقترب منك الموت قط إلى هذه الدرجة. حتى استشهاد عبداللطف المنير ووفاة أبي طه مرَّ تأثيرهما سريعا. فوزية في غرفة أُمها تقفل الباب. أنت

لا تفهم، أو لا تريد أن تفهم، لماذا أمك حِصَّة في الحمَّام تغسلها أمك زينب مع امرأة غريبة بصابون السِّدر الذي كانت تصنعه في حياتها، صابون سِدرها، سِدرة العشاق ومسكن الجن الآمن. كل شيء جديد. الشعور بالفقد وعدم التيقن منه بعد. هي لا تزال في البيت. حتى الكلمات التي قيلت في ذلك اليوم، لم تألفها، أو لم تعرف لها سببا. تخرج أمك زينب من الحمام مُشمِّرة عن ساعدين يقطران ماءً. تحدِّث عائشة.. كفن، كافور، رغوة السِّدر، قطن ونايلون. بِيبي زينب! ماذا تفعلون بأمي حِصَّة؟ لم تجرؤ على السؤال. أنت تعرف أنها تحب صابون السِّدر كما تحب أشياءها الخاصة. وددتَ لو أحضرت لهم، من خزانتها، كلونيا أم بنت تعطر بها كفَّيها، ودهن العود لتضع قليلا منه خلف أذنيها بطرف سبَّابتها. لم تصدِّق أن المرأة المكفَّنة المحمولة على نقالة هي أمك حِصَّة. التصقتَ بتمثالها أكثر. أطبقتَ كفَّكَ على طرف عباءته. أخبرتْ مغسلة الموتى: وجهها مضيء تبارك الله، لكن عينها اليمنى، سبحان الله، مفتوحة! دخل رجلان يحملان نعشها. أيقنتَ أنك لن ترى العجوز مرة أخرى حينما توارت وراء الممر المفضي إلى الخارج. يشيِّعها أهل بيتها وجاراتها ونساء من أهلها لم تعرفهم قبلا. فوزية تنتحب بحرقة. تينا وفهد وعائشة وأمك زينب وخالتك فضيلة وحوراء، وأخريات يلتحفن السواد. يبكين وراء جثمانها المربوط بخيوط مثل خيمة مطوية مهملة في مخزن. نهضتَ راكضا ما إن ارتفع نحيب النساء في الحوش. لم تستطع اقترابا إلى ذاك الجسد الممدَّد على نقالة الموتى كما فعل الجميع. التصقتَ بالسِّدرة تُرسل نظرك يشيِّعُها. لم ينتبه أحدٌ سواك

إلى الدجاجات، في القفص القريب، ترفع رؤوسها إلى السماء، مغمضةً أعينها، تغرغر. لم ينتبه أحدٌ إلى هديل الحمام في السِّدرة، متناغما بما يشبه عزفا جماعيا وراء الأغصان المتشابكة والأوراق، في مسكن الجن، سِدرة العشاق.

تزاحمت النسوة مع فهد عند باب الحوش ما إن ارتطم باب سيارة نقل الموتى. مشرئبة أعناقهم، يرسلون نظراتهم وراء السيارة وهي تقل الجثمان تختفي آخر الشارع، تتبعها، إلى مقبرة الصليبيخات، سيارتا خالك حسن وأحد أقرباء العجوز.

أنت لم تعرف أنها لا تأتي فرادى، في يومكم ذاك وحسب، اكتشفتَ أن المصائب إن أقبلَتْ، أقبلت تمسك إحداها بيد الأخرى. إلى حدٍّ تجهل فيه علامَ تبكي. كنت في غرفة فهد تنام ليلتك، في حين تركتم فوزية تنام في غرفة أمها تحتضن وسادتها. استنزف الحزن تلك التي ما نادت أمها إلا بـ يا نظر عيني. لم تقف فوزية في عزاء أمها، ولم تفعل عائشة التي بقيت معها في مستشفى مبارك في الجابرية، أو حسب تسميات مستجدَّة، مستشفى الفداء في منطقة الأحرار، طيلة أيام ثلاثة مع فهد، في حين غصَّ بيت آل بن يعقوب بالمعزِّيات. تجلس أمك زينب في الصدر، أول الصَّف، تُعزِّيها النسوة أولا قبل مرورهن على قريبات الراحلة. كنتَ في الديوانية معظم الوقت مع صادق. تراقب الجنود من النافذة المطلة على الشارع. يركنون سيارتهم العسكرية مقابل بيتك. يراقبون بيت آل بن يعقوب بحجة: ممنوع التجمُّعات. تعود عائشة في الليل تاركة ابنها في المستشفى إلى جانب عمَّته. لم تفهم منها ما قاله طبيب فوزية. بسبب

مرض السكري. بسبب إهمال العلاج. تهتُّك الأوعية الدموية. تلف الشبكية. الذي فهمته وحسب؛ أن فوزية عَمِيَت. "قليلة حظ"، تذكرتَ قول أمك حِصَّة. لم تفكر كيف تستأنف فوزية حياتها في الظلام. كل ما جاء في بالك هو روايات إحسان عبدالقدُّوس في غرفتها. كيف تقرؤها. تذكرت وعد صالح. سوف تكملين دراستك ما إن تُفرَج. متى يعود صالح. متى تفرج. وكيف لفوزية، وحالها تلك، أن تلتحق بالجامعة؟ أسئلتك التي كانت تزعج الجميع استوطنت رأسك. لا أحد يملك أن يجيب، ولا أنت قادر على ممارسة السؤال. ما كادت أيام العزاء الثلاثة تنتهي، آخذة معها سوادا لفَّ بيتكم، حتى انتشر في السُّرَّة كلها خبرٌ. أُفرج عن جاسم المطوَّع. اقتيد إلى بيته. اخترقت رأسه رصاصة أمام أهله. خرَّ صريعا عند الباب. ما كادت السُّرَّة تتجاوز حزنها على عبداللطيف حتى استجدَّ الحزن بفقد جاسم.

كانت عائشة في بيت عمك عبَّاس صباحا، الأسبوع الثاني من نوفمبر، بعد مرور أربعين يوما على وفاة أمك حِصَّة. أقامت لها أمك زينب مجلس عزاء في أربعينيتها. ليست جديدة عليك الكلمة. أربعينية. تذكرت انزعاج عمك صالح في المرة الماضية. الأربعينية التي أقيمت، قبل شهور، في جامع الإمام الحسين لمن أدانتهم المملكة العربية السعودية بتفجيرات مكَّة.

غصَّ بيت عمّك عبَّاس بالمعزين، وغصَّ شارعكم بجنود الاحتلال بحجة التجمعات إياها. لم يهتم لأمر الأربعينية أحدٌ، ربما، بقدر فوزية التي نادتكم أنت وفهد وضاوي: "خذوني إلى بيت

عبَّاس"، رغبةً بحضور عزاءٍ لم يتسنَّ لها حضوره قبل أربعين يوما. أسِفتَ لمنظرها. يعاونها فهد في اختيار ملابسها وحجاب رأسها الذي بدأ ينمو فيه الشعر. لا تملك عباءةً ضرورةَ حضور العزاء. اقترح فهد: عباءة التمثال! زجرته: إياك أن تعرّي أمي من عباءتها! غصّ فهد بعبرته. لم تستغرب قولها. كنتَ مثلها، تشعر أن أمك حِصَّة هي من يقفُ هناك في زاوية غرفة الجلوس. تراقب أهل بيتها. تطمئن إلى أن شيئا لن يتغيَّر برحيلها. أحضر فهد عباءةً من خزانة أُمه. شدَّدت فوزية قبل ارتدائها:

- "اِحلف اِنها مو عباية أمي؟".

أقسم لها فهد بأنه لم يقرب التمثال. توعدَّته:

- "والله إذا شفت الكاميرا بدون عَبَاية..".

لم تُكمل. حجبت وجهها بكفَّيها. بكت. منذ ذلك اليوم صرتَ أنت بصرها. أمسكتما بساعديها تقودانها إلى بيت الجار يتبعكم ابن خالك. تمشي بخطوات مضطربة فوق الحشائش اليابسة بين سَعْمَرانة وبرحيَّة. لفتَ انتباهك اختفاء الجنود من الشارع. تركتما فوزية في غرفة الجلوس هناك بين نساء كثيرات يتوشحن بالسواد. يجلس بعضهن على كراسٍ، والبعض الآخر يقتعد الأرض يستمع إلى ترتيل المُلاّية بخشوع. أمك زينب ساهمة تُمرِّر خَرَزَ مسبحتها بين أصابعها تتمتم. وجدتم صادقًا عند باب البيت. أخبرك مُشيرًا بذقنه إلى بيتك: هناك جنودٌ في الداخل! أوضحَ مرتبكا إزاء

صمتك: تسلّق أحدهم السور. فتح الباب للبقية. مكثوا قليلا. خرج بعضهم، ولكنني متأكد أن بعضا آخر لا يزال في الداخل!

خلعتَ نعليك. تسلّقتَ اِخلاصة المطلة على بيتك. التفتَّ إلى فهد:

- "فهد! عَدِّل نعالي".

انحنى فهد على نعلك المقلوبة يديرُ باطنها إلى الأرض بشفتين تشبهان هلالا مقلوبا. استقام ينظر إليك بعينين حمراوين. تشبَّثتَ بمنتصف جذع النخلة تطل على حوش بيتك الخالي من الجنود. لا شيء عدا البلاط يحمل غبارُهُ آثار أحذية بدت أكثر مما رأيته في المرة السابقة. ابتلعتَ خوفك وغيرتك على غرفة والديك مستذكرا نصيحة خالك بعدم دخول البيت تحت أي ظرف.

بعد أذان العصر، انطلق نفير سيارة جمع النفايات يُنبِّهُكم إلى مرورها في شارعكم. كنت وفهد وصادق وضاوي في غرفة الجلوس. نادتكم تينا تطلب المساعدة. أسقطتم أكياس القمامة عند الباب تتابعون فوضى تجري أمامكم. رؤوس كثيرة تطل من نوافذ بيوت الجيران. سيارات عسكرية تغلق الطريق أمام سيارة جمع النفايات وخلفها. جنود عشرة. أكثر بقليل. يحيطون السيارة. يخرج آخرون من بيتك يحملون ألواحا خشبية تحمل أسلحة آلية وزجاجات مولوتوف. يصوِّبُ أربعة من الجنود بنادقهم إلى السائق الملثّم. صرخ أحدهم، يبدو أعلى رتبةً، بزيٍّ مختلف، له شارب طويل معقوف مثل شارب هولك هوغان: "انزل يا إبراهيم.. سلِّم نفسك!". التفتَ

إليك فهد ممتقع الوجه: "إبراهيم منصـــور!". ركـــض ضـــاوي إلى الداخل مخلِّفا بَلَلَهُ على الأرض. ترجل السائق رافعا ذراعيه للأعلـــى. أحاط به اثنان من الجنود يقيِّدان يديه وراء ظهره. أزال أحدهما الغترة كاشفا وجها بلحية كثَّة. كان ينظر إليك، أثناء جـــرِّه إلى ســـيارة الجيب العسكرية، قبل أن يعصبوا عينيه يقتادوه إلى جهةٍ غير معلومة. صادق وفهد يتفرَّسان وجهك في صمت. لم تفهم تعبيرات الشـــفقة على وجهيهما. كنت ذاهلا. التفتَّ إليهما فور ما اختفت السيارات العسكرية في آخر الشارع وراء بيت الزَّلمات: هل رأيتمـــا وجـــه الرجل؟! حرَّكا رأسيهما يوافقانك. سألتهما وعينيك علـــى آخـــر الشارع: ألا يُشبه خالي حسن؟!

* * *

الفصل الرابع عشر

قوّات التحالف؛ كانت العبارة الأكثر تردُّدا في شهركم الأخير للاحتلال. أميركا التي ما رأيتموها، أطفالا، إلا بصورة تظهر في أفلام الآكشن وبرامج المصارعة الحُرَّة باتت خلاصكم. أميركا تحذر.. تمنح فرصة.. ترسل الجنود وتُحضِّر. أميركا تقود قوّات التحالف لتحرير الكويت. قوات كثيرة من دول العالم. دول عربية. دول أجنبية. دول كثيرة.. كثيرة، ليس من بينها دول.. الضد! كنت ترسم في مخيلتك جيشا قوامه شخصيات رافقت الاسم؛ أميركا. شخصيات سينمائية. أبطال مصارعة. رامبو، جيمس بوند، روكي، هولك هوغان، التميت واريور، مستر تي، سوبر مان، بات مان وسبايدر مان وتيرمينيتور يقودهم كابتن أميركا!

صرتم تترقبون أخبار الحرب. أنتم الذين لا تعرفون الحرب إلا على شاشات التلفزيون أخبارا وأفلاما أو ألعاب آتاري. صرتم لا تخرجون من البيت إلا للضرورة، ولا ضرورة، بعد انقطاع سيارة جمع النفايات عن المرور بشارعكم، عدا إلقاء القمامة، على قِلّتها، في الساحة الترابية اللصيقة ببيت أبي سامي. تنصتون إلى أخبار

الإذاعة. مهلة أخيرة. عدَّة وعتاد. أسماء جديدة؛ طائرات شبح، صواريخ سكود وباتريوت. منشورات ورقية لا يخلو منها بيت. إرشادات سلامة. مولِّد كهرباء. إسعافات أولية. تخزين ما يسهل تخزينه من مواد غذائية. اقتصاد في المأكل والمشرب لم تألفوه قبلا. شموع بديل إنارة. شرائط بلاستيكية لاصقة تُبقي زجاج نوافذكم متماسكا في حال قصفٍ محتمل. إغلاق منافذ الهواء خشية استخدام المحتل أسلحة كيميائية. مناشف وفحم ومواد مطبخ لصنع كمَّامات. الحرب التي حسبتموها خلاصكم، كانت، ولكن ليست بالسهولة أو السرعة التي حسبتم. عنق الزجاجة الذي حُشِرَ فيه العدو، على حدِّ تعبير وسائل الإعلام، كان طويلا. اندلعت الحرب الجوية في السابع عشر من يناير 1991. عاصفة الصحراء كما أسمتها أميركا، أم المعارك كما أسماها الرَيِّس. طال أمدها. سرت أخبار، في الأسبوع الأول؛ القوات العراقية تفتح مصبَّات النفط تضخُّها في مياه الخليج. فهد لا يبدو مازحا وهو يسأل عن حال السمك في البحر. سكان المناطق الساحلية يؤكدون؛ أمواج سوداء. قيل إن الطيران الفرنسي قصف المصبَّات قاصدا دفنها تلافيا لكارثة بيئية. أخبار كثيرة يتناقلها الجيران يناقض أحدها الآخر. كنتم تنامون على أصوات القذائف ورائحة الشموع المنطفئة. تهتزُّ الأرض من تحتكم. يتصدَّع من شدَّة القصف زجاج النوافذ. اجتمعتم، وقت الضربة الأولى، أنت ومن بقيَ من عائلتي صالح وعبَّاس، أسفل السُلَّم حيث هيأتم، وفقا للإرشادات، ملجأكم. تينا تصرخ مع كل انفجار تحجب وجهها بكفَّيها. تحتضنها عائشة تهدئ روعها. فضيلة تبكي. أمك زينب بين دعاء وقراءة آيات

من القرآن الكريم. فهد يبالغ بمراعاة حوراء، يناولها قنينة ماء، يطمئنها. صادق يدسُّ سبَّابتيه في أذنيه الحمراوين. فوزية تلتصق بك تسألك إن كنت تشاهد شيئا. لا خيار لديك عدا أن تكون رجلا. تطمئنها، لا شيء عدا الأصوات التي تسمعين. عواء السلوقي يشبه بكاءً بعد كل دويّ. فهد لم يتمالك نفسه. خرج رغم صراخ عائشة: لا تخرج! عاد بالسلوقي إلى ملجئكم أسفل السُلَّم. تشنجتَ في مكانك. انزوى الكلب في المسافة الضيقة مخفيا ذيله بين رجليه. لم يعد يزعجك. ألِفتَ وجوده بينكم.

كانت الأرض أسفل السُلَّم مفروشة بالمرتبات والوسائد. تحيطكم معلبات الأغذية وقناني المياه المعدنية. تنامون جنبا إلى جنب. الإذاعات لا تزال تحدِّثُ أخبارها في مسامعكم، لا تصدِّقون ولا تكذِّبون. تنتقون من بينها ما تتمنونه حقيقة. انقطعت الكهرباء. لا تدرون إن كان الأمر حكرا على شارعكم أم إنه يتجاوزه إلى بقية شوارع السُّرَّة، أو إذا ما كانت الكويت كلها غارقة في الظلام وفقا لأخبار حول تفجير محطات الكهرباء والماء. قيل إن الجيش العراقي يزمع على الانسحاب. قيل إنهم أضرموا النيران في آبار النفط تفجيرا بعجين تي أن تي يزن أطنانا، انتقاما ربما، أو لحجب رؤية طيران دول التحالف عن القوات المنسحبة برًّا نحو الشمال.

كنتم بالكاد تنامون دقائق بين دويّ انفجار وآخر. مُمدَّدين أسفل السُّلَّم. أمك زينب وفضيلة وحوراء وعائشة وتينا وفوزية، وأنتم الثلاثة، والكلب. أيقظتكم فوزية ساعة شروق يوم ما قبل التحرير. كانت أصوات الطيران ودويّ الانفجارات قد توقفت.

الحرب تلتقط أنفاسها: هل تسمعون ما أسمع؟ أمسكتَ كفَّها تطمئنها: هدير مولِّد الكهرباء في الحوش. هزَّت رأسها: "لأ". وضعت سبَّابتها أمام شفتيها: "اِسمع". سمعتم. خرجتم إلى الحوش تنظرون إلى السماء في نصف إغماضة. كان النور يلوِّن سماءكم قبل ظهور قرص الشمس بالكامل. أخرستكم الدهشة ينظر واحدكم إلى الآخر. عشرات من طيور النورس تفرد أجنحتها تحوم في سمائكم. يضجُّ المكان بأصواتها تُجاوز صوت هدير مولِّد الكهرباء. يحطُّ بعضها متعبا فوق سور الحوش. أنتم لا تجدون تفسيرا لوجودها والساحل يبعد عن السُّرَّة أميالا. انحنى صادق على الأرض يلتقط طائرا. رفعه حاملا إياه من ساقيه. على ريشه لطخات زيتٍ أسود. "ميِّت". ناداكم فهد فور ما فتح باب الحوش الحديدي: انظروا هناك! تكدَّستم عند الباب تنظرون. بعض الجيران في الخارج. بعضهم يطل من النوافذ. مئات من النوارس وطيور الرهيز الساحلية تأخذ دور القطط والذباب والفئران، تنافسها، تعبث في جبل القمامة في الساحة الترابية اللصيقة لبيت أبي سامي. فوزية تسأل: ماذا هناك؟ كنتَ عينيها. تصف لها كل ما تشاهد تاركا لأصوات النوارس إكمال الصورة. استغرقكم المشهد عدة دقائق قبل أن يتحوَّل. ما كادت الشمس ترتفع قليلا حتى اسوَدَّت سماؤكم فجأة. سكتت النوارس. حلَّ الليل في غير أوانه. شرعت أمك زينب تتمتم تتلو الشهادتين. غرق المكان في الظلام. ارتفع صوتها تحثكم: "تشهدّوا.. تشهدّوا.. حانت حانت!". تشبَّثت فوزية بذراعك. ماذا يحدث. لم تملك لها تفسيرا وقد كنت والجميع مثلها تمدون أيديكم أمامكم

تتلمسون طريقكم إزاء ظلمة مباغتة. كما لو كنتم في حلم. أمسكت فضيلة بأمك زينب تدفعها للدخول. تتحسس طريقها. تتوكأ على الجدران. العجوز تنتفض. انتابتها نوبة هيستيريا: "قامت القيامة.. قامت!". تهدؤها فضيلة. وددتَ تسأل عن علامات تسبق اليوم. كيف تقوم قبل أن؟ تطمئنها: "بِيبي زينب.. لا تخافين". ولكنك كنت خائفا كما لو كنت ابن خالك في غرفة مظلمة. دخان أسود كثيف يحجب الرؤية. أخبرتَ فوزية بأمره. صاحت أمك زينب كأنها تذكرت للتوِّ ولدها: "عبَّاس.. عبَّاس". كانت فوزية قد تركت ذراعك. أخذتَ تصيح كمن أضاع ابنته. فوزية! كنت تنادي. لم ترد.

أُضيء مبنى الملحق المطل على الحوش. تسلل النور من نافذتيّ المطبخ والديوانية وباب الحمام المشرع.

جاءكم صوت فوزية من الداخل: "ها؟ شَبّ النور؟".

***

الفصل الخامس عشر

شهوركم السبعة مرَّت مثل دهر. كلمة إشاعة التي اعتدتموها طيلة أيامكم السالفة، لم يلفظها أحدٌ يوم سماع الخبر؛ في السادس والعشرين من فبراير 1991: "الكويت حُرَّة!". خرجتم إلى الشارع، أمام بيوتكم، رغم تلوّث الجوّ وتناوب الليل والنهار عشرات المرات في اليوم الواحد، إثر دخان حرائق آبار النفط. يحمل الجيران أعلاما وصورا لأميركم وولي عهده لم تطلها النيران زمن تجريم الاحتفاظ بها. أنت لم تبتعد كثيرا. كنت على عتبة الباب تمسك ذراع فوزية تصف لها ما يجري. أعلام. صور. أطفال الحيّ ومراهقوه يغنون. يصفقون. الجيران، بعضهم يُمسك بعضًا بما يشبه رقصة شعبية ارتجالية. زغاريد النساء تنطلق من نوافذ البيوت تتوحد مع أصوات النوارس في سمائكم. فهد، رغم ضآلة جسمه، يحمل صادقًا على كتفيه في صورة كاريكاتورية. الأخير يرفع قبضتيه يلوِّح عاليا. يرتفع نفير السيارات يحاكي غناء الشارع. وطني الكويت سلِمتَ للمجدِ. بيب بيب. وعلى جبينك طالع السعدِ. بيب بيب. فرحكم ليس حكرا عليكم. عُمَّال مصريون، بأثوابهم الصعيدية الواسعة، من بينهم جابر المصري، يشاركونكم فرحكم يهتفون:

"بالطول، بالعرض.. يطلع صدَّام مــِ الأرض". فوزية تبتسم، تبكـــي، تُصفِّق تفاعلاً مع صور ترسمها الأصوات في مخيلتها. اقشعرت أبـــدانكم مع مرور سيارات مصفَّحة في شارعكم، تحمل كل واحدة منها علمـــا من أعلام دول التحالف. فوزية تنصت إليك: "أميركـــا.. بريطانيـــا.. فرنسا.. مصر.. صادق يلتقط علم المملكة العربية السعودية ألقـــاه إليـــه أحد الجنود. يرفعه عاليا. يهتف. أحد الجيران فوق سطح بيته يرفع علما أميركيا عملاقا.. الأطفال يرفعون أعلام دول الخلـــيج.. ودول عربيـــة وأجنبية أخرى.. الجنود يهدون الأطفال فواكه وحلوى وبسكويت..". تهزُّ فوزية رأسها تفاعلا مع وصفك. لا تخفي دموعا تلفظهـــا عيناهـــا الثابتتان. اقترب فهدٌ من إحدى السيارات المصفَّحة، يرفعُ كتفيه يُـــدني صادقًا إلى الجندي الأميركي فوقها. يقرِّب صادق كفَّيه إلى جانبـــي وجهه مثل بوق. يرفع صوته: "ماي فاذَر آند هِـــز فـــاذَر إن عِـــراق.. هيلـــپ ذِم پـــليز!". يبتسم الجندي يناوله موزتين.

لم يكونا، عبَّاس وصالح، في حاجـــة إلى مســـاعدة الجنـــدي الأميركي لفكِّ أسرهما. عندما قُدِّرت لهما العودة، كما لم تُقدَّر لمئات من أسرى. جاء أسرُ صالح وعبَّاس في معتقلات البصرة في صالحهما؛ يوم اندلاع الانتفاضة جنوب العراق. انتشرت الفوضى، في الداخل، بعد الحرب وانسحاب الجيش العراقي. جنود طحنتهم الحروب ثاروا على قائدهم. لم يقتصر الأمر عليهم، كما أخبركم صالح بعد عودته عما عايشه وسمعه هناك. خرج الأهالي في الشوارع الرئيسية لمحافظـــة النجف يتجهون إلى مرقد الإمام علي. ارتفعت النداءات في مكبرات الصوت تحث الشعب العراقي على التظاهر ضـــد النظـــام. فُتحـــت

السجون. هرب المعتقلون من أسرى ومرتكبي جرائم. كان الجاران من بين الأسرى الكويتيين الذين تسنَّى لهم الهرب إلى الكويت سيرا على الأقدام، قبل إخماد الثورة قصفا بالطيران العمودي، رغم مزاعم الحظر الجوي الذي تفرضه أميركا على العراق.

عائشة التي ضاعف التحرير شعورها بالفقد تجاه عمك صالح انفجرت تبكي كل شيء. تبكي فرحا لخروج قوات الاحتلال. لعودة الأسير. تبكي، بأثر رجعي، حزنا على فقد أمك حِصَّة. قفز فهد يتعلَّق بأبيه فور دخوله البيت حليق الرأس، نحيل الجسد، محمَّص الوجه، طويل الذقن. صرخ ينبهكم: "أبوي!". ارتفعت الزغاريد من بيت أمك زينب في اللحظة ذاتها. خرجت عائشة من غرفتها بثياب النوم منكوشة الشعر. هرعت إلى زوجها غير مصدقة. فكَّت عناقه وابنه. تسمَّرت أمامه بشفاه مرتعشة. فتح لها ذراعيه باسما يغالب دموعه. دفعته تضرب صدره. صرخت به: حسبتك ميتا.. أذبحك لو كنت! سقطت على ركبتيها تحتضن ساقيه تطلق أنينها بسخاء زامَّة شفتيها. انحنى صالح عليها بجسدٍ ينتفض يقبِّلُ رأسها. لم تمض ساعة على عودة الأسيرين حتى جاءت زوجة خالك حسن بعباءتها ووجهها الشاحب. تمسك ضاويا من يده. تنظر إلى وجه عمك صالح يحدوها أمل مات فور ما أخبرها بأنه لم يرَ زوجها أو يسمع عنه هناك.

رَنَّ جرس الباب بعد يوم من عودة أسيرَيكم. دخلت تينا تخبركم: "بابا عبَّاس". أمرها صالح بأن تدخل الجار إلى الديوانية: مجنونة! كيف يقف الرجل في الشارع؟! كان مزاجه سيئا، كما ينبغي أن يكون مزاج رجل فقد أمه ووقف عاجزا أمام مصيبة حلَّت

بشقيقته. لحقتما بعمك صالح إلى الديوانية حيث ينتظره عمك عبَّاس. كانت جدران الحوش وأرضيته مليئة بالسُّخام. سماؤكم سوداء لا تزال. دخلتم الديوانية. وجدتم أبا صادق واقفا برفقة رجلين من الجيران. بادر أبو فهد وهو يشير إلى المقاعد:

- "إِستريحوا إِستريحوا..".

هزَّ أبو صادق رأسه رافضا:

- "نستريح بعدين..".

سأله عمك صالح:

- "خير؟".

أجابه موجِّها سبَّابته بعيدا:

- "الخير، بعد ما يطلعون الفَلَسْطَن من الشارع..".

"طَلَعوا" من الشارع. كانت آخر مرة تسمع فيها لهجتهم المألوفة عصر ذلك اليوم. ما عادت اللهجة ضمن خليط اللهجات في شارعكم. ما عاد بيت الزَّلمات هناك على رأس الشارع لصيقا بمحل علامين البنجابي، ولا عاد فريق كرة القدم العائلي يشارككم في ساحات السُّرَّة الترابية. ضغط عمّك عبَّاس مكبس الجرس. ضرب الباب بكلتا يديه بقوة. فتح أبو نائل الباب ينظر إلى وجوه جيرانه المكفهرة. بادره عمّك صالح: "اسمع". لم يسمع.

- "اسمع انت.. أصلا بعد ما مات أبو طه.. بَطَّل عنَّـــا أيّ اشي هون!".

قالها أبو نائل قبل أن يُمحى وجوده وأفراد بيته من شـــارعكم. أسَّس له حياةً جديدة في الأُردن. محى كل شيء عدا وجهه الحـــزين في ذاكرتك الملعونة.

***

الفصل السادس عشر

وطني.. وطن النهارْ..
آه يا وطن.. يَلِّي انوَلَدْتْ من جديد..
أنتَ محيط الأرضْ، يا موج البحارْ..
وطن النهارْ..

في أيامكم تلك لم تكن محبة عبدالكريم عبدالقادر حكرا على فهد آل بن يعقوب وحده. كان الصوت الجريح، كما يسميه محبوه، صوتكم جميعا حين غنَّى وطن النهار، وأبكاكم، رغم شُحِّ النهار تحت سماء أبت حرائق النفط إلا أن تحيلها ليلا مستمرا يكسِرُ عين الشمسِ في ذروة شروقها. تنصتون إلى الأغنية في الوقت الذي تستمع فيه مناطق أخرى في الكويت إلى أصوات انفجارات ألغام زرعها المحتل قبل انسحابه. انشغل فهدٌ يبحث عن لونٍ للأغنية. يعجز. يقول: "كل الألوان".

عاد والداك بَرًّا من السعودية بعودة الكويت. عانقتك والدتك طويلا حتى تعرَّق جسدك بين ذراعيها. بالكاد تعرَّفتها. واهنة صفراء تحيط عينيها هالات داكنة. عدتَ إلى بيتكم. وعادت أشياء كثيرة في

وطن وُلِدَ من جديد. وما للمولود الجديد إلا أن يتعايش مع جِدَّة الأشياء ويقبلها بطبيعة الحال، أو، بعكس طبيعتها. عاد عدنان السوري يفتتح محل الجزارة في ملحق بيت العويدل المطل على الشارع. نفضَ علامين البنجابي الغبار عن محل الغسيل وكيّ الملابس. ملأ العتبات أمام باب محله بصاقا بنيًّا افتقدتم رؤيته شهورا. عادت الحياة إلى مجمَّع الأنبعي المغلق منذ الأسبوع الأول من أغسطس 1990. كشف شاكر الهندي واجهة مطعمه الزجاجية يعرض مأكولات تَقطُر زيتا. تظهر وراءه صورة ملصقة على الجدار تجمع أميركم مع سلطان البُهَرة. علَّق البقّال حيدر الإيراني الكُرات المطاطية الملونة ومسدَّسات الماء والسيوف البلاستيكية أعلى باب دُكّانه. وَزَّعَ، فرحا، العلكة والفستق والحبَّ الشمسي على الأطفال، كل الأطفال. عاود جابر المصري نشاطه يدير سيخ الشاورما، يوم دجاج ويوم لحم كما عودكم. يزيِّن سقف المطعم بأعلام كويتية وأخرى مصرية. ألصق أبو فوّاز صورا كبيرة للأمير وولي والعهد وأبراج الكويت على الواجهة الزجاجية. غصَّ مدخل مكتبته بكتبٍ لا تدري كيف وأين ومتى طُبعت. تحمل أغلفتها صورا أصبحت دارجة فيما بعد؛ خريطة الكويت تنزف دما، رسمٌ للرئيس العراقي يمتطي فيلا يتجه نحو الكعبة، رسم آخر لرأسه بجسد ثعبان. رسوم أصبحت تطاردك في نومك لسنوات. غاص سليم الخياط بين قطع الأقمشة يفصِّلُ للأطفال ثيابا بألوان عَلَم الكويت. عاود الحلاق الباكستاني مشتاق نشاطه يزيل الغبار عن اللافتة أعلى دُكّانه، صالون جوهرة السُّرَّة، لا يدري سببا وراء إطلاق الكثير من الرجال لِحاهم

يرفضون أن يُمسَّها بشفرته. حتى عبدالكريم فاجأ فهدًا بظهوره في صورة على غلاف كاسيت وطني بلحية كثّة. قيل إنه الكاسيت الأخير قبل اعتزاله الفن، لأن الفن حرام، ولأن الله هَداهُ أخيرا وتابَ عليه. في حين لم تكن لحيته سوى تمويها أثناء الاحتلال لِئلا يتعرَّف إليه الجنود. سألك فهد: "إذا صار عبدالكريم دَيِّن.. ما يصير يغني؟". أومأتَ مؤكدًا. أجابك: "الله لا يهديه إنشالله!".

عاد خليط شارعكم كما ألِفتموه.. الجميع عدا! صِرتَ تحصي ما لم يعد موجودا في وطنك الجديد. تحسب الأشياء التي أخذتها قوّات الاحتلال معها انسحابا؛ روح أمك حِصَّة، بصر فوزية، وجود تينا ورائحة زيت جوز الهند في شعرها بعد غياب "ماما كبير"، حضور خالك حسن، حرف الراء في لسان ضاوي، صيحات أبي سامح الفلسطيني: "بَرِّد.. بَرِّد"، ونداءات بائع الصُّرَّة اليمني: "خام.. خاام"، وبيت الزَّلمات وفريق كرة القدم، ومعلمي المدارس من الفلسطينيين والأردنيين. غادر مئات الآلاف من الفلسطينيين مخلفين وراءهم بضع عائلات، نالت من حسن الحظ أو سوئه فرصةً للبقاء مع واقع جديد يكفل لهم تلافي مصير غير آمن: نحن من لبنان.

اختفت أغنيات ناظم الغزالي في حوش أمك زينب، العجوز التي عاد أصلها، فجأة، إلى الأحساء. ما عادت بِيبي زينب. صارت: "أمي زينب من الحَسا"، كما يؤكد صادق متحديا لسان جدَّته الذي صار عارًا بعد التحرير؛ لِئلا تحرج حفيديها أمام أصدقائهما تلفت الانتباه: "جدَّتك عراقية؟!". عاشت تأمل بيوم تُفتَح فيه حدود الشمال، تزور أهلها، وإذا ما اقتربت ساعتها ترحل

لتموت هناك، تُدفن في النجف حيث دُفِن أسلافها قرب مقام أمير المؤمنين.

ما عاد للـ "ريِّس" حضور في بيت آل بن يعقوب، والمحبة العراقية فيه صارت سعودية محضة. صار صوت أبي سامح الفلسطيني صوتا آخر، لشابٍّ سوريّ، رغم بهجة أطفال الشارع لصيحاته: "بَرِّد.. بَرِّد"، لم يكن صوته يشبه شارعكم. نداءات بائع الصُّرَّة استحالت رنينا لأجراس بيوتكم، اليمنيون صاروا هنودا، تجار شنطة، غصت بهم شوارعكم، يبيعون البخور ودهن العود وأقلام الكُحل والساعات المقلدة الرخيصة. حُرمتم من مشاهدة مسلسلاتٍ تلفزيونية تورط بعض ممثليها العراقيين بالتعاون مع نظامهم. مسلسلكم الأثير، على الدنيا السلام، لم يكن بمنأى. صار يُبَثُّ بمشاهد محذوفة.

بعد سنوات طوال، سوف تتذكّر، عبدالكريم يصدح بأغنية مُلوَّنةٍ صارت بمنزلة نشيد؛ وطن النهار: "غصبًا على الآلام، ترجع وطن من جديد". تسأل نفسك إزاء وطن رجعَ، أو أرجعوه، بعد احتلال. ترفض الفكرة موقنا بأنهم ما أرجعوه ولكن شبِّه لكم.

لوَّنَ غياب الأسرى الكويتَ بالأصفر. الاحتلال، رغم أنه أخذ بانسحابه الكثير، خلَّف وراءه الكثير أيضا. إعلانات تضمُّ صوَرَ الخراب تحت عنوان "كي لا ننسى". لوحات ولافتات قماشية وملصقات صفراء تحمل شعار "لا تنسوا أسرانا" في الشوارع وعلى جدران البيوت وفي شاشات التلفزيون. سُبَّة جديدة يتداولها صبية الشارع فيما بينهم: "يا عراقي!". عبداللطيف المنير وجاسم المطوَّع

صارا نُصُبا تذكاريا من رخامٍ أخرس عند السوق المركــزي علــى الرصيف المقابل لبيت محظوظة ومبروكة. ألصقَ فهد صورتيهما مــع صورة كبيرة للشيخ فهد الأحمد، على جدار غرفته، بين صور مؤيــد الحدَّاد، أزالها عمك صالح: لا تُلصِق الصور! السبب؛ لأنها حــرام، ولأنها تطرد الملائكة من البيت. سألته عن صور فهد الــتي تعلقهــا عائشة على خزانة التلفزيون، وصور المسيح مصلوبا كانــت علــى جدران غرفة تينا، ألا تفعل فعل صور الشهداء مع الملائكة؟ نظرتــه دفعتك تسحب سؤالك تعتذر: "خلاص.. ما أسأل مــرة ثانيــة!". صور الشهداء والأسرى في بيت عمك صالح، قبل إزالتها، لا تشــبه صورهم في بيت عمك عبَّاس. زوجة خالــك حســن تصــطحب ضاوي، تراوح بين اللجنة الوطنية لشؤون الأسرى ومكتب الشهيد، بحثا عن زوجها في سجون العراق. ولا خبر. مفرداتٌ جديدٌ بعضها، وبعضها ازداد تكريسا، على رأسها دول الضِّد؛ العراق ومن كان في صفِّه من دول عربية. صارت الكويت، كما قال عبــدالكريم عبــد القادر، محيط الأرض وموج البحار. وصــرتم في مســاحة صــغيرة، جزيرة، لا ترى أبعد من نفسها. كل المفاهيم آلــت إلى عكســها. فلورنس؛ التي كانت سُبَّة أبــي سامي ونقيصته، زمن أمك حِصَّــة، وقت كان زوج الأميركية، صارت أعلى شأنا وأرفع منزلة. استبقيتم وصف زوجها، ليس حَطًّا من قدره كما كنتم تفعلون بــل اعترافــا بتفوقه وتفوّق أبنائه بما يربطهم مع امرأة أميركية.

كنت في أول يوم دراسي بعد التحرير. أواخر 1991. في طابور الصباح في مدرسة النجاح المتوسطة. تقفُ بين مئات الطلبة، يرتفــع

أمامكم علم الكويت عاليا في ساحة المدرسة. هتفون للمـــرَّة الأولى بعد وقت طويل: تحيا الكويت.. عاش الأمير.. تحيا الأمَّة العربية، قبل ترديدكم النشيد الوطني بحماسٍ افتقدتموه شهورا، تلحظون تأثيره على وجوه المدرِّسين الكويتيين والعرب. كنتم قد دلفتم الفصل للتوّ بعـــد رنين الجرس يعلن بدء الحِصَّة الدراسية الأولى. بينما يتسابق الطلبـــة على حجز المقاعد في الصَّف الأمامي، تسابقتم أنتم الثلاثة، تجددون عادتكم، لاحتلال المقاعد في الصَّف الأخـــير بعيـــدا عـــن اهتمـــام مُعلِّميكم. ترسمون أزرارًا افتراضية على أسطح طاولاتكم. لم يتغيَّـــر فصلكم الدراسي. عدتم كما تركتموه في المرحلة السابقة. صـــادق وفهد وأنت. تؤرجحون مقاعدكم على قوائمها الخلفية وتســـندونها إلى الجدار. زملاء الفصل أمامكم كما هُم، عدا اكتساب بعضـــهم ألقابا جديدة؛ ابن الأسير أو ابن الشهيد. كنتم فيما مضـــى ثمانيـــة وثلاثين تلميذًا، صرتم أربعة وثلاثين بعـــد غيـــاب عَـــوَض الـــيمني وعبدالفضيل السوداني وسامر وحازم الفلسطينيين.

ما كدتم تضعون كتبكم على الطاولات أمامكم حـــتى دخـــل المدرِّس الأول، الأستاذ مُرهف. في زيارة سريعة. "اقلبوا الكُتُبَ على الطاولات"، أمَركم. قلبتموها. كان على ظهر الكُتُب شعار دائـــري لمجلس التعاون الخليجي يضم أعلام الدول الخليجية السِّت، بالإضافة إلى العراق الذي كان قد انضم إلى بعض المؤسسات في المجلس مـــن بينها المؤسسة التعليمية والرياضية. أمسك الأستاذ مُرهف بواحد من الكتب يشير إلى العلم العراقي يمليكم تعليمات الإدارة المدرسية:

- "بالمزيل الأبيض.. لوِّنوا هذا العلم..".

شرعتم بإزالة علم العراق من الغلاف الخلفي للكتاب. أمركم تفتحون بقية الكتب. يمليكم أرقام الصفحات مرورا على أعلام وخرائط بعض الدول. مُلغى، محذوف، علامة إكس، خارج المنهج. صفحة وجه وظهر.. اقطعوها! سعادتك بتقليص منهاجكم الدراسية لم تثنك عن ممارسة عادتك. رفعتَ يدك عاليا:

- "أستاذ.. أستاذ.. عندي سؤال!".

حدَّقَ في وجهك وسعَ عينيه يتحقَّق مِن كونك أنت:

- "العمى يا نقَّاق! انت لِسَّاتك عَم تسأل؟! لَكْ بعدْنا بأول ساعة بأول يوم!".

أنت لا تفتعل أسئلتك. لا تدري ما الذي يغضبهم. استقمتَ واقفا تُلحِق صرير مقعدك بتساؤلك:

- "أستاذ مُرهف.. قبل شوي، في الساحة، كنا نقول تحيا الأمة العربية، والحين نشخبط على صور الخرايط والأعلام؟!".

جحظت عيناه. تطلَّع إلى وجهك فاتحا ذراعيه:

- "طيب وبعدين؟ شو طالع لي باليانصيب انت؟!".

ثقتك زائدة على ما يبدو حين أجبته:

- "واحد من اثنين.. أما نوَقِّف تحيا الأمة العربية، أو ما نشخبط على الخرايط والأعلام!".

لم يأبه لخيارٍ من اثنين كنتَ قد اقترحتهما. اقترح خيارا ثالثا يُشبه أمرا:

- "أو تاكُل خرا!".

* * *

سيصيرُ الرملُ جَمرا..

ويصيرُ البحرُ نارا..

سعاد الصباح

الفأر الثالث

جَمْر

يحدث الآن 4:56 PM

كلما نشطت تفاصيل الشهور السبعة، أخذتني إليها، تفصلني عن كل شيء عداها. تواجهني بشخص كان أنا، لم أعد أعرفه. تُعرّفني إلى أناس احتفظوا.. بأسمائهم وحسب.

أنا الآن هنا. لا يفصلني عن مقرِّ أولاد فؤادة عدا مئات أمتار، أستطيع مشاهدة البناية، ولكنني عالق في الزحام بين سيارات المتجمهرين ورجال الأمن والإسعاف والإطفاء. كل المنعطفات عن يميني مسدودة بالإطارات المشتعلة وأكياس الرمل. ألتقطُ هاتفي أتصل بابن خالي. لا يرد، في حين صوته في الإذاعة، يكرِّر القصيد، لا يزال. يرتفع تارة. ينخفض أخرى:

تَفَجَّر
إن أفعى الدارِ تخرجُ
من شقوق.. من صخورِ جدرانِك
ثقوبِ عريشكَ القَشِّ
نسيج لحافِكَ الهشِّ
تُمجُّ النارَ في أزهارِ بستانِك
تُصوِّحُ غرسَكَ الأخضرْ

ماذا تفعل، بربِّك، يا ضاوي! أعـــاود الاتصـــال. رُدّ رُدّ رُدّ. لا مشكلة لدي إن غيرك فعل. لا رَد. يهاتفني أيوب. أُسـكت صـوت الإذاعة في سيارتي. يجيء صوته مرتفعا متجـاوزا صـوت الإذاعـة في سيارته: هل جننتم؟! أُطمئنه رغم انفعالي: أنا في طريقـي إلى ضـاوي، ليس المقر بعيدا، سوف أصلح الأمر. يقاطعني: تصلح ماذا؟ اسمع اسمع..

يرفع صوت الإذاعة في سيارته، وهو ليس في حاجة لأن يفعل. صراخ الناطق لا يحتاج إلى غير صمت أيوب: "أولئـك النواصـب الذين اتخذوا من الفئران شعارا بدلا من دين الله يدسّـون السُّـمَ في العسل.. يقول الإمام علي عليه السلام؛ حين سكت أهل الحق عـن الباطل، توهم أهل الباطل أنهم على حق، ويقول الله تبارك وتعالى في كتابه: "وقُل جاء الحق وزهق الباطل إن الباطل كان زهوقا". يا مـن تدَّعون أن الفئران آتية.. ألا أنتم الفئران وإن لبستم ثياب الـ...".

- "أي إذاعة هذي؟".

أسأله رافعا صوتي. يجيب على دأبه ساخرا:

- "الأخ يقول اِحنا نواصب. واضحة! إذاعة آل البيت..".
- "أيوب!".

لا يأبه بمقاطعتي:

- "اِسمع اِسمع جماعتكم!".
- "أيوب!".

ينتقل إلى إذاعة أسود الحق. تبثُّ صوت ضاوي في القصيدة إياها، في نقل مشترك، يعقِّبُ عليها صوتٌ غليظٌ كأن صاحبه يُمسك بهاتف أيوب يصرخ في أذني: "هذا ما تقوله الفئران بمباركة الملاحدة!". يرتفع صوت ضاوي، والأنشودة الإسلامية وراء صوته لا تزال:

تَفَجَّر
قد ذُبحتَ الآنَ
مَرّاتٍ ومَرّاتٍ،
تُراودكَ الذئابُ السودُ
تسرقُ منك نبضَ الرّوح
تُناوشُ لحمَكَ المهدورَ

يصرخ الصوت الغليظ بما أوتيَتْ حنجرته من غلظة: "ألا شُلَّت ألسِنة الروافض.. مَن هُم الذئابُ السود مَن؟ وإن كنا، فإن الذئابَ خير من فئران تطاولتْ على أصحاب الحقِّ. يا من صارت الفأرة رمزكم، وقد قال فيها رسول الحق صلى الله عليه وسلَّم؛ خمس فواسق تقتلن في الحرم: الفأرة والعقرب والغراب والحديا والكلب العقور.

يرتفع صوت أيوب، في الهاتف، ضاحكا: "ما أردى من المربوط إلا المفتلت!".

يكرر الناطق حديثَ النبي صلى الله عليه وسلَّم وفق ما يريده مؤكدا: خمس فواسق تقتلن في الحرم.. خمس فواسق على رأسها الفأرة يا من يُمجِّدُ الفأرة وينادي بحماية الناس من الطاعون!

يسألني أيوب عن صادق وفهد. لا أخبار. يتوسل إليّ إجابة عما جرى. أُنهي مكالمتي أدفعه للبحث عنهما، وسؤالهما عما فعلاه فجر اليوم. أرفع صوت إذاعتنا في سيّارتي. ينهي ضاوي القصيدة:

أشتاتُ السِّباعِ.. النملِ
تشرب نزفَك المسفوحْ
وللجزّارِ شوقٌ عارمٌ للنَّحرِ
للسكينِ نَصْلٌ جائع يَزأرْ

ينتقل البثُّ إلى أنشودة دينية. تردني رسالة نصيَّة من بيروت: "صديقي.. انسى الرواية، انشالله ما انطبعت.. ردّ طمنّي عليك!".

* * *

الفصل الثاني

شهورنا السبعة المظلمة أفضت إلى حالة جديدة. لم تكن مشرقة بالضرورة. بدت أفضل مما كنا عليه قبل الاحتلال، ولكنها لم تكن. شيء ما استغرقني سنوات طوال لإدراكه. لو أن لي ذاكرة، مثل غيري، معطوبة! كنا نتجَّهز لحضور المسرحية الساخرة سيف العرب، أواخر صيف 1992. أول مسرحية للكبار نحضرها. والكبار، دائما، شأن آخر. كنت قد بلغتُ الرابعة عشرة في تلك السنة، ومن حسن حظي أن عمِّي صالح لم ينزعج من وجودي في بيتهم معظم الأوقات. كنت في غرفة فوزية. كحالها لا تشبه غرفة كفيفة. تغصُّ جدرانها بالأعلام والصور والشعارات، وميداليات التكريم المدرسية، علَّقت بينها فستانها الوردي المنفوش، ذلك الذي ارتدته في حفل العيد الوطني قبل سنوات. كنت أقرأ لها رواية بعدما أرسلتني إلى مكتبة البدور لشرائها، كدأبنا منذ فقدت بصرها. نجلس في كرسيين متقابلين. توجِّه عينيها الصامتتين إلى السقف تنصتُ إليّ. كلما أنهيتُ فصلا أتأهبُ للخروج مع صادق وفهد إلى مجمَّع الأنبعي، كانت تناديني: "اِصبر لحظة!". تمدُّ ذراعيها أمامها تحرِّكُ أصابعها في الهواء.

أقرِّبُ وجهي بين كفَّيها. تتحسَّسه. تمرِّرُ إصبعا بين أنفـــي وشـــفتي تتأكد من نعومة شاربـــي. "كتكوت! لا تكبر"، تقول راجية، خشية أن يمنعني شقيقها من دخول بيتهم، في حين لا أفكر في شـــيء عـــدا نعومة كفَّيها وعطرهما على وجهي.

عندما فضلت فوزية البقاء في البيت تنصتُ إلى قراءتي عوضـــا عن حضور المسرحية، عرض عليّ عمِّي صالح الذهاب معهم مستفيدا من تذكرة دخول فوزية. لم أكن متحمسا لحضور المســـرحية لـــولا مشاركة الممثلة حياة الفهد، محظوظة. تخليت عن فوزية. لم تعتـــب. سألتُ فهدًا عن سعاد عبدالله: "مبروكة معاهم في المسرحية؟". هـــزَّ رأسه نافيا يعدد أسماء الممثلين. بدا خلاف صادق وفهد عابرا عندما احتج صادق: "اسمه عبدالحسين عبدالرضا!"، في حين أصرَّ فهد على تسمية دارجة للفنان، بطل المسرحية ومؤلفها؛ حســـين عبدالرضـــا. طال سجالهما، يستميت واحـــدهما يقنـــع الآخـــر. حســـين. لأ. عبدالحسين. يصر فهد على أننا نعبد الله وحده، وأن إلحاق كلمة عبد لغير الله حرام وكفر. ينفعل صادق: "عبد يعني خادم.. وعبدُ الحسين يعني خادمه.. يا حمار!". "لا تسبّ.. اِنتَ الحمار!". "لأ.. اِنـــت!". يتبادلان التهم صراخا. انت كافر. اِنت عراقي. يصمتان ينظران إليّ ينتظران تدخلا، ولكنني أكره لعبة شدِّ الحبل هذه، رغـــم أن أمـــر الأسماء لم يعد يقلقني كدأبه قبل سنوات أربع، بين العُمَرِيَّة والعُمَيريَّة. نظرتُ إلى صادق: "سمّه عبدالحسين.. واِنت..". أشرتُ إلى فهـــد: "سمّه حسين". اتفقا بإجابتهما: "ما يصير!". حضرنا المســـرحية. لا يكلِّمُ أحدهما الآخر.

ذهبتُ بسيارة عمِّي صالح إلى مسرح الدسمة، فيما تبعنا عمِّي عبَّاس بسيارته. أتذكر أن أبا فهد بدا سعيدا بلافتات الحملات الانتخابية تملأ الشوارع، تأهبا لبرلمان 92 بعد تعطيل للحياة البرلمانية امتدَّ لستِّ سنوات. سعادته لم تدم طويلا عند مرورنا في شارع الدائري الثاني، بين الدسمة والدعيَّة، إذ برزت إحدى اللافتات لمرشحٍ يرتدي عمامة سوداء. "عشنا وشفنا!"، هزَّ رأسه يستطرد: "ليت الأمير يحلّ البرلمان".

في صفِّ المقاعد الثاني كنا نتابع أحداث المسرحية. لو أنهم اختاروا لها اسما آخر! كنت أقول لنفسي، مستعيدا كلمات الأغنية في افتتاح بطولة كأس الخليج العاشرة قبل سنتين ونيِّف: "هلا بسيف العرب.. ينحط على يمناي!". ذاكرته سيئة من يتذكر كل شيء، وأنا ملعون بذاكرتي. لو أنني نسيت مثل البقية! أتذكرهم يضحكون ملء أفواههم منذ بداية المسرحية. مثلهم كنتُ أضحك. عدا أمي زينب. أنظر إلى وجهها يلقي عليه المسرح شيئا من إضاءته. بقيتْ صامتة لِئلا تخونها ابتسامة. تقرِّب ساعة معصمها إلى وجهها في الظلام. تتأفَّف. أتذكر فهدًا في نهاية الجزء الأول يدسُّ إصبعيه أسفلَ لسانه. يُطلقُ صفيرا قبل أن يصفق بحرارةٍ، ليس إزاء مشهد مؤثر لاستشهاد بطل المسرحية بطلقة جندي عراقي، بل لأن عبدالكريم فاجأنا بصوته يغني موالا باكيا لا يشبه مسرحية ساخرة: "يا خوي.. لا تبكي على من مات واستشهد". أنا أكره أن أكون ضعيفا أمام الغير. ولكن، منحني ظلام المسرح حرية أن أكون أنا إزاء حزن مباغِت. "من مات لأجل الوطن.. بِـ العون هو الأسعد!". تذكرتُ عبداللطيف المنير

وجاسم المطوَّع ونُصبهما الرخامي. تذكرتُ خالي حسن يوم أُزيح اللثام عن وجهه. ما أردتُ له سعادة ينشدها عبدالكريم عبدالقادر في مواله الحزين؛ من مات هو الأسعد. أتراه ميتا؟ سعيدا؟ تمنيته يعود إلى بيته يقوِّم لسان ولده، يوقف تبوله اللا إرادي، ويخلصه من رهابٍ مزمن تجاه الأماكن المظلمة. يعود بيته، كما كان، هو الأسعد!

الضحك الذي ضجَّت به مقاعد الجمهور، في الجزء الثاني من المسرحية، بدا سخيفا أمام عُبوس أمي زينب. لم يتوقف ضحك عمِّي صالح، حتى السعال، منذ ظهر الفنان عبدالحسين عبدالرضا بلباسٍ عسكري يؤدي دوره متقمِّصا شخصية الرئيس العراقي، يطوف بين فلاحين عراقيين حفاة، يرقصون بثياب رثَّة موغلين في الهزل. نهضت أمي زينب: "هاي مسخرة!". لم يتح لي الظلام مشاهدة وجهيّ صادق وحوراء بشكل جيد. أدري لسان الجدَّة يحرجهما. كانت غاضبة. غاضبة بحق. دفعتْ عمِّي عبَّاس من كتفه تحثه على المغادرة: "العراقيين مو هِيــچ بهايم!". كنت بالكاد خرجتُ من تأثير مشهد الموت في جزء المسرحية الأول. صفعتني أمي زينب بقولها. ندمتُ على عدم بقائي مع فوزية في البيت، أقرأ لها روايات قدّيسها، إحسان عبدالقدُّوس. أنا لا أحب مسرحيات الكبار. تشبثتُ بعباءة أمي زينب: "أروح ويَّاكم!". خرجنا تشيعنا ضحكات الجمهور أميِّز من بينها، أعلاها، ضحك عمِّي صالح. غادرتُ مسرح الدسمة بسيارة عمِّي عبَّاس.

أتذكرني في أواخر عطلة صيف 1993 في غرفة جلوس بيت أبي صادق، بعدما أصبح بيته مكان تجمعنا عِوَضا عن بيت آل بن

يعقوب. أتذكر الغرفة عادت كعهدي بها تحمل جدرانها صور الأئمة والجياد والسيوف، ولوحات رسمها صادق عجزتُ عن فكِّ رموزها. قادتنا حوراء، فهد وأنا، إلى حيث يجلس شقيقها. ثنيت ساقيّ أجلس فوقهما إلى جانب فهد وصادق على الأرض أمام شاشة التلفزيـــون. كنت وفهد قد عدنا للتوِّ من مؤسسة الحَشَّاش للفيديو في الجابريـــة مشيا على الأقدام. رؤوسنا ساخنة، تنزُّ أجسادنا عَرَقا. لم يقوَ فهـــد صبرا إزاء إعلان قرأه في الجريدة. هاتفني في البيت ظهرا: "ألو! بعدك زعلان على أبوي؟". كان يدري بأني أحمل عتبا مريـــرا. الـــذي لا يدريه أن عتبـــي ليس تجاه عمِّي صالح، إنما تجاه الزمن الذي حرمني من دخول بيته بحجة أنني أصبحتُ رجلا. تساهل قليلا، حين أخـــبر شقيقته، إن كانت قراءتي لها ضرورية، فلتكن عبر الهاتف. رفضـــت فوزية. حُرِمنا من جلسات القراءة.

ولأنني لم أُجبه، سألني: "تروح ويّـــاي الجابريـــة؟". لا مجـــال للتخمين: "كاسيت جديد لعبدالكريم؟". تجاوز سؤالي: "غيِّر ثيابـــك بسرعة!". غيَّرتُ مزاجي بسرعة. نسيت مرارة عتبٍ أحمله تجاه بيت آل بن يعقوب. هرعت فورا لتغيير ملابسي. من سوى عبـــدالكريم يدفع فهدًا للمشي، من السُّرَّة مرورا بالجسر، إلى الجابرية ظهـــرا في ذروة الصيف؟! ومن سواه يشفع لصاحبـــي يُرغمني على مصاحبته إلى مؤسسة الحَشَّاش مشيا، احتفالا بمناسبة سنوية يتحرَّق لهـــا فهـــد أكثر من عيد؟! حثَّ خطوهُ مسرعا ما إن لمح صـــورة الكاســـيت الجديد كبيرة على واجهة المحل الزجاجية. اشترى شريطيّ كاســـيت من الألبوم ذاته، وألحَّ على البائع الهندي أن يعطيه صـــورة ترويجيـــة

للألبوم الجديد، كبيرة كتلك التي يعلّقها على واجهة المحل. اشترط البائع: "لازم يدفع نُص دينار زيادة". أعطاه فهد دينارا. بسَط الصورة على منضدة البائع فوق أشرطة الكاسيت وكاتالوغات أفلام الفيديو، يحدِّقُ في عبدالكريم، بدِشداشَتِه الرمادية وعقاله المائل، كمن ينظر إلى أمر خارق. سألته: "ليش بس تحب عبدالكريم؟"، أجاب: "لأنه يغني لي بروحي". لم يُبعد نظره عن الصورة. "ولكن!"، قلت له متردِّدا. ترك وجه عبدالكريم على المنضدة. نظر إليّ يستوضح ما بعد الـ لكن. أجبته: "صوته كبير!". عقدَ حاجبيه ماطًّا شفتيه. شرعتُ أشرحُ له ما لم أجد له وصفا. فتحتُ فمي على وِسعِه: "عـــاااااااا". انزعج: "يا حيوان!". تجاوزتُ شتيمته أسأل: "النسخة الثانية لي؟". أجاب بغير اكتراث: "وحدة لي ووحدة لعمتي فوزية". انفلت لساني يسأل: "شلونها؟". هدأت ملامحه: "تسأل عنك". لم أوارِ مشاعري:

- "ليش منعني عمّي صالح؟".

قال، وهو يحدِّق في الصورة، إنني صرت رجلا. أجبته:

- "أدري.. لكن فوزية عميا!".

أجابني:

- "أدري.. لكنك مفتِّح!".

كنا نقطع الجسر أوبة إلى السُّرَّة. انتصبت على جانبي الطريق، في مقدِّمة الجسر، ألواح غطاها الغبار لصور مربعة

للاحتلال، تحمل شعار "كي لا ننسى". سألتُ فهدًا عن الأشياء التي لن ينساها من زمن الشهور السبعة. عدَّدها. العراقيون الأشرار. دول الضِّد. الشهداء والأسرى. الحرائق والمباني المدمَّرة، حقــول الألغــام وآبار النفط ودخانها الذي حجب الشمس لشهور عدة تلــت يــوم التحرير. كان يتذكر كل شيء بالأرقام. سبعة شهور احتلال. خمسة دول ساندت العراق. ستمائة وخمسة أسرى. خمســمائة وســبعون شهيدا. سبعمائة وسبعة وعشرون بئرا نفطية نفثت نيرانها تحترق على مدار تسعة شهور. أكثر من مليون لغم برّي وبحري. أتذكره يحصي الأرقام في حين كنت أواصل المشي صــامتا. ســألني: "شــفيك؟". أخبرته أن والدتي تريدني أن أنسى كل تلك الأشياء. ســألني عــن الأشياء التي تريدني، السِّت الناظرة، أن أتذكرها. كانت المرة الأولى التي يشير بها إلى والدتي على طريقة أمي حِصَّة. كانت المــرة الأولى التي لم يزعجني فيها الوصف. كانت والدتي كلما شاهدت صورة أو تقريرا في التلفزيون يحمل الشعار "كي لا ننسى" تغلــق التلفزيــون. تُمسِّد رأسي. تُعدِّد الأشياء التي لا تريد لي نســيانها؛ لا تنســى أن الكويتيين عملوا في جمع القمامة بعدما كانوا ملوكا في بلادهــم. لا تنسى أننا أصبحنا لاجئين في ليلة وضحاها في شتى بقاع الأرض. لا تنسى أن بعضنا، رغم إعانات الحكومة في المنفــى، عــاش علــى التبرعات طيلة أشهر الاحتلال. لا تنسى أن البعض ضحى بحياته من أجل وطنه. لا تنسى أننا نسينا كل خلافاتنا واختلافاتنا مــن أجــل بلادنا. لا تنسى أنك لا تساوي شيئا من دون وطنــك. ثم أخــيرا، والأهم، لا تنسى أن الدنيا تدور! سألني فهد: "والتعذيب وحرايــق

النفط والألغام والـ..". قاطعته: "أمي تقول انسى". حدَّقَ في وجهي. سأل: "نسيت؟". لذتُ بصمتي ألتفتُ إلى الوراء أنظر إلى اللوح: "كي لا ننسى". سألني قاطعا صمتي: "وأبوك؟". لا أتذكر حديثا لوالدي إزاء ما حلّ بنا عدا عبارتين لا ينفك يكررهما، الأولى: "مو حرام كل هالنفط احترق؟!"، والثانية: "الله يعزّ الأمير أسقط قروض المواطنين ومديونياتهم".

قطعنا الجسر وصولا إلى شارع طارق بن زياد في السُّرَّة. أصرَّ فهد على زيارة بيت عمّي عبّاس ما إن دلفنا شارعنا. سألته عن أوان الاستماع إلى الكاسيت الجديد. أجابني: "بعدين". هو لم يفعلها من قبل قط. عادته يوم صدور كاسيت جديد لعبدالكريم أن يختفي في غرفته يوما بأكمله. يخرج في اليوم التالي وهو يحفظ أغاني الكاسيت كما يحفظ اسمه.

جلسنا، في بيت عمّي عباس، على الأرض يتوسطنا صادق المهووس بألعاب الفيديو. يحكم كفّيه على مقبض تحكم جهاز الـ SEGA، مأخوذا بلعبة عاصفة الصحراء، Desert Storm، يقود طائرة مروحية أميركية يُصلي جنودا عراقيين رصاصا كثيفا. أفرغ ذخيرته ثأرا إلكترونيا. ارتفعت ضحكاته، تشفّيا، تُجاوز أصوات الانفجارات في الشاشة أمامه. كان عمّي عبّاس يجلس على أريكة خلفنا يتابع حماسنا، يحصي القتلى. وجّهت حوراء شقيقها: "هناك.. وَرا الصندوق الكبير!". فجَّرَ صادق الصندوق وما وراءه. يتغيَّر الرقم أعلى الشاشة يسجِّل عدد القتلى، في حين ننتظر، أنا وفهد، مقبض التحكم ينتقل إلينا لنأتي على ما بقيّ من جنود عراقيين يتمترسون

خلف جدران آيلة للسقوط، نوجِّه صواريخنا إلى خنادق لعلها تخفي أحدهم. نكسر أرقاما قياسية حقَّقها صادق. هتفَ فهد: "حوراء! شوفي شوفي هالحركة!". استبدل قذيفة واحدة كبيرة بطلقات رشاشة تضاعف الأرقام في عدَّاد القتلى أعلى الشاشة. التفتُّ إلى عمِّي عبَّاس أسأله عن ضحايا رصاصاتنا وصواريخنا: "يُعتبرون شهداء؟". أجابني: "لأ طبعا!". عدتُ لمتابعة الشاشة مطمئنا. خرج فهد مع ارتفاع أذان المغرب. انتبهت إلى كيس مؤسسة الحَشَّاش على الأرض إلى جانبي. التقطته أتبع فهدًا قبل أن يدرك بيته المحظور عليّ. سألتني حوراء: "وين؟". أجبتها راكضا: "فهد نسى عبدالكريم". ناديته عند الحوش: "فهد!". لوّحتُ له بالكيس. كان قد أدرك باب حوشهم. أجاب بصوت مرتفع: "اتركه هناك.. آخذه غدا". لم أفهم كيف له، بعد رحلتنا المضنية، أن يتخلى عن الكاسيت بهذه السهولة. نظرتُ إلى داخل الكيس. وجدت نسخة واحدة من كاسيت عبدالكريم عبدالقادر.. "ظماي انت 93".

***

يحدث الآن 5:02 PM

لا شرطة مرور تفكُّ هذا الازدحام الذي لا أرى آخره. أُشفقُ على رجال الأمن والمرور والإسعاف والمطافئ، الموظفين منهم والمتطوعين، لا تكفي أعدادهم لتغطية مناطق الخراب. وجوههم هلعة. ماذا لو كان أحد أقاربهم بين الضحايا؟ ألتفتُ حولي لعل طريقا سالكة بين السيارات تفضي إلى وجهتي. ألمح رسومات لفئران مشطوبة بعلامة X، وشعارات، ممهورة بتوقيع أولاد فؤادة، على أسوار بعض البيوت، احموا الناس من الطاعون، الفئران آتية!

أُمسك بهاتفي أتصفح تويتر. صورة البطاقة الشخصية تأخذ طريقا سالكةً بين مستخدمي البرنامج. كلٌ يعيد تدويرها يُدرج تعليقًا يوجِّهه لضاوي: "إن مَن يعرف مِن أي منطقة تبثُ إذاعة أولاد فؤادة برامجها يعرف حتمًا بأنك زنديقٌ رافضي". يبدو أن مقرَّنا لم يعد سرِّيًا كما يقول أيوب. تعليق آخر يرد على الأول: "اقرأ اسمه، قبل أن تتكلم، وأنت تعرف أنه ناصبي إرهابي". أنظر إلى وجه ضاوي في صورة بطاقة يتداولها الناس. له وجه خالي حسن. ابتسامته الهادئة. أسنانه البيضاء المنتظمة. لحيته الداكنة المُرتَّبة. لا شيء مما تحمله التعليقات يشبهك يا ابن الخال. لا شيء. تختفي الصورة وراء اسم الناشر يصحبه رنين الهاتف: "ألو".

- "يا خَيِّي طز بالرواية.. بس طمني عليك!".

خوف الآخر وخشيته عليك عزاءٌ في حدِّ ذاته. صوتي يخالف إجابتي:

- "آنا بخير..".
- "والله؟".

لا أحيرُ جوابا. يسألني عن الحال. يحثُّني على الخروج بدلا من الاستمرار في. لا جدوى مِن. والحال من سيىءٍ إلى. لا يؤجل سؤاله في نهاية المكالمة:

- "بَعرف الوَقِت مَنّو مناسب.. بس شو قِلِت؟ نطبع الرواية؟".

أنظر ناحية أعلامٍ خضراء وصورٍ كبيرة تعلو البنايات لرجالٍ مُعمَّمين. تشبه، في مضمونها، أعلاما سوداء وصورا تعلو بعض بيوت السُّرَّة ومدارسها. تدفعني الصور والأعلام لأُجيب مشترطا:

- "كاملة".
- "يا رجل موضوعك مهم. دخيل الله حرام يمنعوه مِنشان أربع فصول مَنَّا محرزة!".

ما يجول في خاطري. والازدحام من حولي. كلاهما أو أحدهما يحيلُ نبرة صوتي غاضبة:

- "الحذف ما يغيِّر شيّ! اِنت ما تدري! أوضاع الرقابة بائسة.. اِنت ما تسمع عن مجازر الكتب عندنا؟!".

- "عمّي روق.. روق..".

يدفعه تردُّدي يضغط:

- "هَيدا مَنّو حَكيي أنا.. هَيدا حَكي المحرِّر.. مِنشيل الفصول الأربعة وبوعدك روايتك بتفوت..".

نُنهي المكالمة بما يشبه رهانا. تُجاز، بعد حذف الفصول الأربعة، أو لا تُجاز. وأنا أبحثُ في ازدحامي هذا عن مجاز إلى مقرِّنا. انعطفُ خروجا عن الزحام، صعودا فوق الرصيف، أقطعه إلى الشارع المقابل. تختفي بنايتنا وراء بناية ضخمة. الأنشودة الدينية في إذاعة أولاد فؤادة لا تزال.

- نستأنف بثَّ برنامجنا أحبتنا المستمعين..

يمدِّد ضاوي وقت حلقته اضطرارا. لن يدوم الأمر طويلا يا ابن الخال! الشمسُ في آخر غروبها. أنظر إلى الساعة في معصمي، الخامسة وخمس دقائق. أمامك دقيقة واحدة. أدريك تتحرى أذان المغرب، لن تستمع إليه في الجابرية وفق توقيتك. لا ضير إن جاء متأخرا عن موعدك عشر دقائق، الله أكبر، هذا النداء الذي ما عاد للصلاة وحسب. صار يسبق كل حزِّ سكين وطلقة رصاصة وانفجار. أتحرَّق للوصول، أعفيك من هذه المهمة. سوف أصل قريبا إلى المقرِّ، من أجل نشرة السادسة وفقا لما أرسله أيوب من أخبار على بريدنا الإلكتروني. سأتولى بنفسي بثَّ برنامج صادق "أنا التاريخ كله". يكون صادق قد فتح هاتفه المحمول، ويردُّ فهد على اتصالي

بدلا من عبدالكريم. أتفرغ في التاسعة لبرنامجي "حنين"، ففي هذه اللحظات أحتاج هربًا من زمني هذا إلى زمنٍ ينسيني مشاهدات اليوم. تتوقف السيارات أمامي فجأة عند الإشارة الحمراء. أنتبه إلى صمت إذاعتنا مدَّة بعد عبارة استئناف ضاوي. أرفع صوت الإذاعة إلى آخره. مجموعات تعبر الشارع عن يميني تشير إلى ما وراء البناية الضخمة. آخرون لا يلتفتون إلى شيء عدا طريقهم. أُرهف سمعي مع الإذاعة. صوت بالكاد يُسمع لطرقات متكررة. ونداءات، ربما.. لستُ متأكدا. لعله ضعف الإرسال. لعلها تشوشات إذاعة أخرى. يقترب الصوت. يبتعد. لا يزال غير واضح ألتقط منه بضع كلمات. يا الله يا الله. ينقبضُ صدري. أنظر في نافذة السقف أهرب من ضيقي إلى رحابة السماء. "المطر عند الله"، تنشط الأغنية داخل رأسي. الأرض ترفضني. تلفظني. أتذكر ضاوي كلما استغلقت أموره يقول "يجيب الله مطر". ينهض صوت أمي حِصَّة من سباته، يبتلع صوت ضاوي، تصيح: "راح تطيح علينا السما". أحتاج إلى زرٍّ كزرِّ صادق. أضغطه.. يختفي كلُّ شيء، أو أختفي!

يرتفع نفير السيارات ورائي ينبهني إلى الإشارة الخضراء. "يا الله يا الله". شيء ما يجري لضاوي. قلبي يقرصني يا ابن خالي. أتجاوز الإشارة. تظهر بنايتنا وراء البناية الضخمة. نوافذ مقرِّنا في الدور الأخير تنفُثُ دخانا كثيفا. يرتفعُ أذان المغرب: "الله أكبر.. الله أكبر". ينفجر صوت ضاوي فجأة في الإذاعة. يقترب. يبتعد: اللهم هوِّن علينا ظُلمة القبور.. اللهم وسِّع قبري ونوِّر لي فيه.. اللهم هوِّن علينا ظُلمة القبور..

فجيعتي بمصيرك المحتمل، يا ابن الخال، لم تشغلني، أنتبه إلى حرف الراء سليما في لسانك، يرنُّ في أذني.

"يجيب الله مطر يا ضاوي.. يجيب الله مطر".

***

الفصل الثالث

ذات ظهيرة، ربيع 1994، أمسك فهد بلوح صفيح، بالقرب من السِّدرة. كان اللوح ذات يوم جزءا من قفص دجاجات أمي حِصَّة. رفعه كاشفا عن رملٍ رطبٍ خلّفتهُ أمطار الشتاء الماضي. الأرض مثالية لتكاثر دود القُبّي. شرعتُ وصادق نحفر الرمل بأظفارنا نبحثُ عن دودٍ نشطٍ ممتلئ يصلحُ لاجتذاب طيور الربيع وقت الحَبال. دودٌ كبير ذلك الذي يستحيلُ، تاليا، أبا جعل. بخلاف ديدان صغيرة، في أفضل أحوالها، تتطور إلى خنافس تافهة. لا هواية تُحقِّق متعة الحَبال إلا مُتعة القُمبار لدينا. كرهتُ القُمبار، منذ آخر مرة قَمبَرْتُ فيها قبل ستِّ سنوات، بسبب عمِّي عبَّاس وكلامه المسموم. صارت هواية الحَبال متعة فريدة أبقيتها بعيدا عن عُقَدِ جارَينا. سرحتُ مع زرزورٍ نافقٍ، بالقرب من اللوح الصفيح، تملأ بطنه ديدان صغيرة تتلوّى وتثير الغثيان. نبّهني صادق: ما بالك؟ أقوال أمي حِصَّة لا تفارقني. أجبته: يخرج من بطنك دودٌ يأكلك. لم يعرني اهتمامًا. مددتُ يدي إلى الرمل الرطب. الكثير من الدُّودِ في البقعة أسفل اللوح. شرع صادق يلتقطه بين إصبعيه، يضغط منتصفه، يتحقّق من

صحَّته: "مِدّ إيدك!". كنت قد رفعتُ كفّي عن التراب، صفقتهما ببعض، بعدما رأيت غِيرانا لا قدرة للقُبّي على حَفرها، وفضلات بنيَّة داكنة تقارب حبَّات الرُّز حجمًا. تشمَّمتُ المكان. رائحة ترابية حامضة أعرفها جيدا. ظننتها اختفت. تذكرتُ قول أمي حِصَّة، ليس ضروريا أن تراها كي تعرف بوجودها. صادق وفهد يحسباني أُبالغ إذا ما رحت أصِفُ الرائحة. لا يصدِّقان. أنت واهم.

كانت حصيلتنا كبيرة من الدُّود. لا يكفُّ عن الحركة في قاع زجاجة كولا فارغة. طوينا أطراف دشاديشنا الشتوية الداكنة لَفًّا حول خصورنا. حملنا فخاخنا الشبكيَّة الخضراء وزجاجة الدُّود. حثثنا الخطى إلى برٍّ مِشْرِف في نهاية شارع دمشق. في المنطقة التي سوف تصير سكنية خلال أقل من عشر سنوات. قامت المنطقة بعد ثورة لا مثيل لها ضد ثعالب الحصني والجرابيع والضُّبان والسحالي وقت دخول الحفَّارات وسيارات خلط الإسمنت إلى البَرِّ. يُشاهَد الضَّبُّ خاطفا بين ألسنة الإسفلت يبحث عن مكان آمن. صار الجربوع بلا مأوى، تدكُّ آلات الحفر غيرانه فوق صغاره، يتقافز هلعا من ضجيج أصوات آلات البناء. كان ذلك تحضيرا لتقسيم البَرِّ إلى خمس مناطق سكنية؛ السلام وحِطّين والشهداء والصِّدّيق والزهراء. كان البرُّ القريب مكاننا الأثير وقت حصولنا على رخصة القيادة عام 1996، المكان الوحيد الذي نستعرض فيه بسياراتنا نثير الغبار حولنا بعيدا عن دوريات شرطة المرور. ننهي فوضانا بفرش قطعة سجاد نمضي وقتا هادئا في الظلام بعيدًا عن ضوضاء المناطق السكنية وأنوارها. يتحدَّث فهد عن أسماء المناطق الوليدة. الصِدِّيق نسبة إلى

الخليفة أبـــي بكر الصِدِّيق. يستغرب صادق تسمية منطقة بأكملها؛ الصِدِّيق، في حين اكتفى المسؤولون بشارع يحمل اسم الإمام علي بن أبـــي طالب في السُّرَّة. يُذكِّره فهد بتسمية منطقة الزهراء نسبة لابنة النبـــي فاطمة الزهراء زوجة الإمام علي. "لا تزعل"، يقـــول لـــه. يُصَوِّر حديثهما للسامع مزاحا، ولكنه لم يكن. يبدأ باسم المنـــاطق، وينتهي بما يشبه خلافا حول أحقية أصحاب الرسول في خلافته. من يخلفُ من. كنا في الجزء الذي صار اسمه منطقـــة الســـلام. نفتـــرش الأرض ليلا. نسندُ ظهورنا إلى سيارتي. كنتُ ساهما أتتبع جربوعـــا مفجوعا يقفزُ هنا، وضَبًّا لاهثا يركض هناك. يضحك صادق وفهـــد إزاء حزني لحالها مشرَّدة في الظلام. يهوِّن صادق الأمر بعبارة قالها لي قبل سنتين في المكان نفسه: يموت أحدهم ليعيشَ آخر!

بعد نصف ساعة، قضيناها مشيا حاملين فِخاخنا وزجاجة الدُّود، كنا في البرِّ. مكان آمن، في زمن يسبقُ تشظِّيه إلى خمس مناطق سكنية. في جوٍّ مشمسٍ بارد، تحت سماءٍ صافية الزرقة. انتشرتْ أزهار النـــوّير على امتداد البصر مثل سجادة صفراء لا آخر لها. مضينا في السير نبتعد عن ضجيج الشارع. أحببتُ المكان الربيعي لولا أن لمحتُ كلبا سائبا في الجوار. "هِش هِش!"، طرده صادق يرميه بحجر: الكـــلاب الســـائبة جبانة! همس فهد وهو يشير إلى طائر صِرْد رمادي غير بعيد: "هنـــاك هناك.. حمَّامي عربـــي!". توقفنا على مبعدة من الصِّرد الرمادي، كان مولافاً حول سِدرة جافَّة. يحطُّ فوقها يدسُّ منقاره في ريـــش صـــدره الأبيض قبل أن يطير ثانية. يرتفعُ أسفل السِّدرة، على مبعدة خطوات، تلٌّ صغير لحجارة مهملة. لم نأبه بابتعاد الطائر، واثقين بأن المـــولافَ

يعود إلى مكان يألفه. غرفَ فهد حفنة رملٍ، جعلها تنسلّ من بين أصابعه في الهواء يحدِّد اتجاهها. تطايرت حبَّات الرمل تساير الريح في وجهتها. نقلتُ الأحجار من مكانها أصنعُ تلاًّ باتجاه هبوب الريح صوبَ السِّدرة. أسندتُ الفخَّ إليه أُبرزه أمام الصِّرد الرمادي إذا ما حطّ عائدا إلى الغصن. ندريه يواجه الريح بصدره الأبيض أبدا. غطيتُ أجزاءً من الفخِّ بالتراب. أخرجَ صادق القُبِّي من زجاجة الكولا. التقطه بين إصبعيه يزيل حبات رملٍ عالقة بجسده الأصفر اللزج. ثبَّته في منتصف الفخِّ بخيط مطاطي أحكمَ لفَّهُ عليه. صار القُبِّي يتلوَّى وينتصب بصورة لافتة في سكون ما حوله. ابتعدنا، مئات أمتار، نراقب السِّدرة الجافة، بعيدا بين أزهار النوّير. أقبل الصِّردُ الرمادي، يطير منخفضا، مهيبا يحومُ حول السِّدرة. حطّ على الغصن الجاف يواجه الريح بصدره الأبيض. يتلفَّت حوله والخط الأسود حول عينيه مثل عُصابة اللصوص في الأفلام. تنبَّه إلى حركة القُبّي فوق التلِّ الصخري. لمحتُ الكلب السائب يُقعي بعيدا، بين النوّير، يظهرُ رأسه، مادًّا لسانه، يراقب الطير في مثل جلستنا تماما. هبط الطيرُ على التلِّ الصخري يتلفَّتُ حوله. يحرِّكُ رأسه بما يشبه رقصة شعبية. اقتربَ من الفخِّ. تحفَّزَ الكلب. قرَّب الطائر رأسه إلى الدُّودة حذرا. تسحَّب الكلبُ في البدء. صار الحمَّامي العربي قريبا جدا يناورُ القُبِّي. نقَّلتُ نظري بين الكلب والطائر في حين أنصتُ إلى نبضات قلبي في رأسي. صار الكلب يركضُ نحو الحمَّامي العربي يثيرُ الغبار وراءه من مسافة بعيدة. لم يكن مثل سلوقي أبي سامي وإن ماثله شكلا. كان ملطخا بالأوساخ. شكله مرعب. الكلاب السائبة تنسى جُبنها وقتَ جوعها.

فتح الطائرُ منقاره الأسود. لم نتحرَّك. حبسنا أنفاسنا. نراقبُ الكلبَ في مشهدٍ يشبه أفلام الحيوانات الوثائقية. شيء ما سقط من الذاكرة عندما دوَّى انفجار عظيم ترك صفيرا في أذنيَّ وغبارا كثيفا مثل غيمة سقطت من السماء. استغرقَنا الأمرُ وقتا لندرك أن الكلبَ وطأَ لُغما أثناء جريِه صوبَ فريسته. كانت أشلاؤه قد تناثرت في المكان. كنا نلهث جلوسا. نرتعش. نخشى حراكا يُفضي إلى مصيرٍ مشابه لمصير الكلب. صرنا ندرسُ الخطوة أسفل أقدامنا. لم نهرب في البدء. نتصرَّفُ بغير إدراك. يتلفَّتُ فهد باحثا عن الصِّرد الرمادي، يقول: "فَلَت الحمَّامي العربي". كسرَ صادق زجاجة الكولا محرِّرا الدُّود أسفل التلِّ الصخري. حرَّرَ القُبِّي من قيده المطاطي في الفخّ. لا أدري، إلى هذا اليوم، لماذا لم نطلق سيقاننا للريح خروجا من البرِّ فور الانفجار. ولماذا صرنا نتلفَّت بحثا عن الصِّرد الرمادي وكأن قوَّة خفيَّة تحميه. ندريه يطيرُ منخفضا. ولكنه، رغم ذلك، اختفى. كانت السيارات قد تزاحمت في نهاية شارع دمشق. بداية الطريق الرملي. عند التقاء الإسفلت بالرمل. حملتنا سيارة إلى بيوتنا. نسيت ما قاله السائق صراخا إزاء حماقتنا. نسيتُ كل شيء مثل حُلُمٍ لم أتذكر منه عدا قول صادق إزاء مشهد عظيم. قول صار لا يفارقني: يموت أحدهم.. ليعيش آخر!

تزامن شهر محرَّم مع بداية عطلة صيف 1994. كنت في غرفتي أهمُّ للخروج عندما رَنَّ جرس الباب مساء العاشر من الشهر الهجري. دسستُ زجاجة عطر في جيب دشداشتي قبل ذهابي إلى مجمَّع الأنبعي حيث ينتظرني فهد. وجدتُ صادقًا وراء باب الحوش يحمل قِدرَيّ طعام من الذي تعدّه أمي زينب كل عام في ذكرى أيام مقتل

الحسين. ناولني صادق الطعام: "اِمسك بسرعة". أجبته: "هذا وايِد!". نظر باتجاه بيت آل بن يعقوب، برَّر بأن أمي زينب أرسلته يحمل الطعام. قِدرٌ لنا وآخر لبيت عمِّي صالح. ولكن عمِّي عبَّاس أسرَّ إليه قبل خروجه بأن يكتفي بإيصال الطعام إلى بيتنا متجاوزا بيت جاره اللصيق. سألته عن رغبة أمي زينب، قاطعني: "أعصي أبوي؟!"، ثم راح يؤكد أن أبا فهد لا يأكل من طعامهم. توترت علاقة الجارين ثانية. تركتُ القِدَرين على الطاولة في غرفة الجلوس. تركني صادق ليذهب مع عمِّي عبَّاس إلى الحسينية في اليوم الأخير، في حين ذهبتُ إلى مجمَّع الأنبعي. "تفضَّل!"، صاح جابر وهو يدير سيخ الشاورما أثناء مروري أمام مطعمه: "شاورما؟ ساندويتش مكرونة بالكاتشب؟". اكتفيتُ بالتلويح له هازًّا رأسي. رفع صوته عاتبا: "خلاص؟! جابر بقى كُخَّه وماكدونالدز هو الحِلو!". كان المطعم الأميركي الشهير قد افتتح أول فرع له في الكويت قبل أسابيع. قيل إنه الأكبر، مساحةً، في العالم. قيل إن السيارات تصطف أمامه في طوابير طويلة. قيل إنه يخصص جزءا من أرباحه لدعم إسرائيل. قيلت أشياء كثيرة، ولكن، يفوتك من الكذَّاب صدقٌ كثير. تجاوزتُ جابرا، مرورا أمام مكتبة البدور، حيث اقتعد أبو فوّاز كرسيّا عند الباب: "ما عدنا نشوفك!". افتعلتُ ابتسامة. سأل: "منهو إللي يقرا لبنت بن يعقوب ألحين؟". مططتُ شفتيّ رافعا كتفَّي أهزُّ رأسي. مضيت تاركا إياه ورائي متحلطما: "القَطو أكَل لسانك؟!". تجاهلتُ قِطَّهُ ملتفتا إلى قِطٍّ آخر يجلسُ على صناديق كولا فارغة، يرفع أطراف دِشداشته إلى ركبتيه، يدخن سيجارة، أمام دُكَّان حيدر. لم يكن صاحب الدُكَّان

موجودا. غاب، هو وولده، عن دُكّانه شأن كل يوم عاشوراء في كل سنة. "شلونك فهد؟"، سألته قبل دخولي إلى دُكّان البِقالة. وجدتُ ابن شاكر البُهري ينوب عن حيدر وابنه. يجلس خلف مسطبة العلكة والحبِّ الشمسي. ناولته نصف دينار لقاء علبة سجائر قبل أن أنضم إلى فهد أقتعدُ صندوق كولا إلى جانبه. ما كدتُ أسحبُ نَفَسا من السيجارة، أحدِّق في توهج جمرها منتشيا، حتى نبَّهني:

- "اِسترها اِسترها!".

أخفيتُ سيجارتي، ممسكا بعقبها بين سبَّابتي وإبهامي، مخفيا جمرها وراء كفِّي. حبستُ الدخان في صدري. بالمثل فعلَ فهد، لحين مرور سيارة عمِّي عبَّاس في السِّكة أمام المجمَّع واختفائها في آخر الشارع. كان زجاجها الخلفي يحمل ملصقا صغيرا لتلك الصور التي صارت تنتشر على زجاج السيارات، تشير صراحة إلى طائفةٍ ينتمي إليها صاحب السيارة، بصورة لم نألفها قبل الاحتلال؛ مثل سيف ذي الفقار وسفينة تحمل أسماء الأئمة.

أطلقتُ الدخان من صدري باهتا. سألتُ فهدًا منذ متى يعيرُ اهتماما لأبي صادق لِئلا يراه يدخِّن. لم يرد. سحقتُ سيجارتي بقدمي قبل أن أنهيها. رشتُ العطر على كفِّي ووجنتي وملابسي. أشرتُ بذقني نحو حرفيّ الـ F والـH على جدار مبنى محوِّل الكهرباء أمامنا. تعلوهما كلمات مجتزأة من أغنية؛ "بيني وبينك غربةٍ كنَّها الليل". ممهورة بلقب عبدالكريم عبدالقادر، الصوت الجريح. أخبرته بأنه يهينُ صادقًا بفعله هذا. نظر في الفراغ ينفثُ دخانا كثيفا

من منخريه قبل أن يقول: "صادق أخوي". سألته: "وحــــوراء؟". لم يرد. صاحَ أبو فوّاز يناديه:

- "يا ابن الملوَّح!".

التفتنا إليه. واصل يحذِّر فهدًا:

- "ما ورا هالدرب خير!".

نظرنا، فهدٌ وأنا، إلى بعضنا في حيرة. واصل الرجل:

- "لو أهلكم يعرفون.. يموتون حسرة!".

احمرَّ وجه فهد لم يُحِر جوابا. رَقَّ صــوت أبـــي فــوّاز في نصيحته:

- "اتركها يا وليدي.. اتركها!".

ترك أبو فوّاز مقعده يتجه نحونا يمدَّ إصبعيه، مثل علامة النصر، يقرِّبهما إلى شفتيه:

- "سيجارتك أطوَل منك!".

التقط سيجارة فهد من بين إصبعيه. رماها بعيدا:

- "اتركها يا وليدي!".

***

يحدث الآن 6:52 PM

يرتفعُ هدير مولّدات الكهرباء في البيوت والبنايات وقتَ قطعت الحكومة الكهرباء، في وقتٍ لا مجد فيه إلا للظلام. ذابت رزم الشموع التي أحضرها مساء اليوم، قبل أن يشعلها. مضى قبل أن يواجه ظلاما يخافه. ظلامٌ ساكنٌ لولا وميض أحمر لسيارات إطفاء، وآخر أخضر لسيارة إسعاف، يلقيان لونيهما تناوبا، يكشفان السُّخام، على بنايتنا، وعلى الوجوه المذعورة لسكّان الطابق العاشر. يجلسُ بعضهم على الرصيف مستسلما لإسعافات أولية. يتنفّسُ عبر كمّام. أحتاج كمّامًا يقيني رائحة نتنة ألِفَها الجميع إلا أيوب وأنا. يُحدِّث واحدهم الآخر بأن الحريق كان بسبب تماسٍّ كهربائي. يعزوه آخر إلى موقد الطبخ. يقاطعهما ثالث؛ عثور رجال الأدلة الجنائية على جالون فارغ، والكثير من الفئران الهاربة من الشقة المشتعلة، في ممرِّ الدور العاشر. كان باب الشقة مقفلا والمفتاح في مقبض الباب من الخارج. يُلمِّحُ أحدهم إلى شبهة جنائية. يسأل صاحبه يتأكد من موضع المفتاح من جهتيّ الباب: "وين المفتاح؟". تختفي أصواتهم مع أصوات سيارات الإطفاء والإسعاف. يتردَّد الصوتُ قديما داخل رأسي في غير وقته، يراوح بين مبتدأ الأغنية وختامها: "المفتاح عند الحدَّاد"، "والمطر عند الله". مُسعفان، بثيابهما البيض، يكشفُ عنهما باب البناية، يسيران في عجل نحو سيارة إسعاف مشرعة بابَيها تنتظر

قدوم قطعة صغيرة على نقّالة جرحى. لا أدري لِمَ العجلة. أسحبُ رجلي العرجاء صوبَهما. يدفعان النقّالة إلى السيارة. أستمهلهما:

- "لحظة.. لحظة!".

أُمسِكُ بذراع أحد المسعفَين وهو يطبق بابيّ السيارة. يفتح ذراعيه يمنعني من الاقتراب. وجهه صارم:

- "ما يصير!".

أرجوه:

- "طلبتك يا خوي.. لا تردني..".

ينظر إليّ يسأل:

- "قريبك؟".

تنفلتُ مني عبره:

- "ولد خالي..".

تلين ملامحه. ينظر إلى زميله. يهُزّان رأسيهما يعاودان فتح الباب. أتقدَّم نحو ما تبقى من ضاوي تحت اللحاف الأبيض داخل السيارة. يُمسك الرجل بكتفي:

- "تقدر؟".

أومئ برأسي مؤكدا. كفّه تطبق على كتفي لا تزال:

- "أكيد؟".

أمرِّرُ إصبعي أسفل أنفي أمسح ما تحالف مع دمعي:

- "أكيد".

أجلس على ركبتيَّ قرب النقّالة داخل سيارة الإسعاف. أُمسِكُ بطرف اللحاف أزيله ببطء. إن كان اللثامُ، ذات يومٍ، قد كشف عمَّن كنت أظنه يُشبه خالي حسن، فإن اللحاف في سيارة الإسعاف يكشف عما لا يشبه ابنه. شيء يشبه الجسد ينثُّ رائحة شواء بعدما كان دهن العود عطره. وعدتني يا شيخ بالمطر. أهكذا ترحل يا رجل، يا ابن فؤادة، بلا مطر؟ تغيب يا ابن الخال، ولو يعود الخال عنك يسأل، ماذا أقول؟ هل أقول له هاك بواقي ابنك وقد صار جُرما متفحِّمًا بطول ذراع؟ حمله رجال إطفاء يسلِّمونه لرجال إسعاف فات أوان إسعافهم. رحلت بجزء متفحِّم وأجزاء رماد أورثتْها نارٌ قديمة. خلَّفتَني وراءك إذن. خلَّفتَ حرف الراء مُعاقا في أُذني يشتاق إلى لسانك. وقِدرَ طعام وفندوس تمرٍ ينتظران يمينك. غابت الشمسُ عن شمسك وقت أذان المغرب. وقتَ عانقتْ السماء ظلمتها و.. لم تمطر. أعيد اللحاف فوق الجسد المتفحِّم. أنظر إلى بُروز الجسد تحته. ماذا لو كان شخصا آخر؟

- "شِد حيلك..".

التفتُّ إلى مصدر الصوت ورائي. أجدُ أيوبا. يملأ السُّخام ثيابه ووجهه وكفَّيه. التفتُّ إليه وكأن بيديه أن يغيِّر أمرا كان محتوما. أو أن يجيء بخبر يكذِّب ما حدث. لربما كان ذلك الشيء على النقالة يخصُّ آخر غير ابن خالي.

- "أيوب! جابك الله..".

أهرعُ إليه أقول:

- "لا تخاف.. مو أكيد.. مو أكيد..".

يبتسم، والدمع يرسم خطين على سخام وجهه. ابتسمتُ بالمثل. هززتُ رأسي:

- "آنا ما شفت وجهه.. يمكن مو ضاوي.. حتى ريحته غير..".

ينظر إلى وجهي مستغربا. أُمرِّر إصبعي على أسناني. أتذكر سِنِّي المفقودة. أضحك. أسأله لماذا ينظر إليّ على هذا النحو؟!

يعانقني. ينتفض جسده.

* * *

الفصل الرابع

كنت وحيدا في البيت. بداية عطلة صيف 1995. أحببتُ بيتنا أكثر من أي وقتٍ مضى، منذ استعصى دخولي إلى بيت آل بن يعقوب، ومنذ اشترى والدي قطعة أرض كبيرة في شارع أبي حيان التوحيدي في الروضة ليقيم بيتا جديدا. الروضة لا تبعد، عدا بضع دقائق بالسيارة، عن السُّرَّة. ولكنني أكره أن أكون في مكان غير مكاني. كانت والدتي في السوق تحضِّر حاجياتها، مثل كلِّ سنة، قبل سفرنا إلى لندن. لم أفكر في إقناعها ببقائي في الكويت، ولا معين لي في إقناع والدي بأنني سوف أكون أمانة لدى من؟ كنت قد طلبتُ من والدتي ألا أسافر معهما قبل سنتين. أجابت: "والله، إللي رفع السما، ما تقعد دقيقة بروحك!". رضختُ، رغم أن لا علاقة للسماء بالأمر. كان والدي، الغائب عن البيت في الغالب، أكثر غيابا مع انشغاله في بناء بيتنا الجديد. لم يعد لوالدي وجود أو أهمية في حياتي. ليس بسبب غيابه الدائم عن البيت، بين الشركة ومتابعة البناء، إنما بسبب غيابٍ عن السُّرَّة يُمهِّدُه لنا. هو لا يفهم ماذا يعني اقتلاعي من ذلك المكان. كان يحدثني عن الديوانية الكبيرة المطلة على

الحوش، وعن حمَّام السباحة والجاكوزي والسونا وغرفة البخار في سرداب بيت العُمر. يُزعجه عدم اكتراثي بخرائط يبسطها أمامي لهيكل البيت الجديد: "وين تَبي غرفتك؟". تترجم عيناه حَنَقا تسكتُ عنه شفتاه إزاء إجابتي: "أي غرفة.. ما تفرق".

رَنَّ هاتف البيت مساء. حيَّتني خالتي عائشة قبل أن تقول: "خذ كلِّم فوزية". فَزَّ قلبي لسماع الاسم. كانت أول مرَّة تطلب الاتصال منذ حظري من دخول بيتهم بتهمة تجاوزي السِّن القانونية. جاء صوتها مغلَّفا بعتب شفيف:

- "خلاص كتكوت؟ صرت كبير علينا؟".

رغم المكانة التي تحتلها فوزية لدي. ضايقتني كلمة كتكوت. أجبتها ذاكرا تهمة أعتزُّ بها؛ أنا رجل! أطلقتْ زفرة قبل أن تُعقِّب: لستَ رجلا. قاطعتها مبحلقا:

- "نعم؟!".

أتمَّت جملتها:

- "اِنت شيخ الرجال..".

لم أتمالك شوقي إليها وإلى صوتي يقرأ روايات إحسان عبدالقدُّوس في غرفتها و..

- "فوزية آنا وايِد ولهان عليك..".

لم تمهلني أُتمم ما أردتُ قوله. اندفعتْ تقول:

- "تدري؟ لو ترجع عيوني دقيقة وحدة.. ما أَبـــي أشوف غير وجهك".

نبَّهتني خلال خرَسٍ أصابني:

- "كتكوت!".

انفلتت ضحكتي عالية. سألتني:

- "طلعت لك شوارب؟".

تحسَّستُ شاربـــي من دون أن أجيب. استطردتْ:

- "ما عليه.. آنا كلمت صالح.. وافق اِنك ترجع تقرا لي".

سألتها كيف رضخ لها وهو، كما تقول، أسدٌ عليها. ضحكت تخبرني بأن عائشة هي من فعلتْ، لأن قراءة فهد لروايـــات إحســـان عبدالقدُّوس سيئة جدا، ولأن عائشة تقرأ بصوت عالٍ مثل مدرِّسة في فصل، ولأنني لا أزالُ كتكوتا في السابعة عشرة من عمري وهـــي في الثالثة والعشرين. قالت متجاوزة كلَّ شيء:

- "أمي، الله يرحمها، كانت تحبك وايِد..".

اختنقتُ بعبراتي. أردفتْ تقول:

- "وآنا بعد..".

جاوزتْ مشاعري مقدرتي على النطق. قالت:

- "يالله تعال".

طلبتُ منها أن تمهلني وقتا أحضِّر فيه سيفي البلاستيكي أولا. خانتها ذاكرتها. سألتني لماذا السيف؟ جررتُ مشهدا بعيدا: لكي نتبارز. أنا بالسيف وأنتِ بأنفكِ. ألجمتْ ضحكتها تفتعل غضبا: "كتكوت!".

أجبتها:

- "آنا آسف فوزية".

ارتفع صوتها:

- "نعم؟!".

تداركتُ:

- "آنا آسف عمتي..".

* * *

يحدث الآن 7:15 PM

تبتعد سيارات الإطفاء والإسعاف والنجدة بضوضائها، مخلِّفة صمتا وروائح دخان تخالط الهواء الفاسد، وبِرَك المياه حول البناية. يختفي الناس في بيوتهم، خشية رصاصات رجال الأمن، المشروعة، وقتَ إعلان مفاجئ لحظر التجوّل بدءا من السابعة. الظلام المعقول خارج البناية لا يشبه الظلام في الداخل. نمدُّ أيدينا أمامنا كمن يغوص في حبر. نتحسَّس الجدران. نقطع السلالم صعودا إلى الدور العاشر. ينتبه أيوب إلى مشيتي. يسألني ما بالك تعرج؟ "ولا شي". أصوات مروحيات تجوب المنطقة. نعيبُ تبَّاع الجِيَف قريب جدا يملأ صداه المكان. أعيرة نارية تخترق الصمت في الخارج. يسبقني أيوب يمدُّ هاتفه المحمول أمامه، يبدِّدُ ضوء شاشته ظلام السلالم. أحتفظ بهاتفي في جيب دِشْداشَتي لِئلا تنفد بطاريته قبل اتصال من فهد أو صادق. يتوقف أيوب يدسُّ كفَّه في جيبه يخرج زجاجة عطر. يصبُّ في راحة كفِّه. يقرِّبها إلى أنفه يتنشَّق مثل مدمن. يمدُّ كفَّه إليّ. أتزود بالرائحة قبل أن نمضي صعودا. أعبث بأزرار هاتفي أتصلُ بضاوي. الجهاز مغلق. يهمسُ أيوب: "اِنتبه". أنتبه إلى ضوء هاتفه يزيحُ ظلمةً عن جسدٍ متكوِّمٍ على درجات السلَّم. أنحني على الجسد اتحقَّق من هويته لربما يكون. ولكنه لم يكن. جثة شاب يبدو في أوائل الثلاثين بنظارة طبية سميكة الإطار. يضمُّ ذراعيه إلى صدره يحضن أوراقا. أُمسِكُ

بواحدة أسأل أيوبا أن يُقرِّبَ ضوء الهاتف. تتضح حروف العبارة على الورقة: "الدين غفلة!". يغمغم أيوب: لا عجب في أن يتجنبه رجال الإسعاف! أهزُّ الجسد الملقى لعل فيه حياة. "ميت!"، يقول أيوب. أُقرِّبُ أُذني إلى صدر الشاب. يكرِّر أيوب: "ميت". يدير إضاءة هاتفه المحمول نحو آخر السلَّم. بالكاد أرى جسما يجاوز الذراع طولا ينتصبُ فوق الدرابزين. نواصل المشي صعودا. أتبَّين تبَّاع الجِيَف ضخما. أنظر إليه لأول مرة من مسافة قريبة جدا. إنه كما يصفه الناس؛ له جسد العُقاب ورأس البومة ولون الغراب. يحدِّق في الجثة وراءنا. تتناهى إلى مسامعنا أصوات ضربات قوية بصدى مكبوت. يلتفتُ أيوب نحوي يشيرُ إلى مصدر الصوت؛ المصعد. يتهلَّل وجهي. لعله ضاوي. أحثّه لنسرع إليه قبل أن يقتله الظلام. أيوب لا يرد. نحن بين الطابقين الثاني والثالث. نصعد نحو الباب المؤدي إلى الممرِّ بين الشقق. أركض في العتمة صوبَ المصعد العالق، وصوت الضربات على بابه لا يزال. أصيح: "منهو؟". يجيبني صوت صبيَّة، من الطابق العلوي، تستنجد. تنتابني خيبة. أُدير ظهري لأيوب في الممر. أقول له قافلا نحو السلالم:

- "مو ضاوي..".

يُنبِّهني صوته، ورائي، هادئا:

- "والبنت؟".
- "عادي.. الصبح ترجع الكهربا.. ما راح تموت!".

يمسكُ بذراعي. ألتفتُ إليه أنظر إلى وجهه بما يتيحه ضوء شاشة الهاتف في يده. أستغربُ الحيرة في ملامحه. نحن عجزنا عن مساعدة أنفسنا. ما باله يتحلى بشهامته لا يزال. أسأله لماذا ينظر إليّ كمن ينظر إلى مجنون. أُمسِكُ بيده أحثّه يتبعني صعودا إلى الطابق العاشر. يسحب يده. يصرخُ بي:

- "اِنت مجنون؟!".
- "اِنت المجنون!".

لا أمهله يفوه بكلمة. أنفجر في وجهه لعله يثوب إلى رشده:

- "أختك؟ بنتك؟ قريبتك؟!".

يعقد حاجبيه يستنكر قولي. أعقد حاجبيَّ أستنكر نظرته لي. مالنا نحن ومن يعلق في مصعد ما دمنا، كلنا، عالقين في هذا المكان الذي يسمونه وطنا. أصرخ في وجهه: "اِصحى اِصحى!". تنطفئ شاشة الهاتف في يده. نغوص في الحبر والصمت ثانية. ألمٌ مباغت، في خدِّي الأيسر، يصحبه صوت كالبرق يسقطني أرضا. صبيَّة المصعد لا تزال تطلق نداءاتها تستنجد. يركض أيوب إلى السلالم نحو الطابق الذي توقف عنده المصعد. أمسحُ بكفِّي موضع الألم في وجهي أبرِّده. صفيرٌ في أذني اليُسرى يمزِّق صمت المكان. أحبو نحو الزاوية ألوذ بها مثل فأر مذعور. أرتجف. أتخيل صورا أخيرة لضاوي. تلتهمه النيران. يصرخ ألما. يصرخ ذعرا. يصرخ تضرعا لله أن يأتي بمطر أو يهوِّن ظلمة قبر. الصبيَّة تضرب باب المصعد. ضاوي، داخل رأسي،

يضرب باب الشقة المقفل من الخارج والنيران تشتعل في دِشْداشَــتِه. يترك آثار كفّيه سوداء على الباب. يصيح.. مطر مطــر.. تضــحك النيران. تصرخ صبيَّة المصعد. تصرخ فــؤادة: احمــوا النــاس مــن الطاعون! وأنا.. أنا الطاعون. أنا من جئتُ بكل هذه المصائب. فهد وصادق، لو أنكما لم تلحقا بــي في الساحة الترابية. ضاوي، لو أنني لم أطلب منك المجيء. جئت بسببــي. مــتَّ بسببــي. أســتعيد صوتك أنصتُ إليه مشوشا في الإذاعة. يا الله يا الله. أُغطي وجهــي بكفَّي. أئِنُّ. أنتحب. ينحني أيوب عليّ. لا أدري كم مرَّ من وقــت وأنا أهذي. يمسكُ بكفَّي يزيحهما عن وجهي. يحملُ مصباحا يــدويا في يد. وفي يده الأخرى يطوِّق صبيَّة المصعد بجسدها النحيل وثوبهــا الأسود. بنتٌ صغيرة. تبدو في التاسعة. العاشرة على أبعــد تقــدير. تنظر إليَّ منكوشة الشعر. تزيح خصلات تغطي عينيها الواســعتين. "عمِّي.."، تقول قبل أن تنفرج شفتاها الورديتان عن سؤال:

- "اِنتوا عيال فؤادة؟".

أنظرُ إلى أيوب بالكاد ألمحُ ابتسامته. راحت الصــبيَّة تــروي حكايتها. منذ اقتحم بيتها أفرادٌ ملثّمون، يرتدون الأسود، قبل ثلاثة أيام. يجرُّون والدها على الأرض بعدما أوسعوه ضربا، أمــام بناتــه، بسبب نشاطه ضمن جماعة مخالفة للقوانين العرفية. جرت الحادثة بعد يوم واحد منذ أُطلِقَ سراحه من معتقل التحرير. هي ابنة كبرى بــين ثلاثٍ ماتت أمهم في تفجير مجمَّع الآڤِنيوز قبل ثلاث سنوات. "أمــي راحت عند الله.. لكن أبوي..". تقول إن أخواتها في رعاية الجيران،

في الوقت الذي أمضت فيه أيامها الثلاثة، على ضفَّة نهر البَين تنادي والدها، لأن الناس يقولون إن كل أولئك الذين اختفوا، منذ اشتعال الحرب، يستقرون في قاع النهر. "لكن أبوي ما يرد عليّ!". حملها رجل شرطة إلى مقرِّنا من أجل أن نذيع خبر اختفاء والدها، لعلَّ أحدهم يعرفُ له مكانا غير قاع نهر البَين. امتقع وجهي أنظرُ إلى أيوب. هزَّ رأسه يؤكد ما كان يحذر منه دائما. مقرُّنا لم يعد سرِّيا. قالت الصبيَّة إن الشرطي حذَّرها من ترك البناية والخروج ليلا. تُنهي حكايتها بسؤالي مجدَّدا:

- "عمي.. اِنتو عيال فؤادة؟".

"اِحنا عيال كلب"، أقول في سرِّي. بأي وجهٍ أجيبها، وأنا لا أملك عدا وجه لا يحمل إلا الضعف. لا يشبه وجوها رسمتها الصبيَّة لمن تسأل عنهم. أتجاوز سؤالها بسؤال عن اسمها. تجيب:

- "حِصَّة..".

كيف لدهن العود أن يرافق الاسم على هذا النحو، ينتشر في الجو رغم رائحة الحرق وعفونة الهواء. أختنق بصوتي:

- "إي حبيبتي.. اِحنا عيال فؤادة..".
- "اِنتَ أي واحد فيهم؟".

يجيبها أيوب باسما:

- "هذا الكاتب".

تقترب مني. تلتفت إلى أيوب تأخذ منه المصباح اليدوي. توجِّه النور إلى راحة كفِّها. تُريني رسمة فأرٍ مشطوبٍ بعلامة X:

- "آنا أحبكم وايِد..".

قبَّلتُ كفَّها الصغيرة:

- "وِاحنا نحبك.. حِصَّة..".

***

الفصل الخامس

"اترك باب الغرفة مفتوحا"..

قالها عمِّي صالح أثناء ارتقائي السُّلم، بصحبة فهد، إلى غرفة فوزية. كنت مرتبكا في بيت آل بن يعقوب على غير عادة. شعرتُني غريبا، وكأني في بيت غير الذي كان مصنعا لأجمل ذكرياتي. حتى تمثال أمي حِصَّة، بعباءته القديمة، في زاوية غرفة الجلوس لم يدفعني لتجاوز شعوري ذاك. لم يحرِّك فيَّ إلا غصةً ظننتني ابتلعتها خلال السنوات الخمس منذ رحيل جارتنا العجوز. ما كدتُ أعبر باب الغرفة، أطأ سجادها الوردي، أنظر إلى فوزية متأهبة في كرسيِّها. حتى شرع فهد ينقل نظره بيننا، يومئ بيديه كأنه يعزف على آلة العود. يرمش ساخرا. يُغني أغنية اختار لها ألوان قوس قزح: "شفتك شفتك، قلبي رجف، صبري ضعف". عينا فوزية تجاه السقف، شحيحتان بَصَراً سخيتان دمعًا. ابتسمتْ تلوم ابن شقيقها على انتقاء هذه الأغنية تحديدا: "ما لقيت إلا.. شفتك؟!". أجاب فهد بأن الأغنية ليست لها. خَزَرني: "الحكي لك يا جارة!". ردَّدت فوزية كلمات أغنية أخرى لعبدالكريم من دون أن تغنيها: "حتى النظر ما

يفيد، وان جاك عِذره..". قالت ليس فهد وحده من يحفظ أغنيات عبدالكريم. صفّق لها ابن أخيها يبتسمُ وسع شفتيه. مدّت كفّها في اتجاهٍ غير الذي كنت أقف فيه. سارعتُ إليها بكفّي مصافحا: "شلونك فوزية؟". أجابت: "هلا بأخوي.. هلا بنظر عيني". في حين واصل فهدٌ غناءه يحرِّكُ يديه يعزف على لا شيء: "شفتك يا لهفة خاطري.. لوني تغيَّر وانخطف". لمحتُني في مرآةٍ لا أهمية لها في غرفة فوزية، في حين كانت كفّها في كفي. جاء وصفُ أغنية فهد يشبهني تماما. كنت أُنصِتُ في داخلي إلى صوت عبدالكريم في أغنية غير أغنيتيّ فهد وفوزية: "كانت معي، طول العمر، عين وهَدَب.. كانت معي، من الصغر، حبّ انكتب"، لأكتشف أن عبدالكريم يغنينا كلنا، ليس كما اعتاد فهد أن يقول: "عبدالكريم يغني لي بروحي". لم يعد صوته كبيرا. صار في مثل سنّي، أو ربما أنا الذي صرت مثله كبيرا مع نموِّ شاربي.

لفتني وجود كراسٍ أربعة عوضا عن اثنين ألِفتُ وجودهما في المكان. لم يمضِ وقت طويل قبل أن تنضم إلينا حوراء، بحجَّة زيارة فوزية، تحتل الكرسيّ الرابع. سافر أبوها برفقة جدَّتها، إلى الأردن، أرض مخاتلة بين أرضين ممنوعة واحدهما عن الأخرى، تصلُ الأقارب، من الكويتيين والعراقيين، ببعضهم. تعود أمي زينب، في كل مرَّة، بحنين أقلّ تجاه أهلها، وآخر مضاعف لمكان لم تطأه منذ ما يزيد على خمسة أعوام. لم أُبدِ دهشةً إزاء سفر أمي زينب للقاء أهلها في الأردن، خلافا لما قاله صادق عن سفر جدَّته إلى أهلها في الأحساء. احتلّت حوراء المقعد مقابل فهد. "ينقصنا صادق"، قلتُ،

رغم يقيني بأن لا وساطة من شأنها تسهيل أمر زيارته، ولا هو مهتمٌّ بدخول بيت آل بن يعقوب الذي لم يعد يتَّسع إلا لبعضنا وبالحيلة. كنت قد مررتُ على مكتبة البدور قبل مجيئي، أحمل رواية نصحني بها أبو فوَّاز، "ثقوب في الثوب الأسود" لـ عبدالقدُّوس. لم يتردَّد فهد، إزاء رؤية الرواية بين يديّ، يقول: "ثقوب في عباءة تمثال أمي حِصَّة!". عقدت فوزية حاجبيها متنهِّدة: "الله يرحمها". سألتْ إلامَ نشتاق في غياب أُمِّها؟ أجمعنا على فقد أشياء كثيرة. "مثل شنو؟". أصرَّت أن نُحدِّد. أجابت حوراء بأنها لا تفتقدها كثيرا، لأنها، منذ كانت طفلة، تشعر بأن أمي حِصَّة هي نفسها بِيبي زينب. تلعثمت قبل أن تعيد آخر جملتها متخلية عن لقب بِيبي مستعيضة عنه بـ أمي. ختمتْ بأن أمي حِصَّة لم تمت. ابتسم فهد وهو يُبرِزُ أصابع كفَّيه مثل مخالب. قال إنه يشتهي أچارها الشهي مع مطبَّق السمك. استلَّت فوزية نَفَسا عميقا. قالت إنها تشتاق إلى رائحة دهن العود في مِلفَع أُمِّها. نظر الثلاثة إليَّ يتحرَّون إجابتي. كنتُ أشتاق إلى سوالفها وقصصها حول جنّيات السِّدرة والحيوانات والأشجار الناطقة وبنات كيفان ونجم سهيل والفئران الأربعة. قاطعني فهد: "الفئران الأربعة؟!". سألني إن كانت جدَّته قد حَكَت لي بالفعل تلك الحكاية. لستُ أدري لماذا هززتُ رأسي إيجابا. أمنحني امتيازا لم يسعف الوقت أمي حِصَّة لتمنحه لأحد. تحمَّس فهد يرجوني أن أحكي له ما لم تحكه الجدَّة. أجبته: "بعدين!". تدخلت فوزية تسألني أن أحكي لهم شيئا مما أذكره من سوالف أمها. سألتها: "وإحسان عبدالقدُّوس؟". أجابت: "بعدين". لم أُثِر فضولهم حينما بدأتُ أُعدِّد

أسماء القصص التي نحفظها. بدا عليهم الفضول حينما نظرتُ إلى وجه فوزية أخبرهم بأنني أحفظُ الجزء الثاني من قصة سهيل. قصة أجمل جُرمٍ سماوي في درب التبَّانة. بدا الامتعاض على وجه فهد ينقل نظره بين وجهي ووجه عمّته في ريبة. سألتني فوزية: "اِنت متأكد إن أمي تعرف درب التبَّانة أصلا؟!". أجبتها بسرعة: "هي قالت إن الأبلة علّمتهم في محو الأُميَّة!". استندتُ إلى ظهر الكرسي. مهدتُ لقصتي: "زور، ابن الزرزور، اِللي عمره ما كذب ولا حلف زور..". تهلَّل وجه فوزية.

"حين اختفى سهيل في جنوب السماء حاملا ذنبه الكبير، وراح شهاب يبحث عنه حاملا سراجه أمامه، سمع القمرُ بحكايتهما. صار بدرا، ينير لشهاب دروب السماء المظلمة. تتسع رؤية شهاب أكثر مما يتيح له سراجٌ يحمله. مضت أيام يُشاهَدُ فيها شهابٌ بصورة خطٍّ ناريٍّ خاطف في السماء ينادي صاحبه. كان كلما ظهر سهيل، مضى شهاب نحوه مسرعا، يقطع مسافة الشهور من دون راحة، ولكنه في كل مرَّة يصل فيها، بعد مسيرة الشهور الطويلة، يكون صاحبه قد اختفى على أمل البزوغ في نفس الموعد من السنة المقبلة. زار شهاب القمر، وقد كان بدرا مكتملا، منيرا جميلا، أجملُ أجرام مجرَّة درب التبَّانة قاطبة..".

أجبرتني دموعٌ لمعت في عينيّ فوزية، إزاء وصفي للقمر، على السكوت قليلا. تأفف فهد قبل أن أواصل:

"شكى شهاب للبدر عجزه عن إدراك سهيل، طالبا منه، وهو الجرم الكبير الذي حتما يرى كل شيء، أن يدله على صاحبه، بدلا من الاكتفاء بإنارة دروب السماء. بكى البدرُ. سالت منه دمعة ضخمة سقطت من السماء على الأرض التي أحالتها الفئران خرابا. ظهر الزرعُ فيها مرة أخرى. رُزٌّ وحنطة وذرة وشعير. طلب البدرُ من شهاب أن يعود ليفلُحَ أرضه عوضا عن إهدار وقته. لم يفهم شهاب. "ولكنك ترى كل شيء!"، قال للبدر يرجوه أن يدله على مكان صاحبه. أجابه البدرُ بأنه لا يرى شيئا رغم النور الذي يرسله إلى كل مكان، لأنه في الحقيقة لا يملك بَصَرا. بُهِتَ شهاب غير مصدِّق بأن الجرم السماوي الجميل، رغم كل النور الذي يعكسه لمن حوله، لا يستطيع الرؤية. ولأنه أعمى، صار يجد ذاته في إنارة الطريق للآخرين. حمل شهاب سراجه مودعا البدر، ولا أحد يعرف الطريق الذي سلكه؛ هل بحث عن صاحبه أم عاد لأرضه المهجورة".

مرَّرت فوزية إصبعها أسفل عينيها ما إن أنهيتُ الحكاية. ابتسمت وهي تقول إنني أجيد تأليف القصص. "مو تأليفي!"، أجبتها قاطعا. اكتفت بابتسامتها في حين تدخل فهد: "أمي حِصَّة ما تقول قصص بايخة مثل هذي!". انفلتت عبارتي رغما عني: "قصص بايخة؟! ألِّف وحدة مثلها لو كنت تقدر!". انفجرت حوراء ضاحكة. ألبستْ فوزية وجهها جِدِّيةً وهي تحثُّني أن أكتب قصصا للأطفال. لربما يأتي يوم أصير فيه كاتبا مشهورا: "آنا واثقة اِنتَ تقدر". لم أقرأ لعبدالقدُّوس يومنا ذاك. قالت لي فوزية قبل عودتي إلى البيت: "نظر

عيني اِنت.. وأحلا أخو في الدنيا.. اكتب على شاني". عند باب الحوش، أمسكَ فهد بذراعي، قبل أن أعود إلى البيت. سألني:

- "اِنت تحب عمّتي مثل اختك.. صح؟".

هززتُ رأسي أوافقه. شدَّني يضغط ذراعي:

- "اِحلف والله!".

لم أتمكن من النظر إلى عينيه، وصوت أمي حِصَّة في رأسي: "تطيح علينا السما!". حرَّرتُ ذراعي من قبضته. أجبته:

- "لا تدخل الله.. الله يخلّيك..".

***

يحدث الآن 8:00 PM

أجلسُ على أرض ما تبقى من مقرٍّ أولاد فؤادة. أُسنِدُ ظهري إلى الجدار، بين السواد الذي يلوِّن كلَّ شيء. سواد غياب النور، وسواد السُّخام على الأرض والجدران والسقف وأجهزة الإرسال والكمبيوتر والطابعات. حِصَّة، بثوبها الأسود، في الزاوية تضمُّ ركبتيها إلى صدرها. تعبثُ بهاتف أيوب تبحث عن لعبة تقتلُ وقتها لحين رفع حظر التجول مع طلوع النور. يُقَطِّع أيوب أشرطةً صفراء لفَّها رجال الأدلة الجنائية حول بعض الأماكن في الشقة. يتحسَّس شيئا بطرف قدمه. "غريب!"، يقول وهو يوجِّه نور المصباح إلى فأر متفحِّم. يختفي داخل الغرف، يحمل مصباحه اليدوي، يبحث عن شيء خلفته النار سليما. تتقدَّم حِصَّة تجلس إلى جانبي. تلتصق بي. تقول: أنا أكره الظلام، الظلام أخذ أبي. تحتضن ذراعي: "كنت راح أموت داخل الأسنسير في الظلمة". لا تأبه بصمتي. تنظر إلى وجهي تقول:

- "آنا أحب أمي حِصَّة".

لا تمهلني أسأل عمّا يبدِّد حيرتي. من أين لها أن تجيء بالاسم؟ تعبثُ بحقيبتها تُخرجُ ثلاثة كتبٍ صغيرة تناولني إياها. لا أُواري ابتسامةً وأنا أُمسِكُ بكُتُبي الثلاثة. أول كتاباتي في سلسلة قصص

الأطفال؛ سلسلة ابن الزرزور، نشرهًا تحت اسم ولد فؤادة. كيف لهذه الصبيَّة أن تُنسيني كلَّ ما يجري. تقول إنها أحبَّت أمي حِصَّة راويةَ الحكايات. تُناولني قلمًا تطلب مني أوقِّع على إحدى القصص. أُخيِّرها: قصة سهيل، قصة جنيَّات السِّدرة، أم قصة النخلات الثلاث؟ تختار الثالثة:

- "أحب بنات كيفان".

أُجيبني هامسا: "وآنا أحبها.. وأحب صويحبتها".

تقول:

- "عندي اِختين".

تبتسم:

- "آنا اِخلاصة، وخواتي بِرحيَّة وسَعْمَرانة".

تُتبع قولها بضحكة. تتعهد، إذا ما كبرنَ والحال كما هي، بأن تؤسِّس جماعة مثل جماعتنا، تسميها بنات كيفان. من قال إن لا جدوى من وراء الكتابة؟! أفتحُ الغلاف على صورة أبدع صادق في رسمها بالألوان المائية. صورة ثابتة لأمي حِصَّة، في الصفحة الأولى من قصص السلسلة، تقرفصُ بعباءتها السوداء بين ثلاثة أولاد يرتدون الدَشاديش، وفتاة ذات شعر أسود طويل، بفستان وردي منفوش. تمهِّدُ العجوز لقصَّتها: "زور، ابن الزرزور، اِللي عمره ما كذب..". أكتبُ في الفراغ الأبيض أعلى الصورة: "إلى حِصَّة الصغيرة، اِخلاصة.. إليك أجمل قصةٍ

حكتها.. أمي حِصَّة". تعيد الكتب إلى حقيبتها. تطبع قبلة على وجنتي. يرن هاتف أيوب بين يديها. ترفع صوتها تناديه:

- "عمي! تليفونك يرن".

يرفعُ صوته يسألها عن اسم المتصل أو رقمه الظاهر على الشاشة. تقرأ له الرقم. يدفعني رقم هاتف بيت آل بن يعقوب لألتقط الهاتف من بين يديها: "ألو!". لا تزال حوراء عند فوزية في السُّرَّة. تسألني عن بطنها وعن ظهرها؛ صادق وفهد. ليس عندي جواب آخر. خير إن شاء الله. تقول إن صالحًا لايزال في مستشفى مبارك. مؤكدٌ أن حالته حرجة: "خايفة عمِّي صالح يموت بعين مغمضة.. وعين مفتوحة". أتذكر وجهه ظهر اليوم عند باب بيته. أتذكر ذلَّه. أتذكر قوله: "هذا ثمركم يا زرع السبخة". من مِنَّا زرعُ مَن يا أبا فهد؟ أتجاوز قولها أسأل عن فوزية. تقول إنها صامتة منذ عصر اليوم. أتذكرها آخر مرة رأيتها، قبل ثمانية عشر عاما، في القاعة الماسية لفندق شيراتون. كيف تبدو الآن؟ تنهي حوراء المكالمة بأنها وولديها وفوزية بخير. توصينا بعدم الخروج لحين رفع حظر التجوّل. ألمحُ حِصَّة في الظلام تعبثُ في حقيبتها. تمسكُ بشيء تقرِّبه إلى فمها. تمدُّه إليّ. أهزُّ رأسي أخبرها بأني لستُ جائعا. تضحك. تعيد ما بيدها إلى الحقيبة. تتقدَّم نحوي تستعيد هاتف أيوب. تضيء شاشته تمضي صوبَ أشرطة الأدلة الجنائية، تقتطع جزءا صغيرا، تلفُّ به شعرها. تعقصه وراء رأسها. تجلس إلى جانبي. توجه ضوء الشاشة إلى وجهي: "عمي.. يصير أسأل؟". أومئ لها مشجعا. تسألني عن

عمري. أجيبها. اثنان وأربعون. "وإنـي؟". تجيب: "اِحدَعَش". تتململ في جلستها. تبدو متورطة بسؤال. "تَبين تقولين شي.. حِصَّة؟". اسمها يوجعني. تومئ برأسها. تقول بأنها تريد أن تفضي لي سِرًّا إن أنا أجبتُ عن سؤالها أولا:

- "ما تشم الريحة؟".
- "أي ريحة؟!".

تُبرطم:

- "خلاص.. ولا شي..".

أيوب يراقبنا عند باب إحدى الغرف. أرجوها تُفضي. تُفضي. هي تخجل أن تبدي تقزّزا إزاء الهواء الفاسد، لأن أحدا لا ينتبه إلى الأمر عداها هي ووالدها وشرطي أوصلها إلى مقرِّنا قبل ساعات. أُطمئنها بأنني وأيوب نشمُّ ما تشُم. يتهلل وجهها. تسألني عن سبب الرائحة. ولأنني أكبر من والدها، على حدِّ رأيها، فلابد أن لدي سببًا مقنعًا أكثر مما يقوله. أسألها عن رأيه. تتردَّد قبل أن تجيب. هو يقول إن الرائحة لن تزول إلا بجفاف نهر البَين ورحيل تبَّاعة الجِيَف. وكلا الأمرين لن ينتهي إلا إذا..

تصمت حِصَّة. يقترب أيوب يحضُّها تستطرد. تهزُّ رأسها ترفض. يسألها عن اسم أبيها. تهزُّ رأسها ترفض. يسألها عن نشاطه. تهزُّ رأسها ترفض. ينفد صبري أسألها:

- "لازم نعرف أبوك على شان نساعدك حِصَّة!".

أتجاوز وجع الاسم أتحرَّى منها جوابا. تكتفي تحدِّد أوصـــافه. عمره خمسة وثلاثون. طويل نحيل. نظارة طبية بإطار سميك. اختطفه الملثَّمون قبل ثلاثة أيام! نتبادل، أنا وأيوب، الصمت في حين تسألني الصبية: "عمي! متأكد اِنك تشم الريحة؟". أصفُ لها أطوار الرائحة. حامضة طورا تحرق العين. تهزُّ رأسها توافقني. زنخة طورا آخر مثـــل بيض فاسد. ترفع حاجبيها باهتمام. تدسُّ يديها داخـــل حقيبتـــها. تناولني زجاجة عطر: "خذ".

يرنُّ هاتف أيوب ينبِّه إلى رسالة. تتسع حدقتاه يقرأ. يمدُّ هاتفه يقرِّب الشاشة أمام وجهي. كتبت حوراء: أحدهم يضـــرب بـــاب البيت بعنف!

***

الفصل السادس

مضت سنتان أؤلِّفُ فيهما قصصا، أُحوِّرُ أخرى. أعتكف في غرفتي أكتبها على أوراق تمهيدا لزيارة غرفة فوزية. صِرتُ إحساها. أطعِّمُ قصصي بحكايات حب، وقصص أمي حِصَّة، وأغانٍ وطنية أحبتها فوزية. أزعجتُ فهدًا بفائض حبٍّ في ما أكتب، رغم حبٍّ يجمعه بحورائه التي تخلَّفت عن اجتماعاتنا في غرفة فوزية. وقد فعل فهد بالمثل، تاليا، بطبيعة الحال. كانت علاقتهما واضحة، بين مدٍّ وجزر، يشهد عليها خطُّ الهاتف الجديد في غرفه فهد، وجهاز الرَّد الآلي يجيب كل يوم بأغنية، سوداء غالبا، أخمِّن بسماعها المرحلة التي أدركاها حُبًّا. "لا خطاوينا وراها لِقا.. وإن تلاقينا، نتلاقى بشقا". أحزنتني الأغنية حين سماعها في الهاتف. أفصحتْ فوزية: "فهد كلَّم أُمَّه بخصوص حوراء". عائشة لم تخبر زوجها. اكتفت تحذِّر ابنها: "أبوها عبَّاس وأبوك صالح.. اِنت مجنون؟!". حوراء صارحت فضيلة. لم يختلف ردُّها عن ردِّ عائشة. كنت أشعر بمرارهما، تشبه مرارتي تجاه من؟ مرارة كبيرة وشعور بالفقد، حين صار لزاما علينا ترك السُّرَّة في سبتمبر 1997. لم نسافر، صيفنا ذاك، بسبب انتقالنا من

السُّرَّة إلى الروضة. كنت في سيارتي، ليلا، أحاذي رصيف بيتنا، حين جاء فهد وصادق يودعاني. انتقل والداي إلى البيت الجديد قبل أسبوع، في حين بقيتُ أُمدِّد فترة إقامتي قبل أن تلفظني السُّرَّة. مفسحا بيتي لأصحابه الجدد، غير مُصدِّق بأن غريبا سوف يسكن غرفتي يصبح جارا لجيراني القدامى. "عمتّي تنطرك في الحوش تَبي تسلِّم عليك"، قال فهد. أجبته: "سلِّم عليها". حدَّق في وجهي يقول: "تنطرك!". اكتفيت أكرر: "سلِّم عليها". أدرتُ محرِّك السيارة أشير بسبَّابتي بعيدا: "آنا رايح الروضة.. مو مسافر!". ولكنني كنت أعي بأنني كنت على سفر لا رجعة بعده. مضيتُ أقود سيارتي. أدركتُ نهاية الشارع، عند بيتٍ كان للزّلمات قبل سنوات سبع، بالقرب من محلِّ علامين البنجابي. قفزتْ أمامي صورة الحزن في وجه أبي نائل في يومه الأخير. لم تفلح مقارنة بُعد الوجهتين عن السُّرَّة في تخفيف مرارتي لقاء تركي شارعنا القديم؛ الروضة القريبة من هنا، وعمَّان الأبعد من هناك! لا شأن للمسافة في أمري. شعور غير مبرَّر دفعني لأن أستدير بسيارتي. لم أكترث ببيتنا ولا ببيت عمِّي عبَّاس. توقفتُ أمام بيت أوسط جمعَ الإثنين في حَوشِه. مرَّرتُ نظري على بنات كيفان؛ إخلاصة وبرحيَّة وسَعْمرانة. الباب الحديدي الأسود. السِّدرة وراء السور. فتحتُ النافذة عن يساري. صرير سُوير الليل، بين الحشائش أمام بيتيّ صادق وفهد، كان يعزفُ أغنية رحيلي. أكثر سيارات شارعهم مُغبرة تلفُّها الأغطية القماشية. أصحابها في سفر. أكره السفر. "اِنت رجعت؟!"، فاجأني صادق يصيح بي عند باب بيته. اختلقتُ سببا لعودتي: "رجعت أقول لك

سلِّم على أمي زينب.. وايِد". تفرَّس وجهي يهـوِّن: "إِنـت مـو مسافر!". مضيت أقود سيارتي أنظر، رغم الضباب في عينيّ، إلى محل الجزارة في بيت العويدل، ودكاكين مجمَّع الأنبعي. كانت على هيأتها تدبُّ حياةً، إلا مكتبة البدور تحمل واجهتها ورقة تحمل رقم هـاتف واسم أبـي فوَّاز تعلوه عبارة: "للبيع". أتذكرني عند منعطف شارع أبـي حيّان التوحيدي في الروضة، مرورا بمطعم شهريار الـذي لا تُشبه شاورماهُ شاورما جابر في مجمَّع الأنبعـي، والـذي لا يبيـع سندويتشات المعكرونة بالكاتشاب. غصَّت سيارتي بدخان سيجارتي. كانت نوافذ السيارة مغلقة لِئلا ينفلتُ صوت عبدالكريم خارجهـا يكشف سرّي: "وداعيَّة يا آخر ليلة تجمعنا". رششتُ عطرًا بما يشبه استحمامًا قبل دخولي البيت. والدتي تعرف ماذا يعني تركي لشارعنا القديم. كانت قريبة مني جدا ليلتي تلك. فتحـت ذراعيهـا علـى وِسعهما تعانقني طويلا فور دخولي الأول، في حين أرخيتُ ذراعيّ لا أبادلها عناقا. تشمَّمتني. همستْ في أذني: "عطرك حلو!". استطردتْ: "لكن أنفاسك كريهة". اعتصرتني بين ذراعيها تؤنّبني على التدخين. لم أنطق بكلمة. تململتُ بين ذراعيها. هي تعرف تماما مقدار وحشتي في البيت الجديد. "إذا ما ترتاح في الديوانية الجديدة، روح السُّـرَّة، شوف رَبعك، وقت ما تَبـي". حرَّرتُ جسـدي مـن ذراعيهـا: "يُمَّه". تفرَّستْ ملامحي تترقب قولا أُمهِّدُ له. كنتُ أحدِّقُ في عينيها:

- "قولي والله العظيم، إللي رفع السما، إني ما أدخل السـرّة بعد اليوم!".

أسندتْ كفَّها على كتفي تسأل قلقة:

- "ليش؟".

لم أستطع إطالة النظر إلى وجهها. ألحختُ عليها أن تفعل. تملَّصتْ. خزَرَتني: "شفيك؟". كنت أجيبها بطلبي كلما كررت أسئلتها: "حِلفي يُمَّه".

- "وليش الحِلفان؟ اِحلف انت! براحتك لو ما تَبي تروح!".

ارتفع صوتي في وجهها:

- "آنا ما أقدر.. ما أقدر يُمَّه..".

أحاطتني بذراعيها مرَّة أخرى. كنتُ أعرف أنني لا أجيد ما اعتادت هي عليه في جعل الله حدًّا بينها وبين قولها. لا أستطيع مدَّ سبَّابتي إلى السماء أُقحمها في شأني، إيمانا بسقوطها على رأسي إن أنا أحنثتُ بقَسَمي، لأن القَسَمَ شيء كبير، ولأنني لست مثل "ابن الزرزور اِللي عُمره ما كذب ولا حلف زور". التمعت عينا والدتي: "حبيبي اِنت تبالغ!". وضعتْ وجهي بين كفَّيها: "في أحد مزعلك؟". زممتُ شفتي لِئلا تفلت عبراتي.

- "حبيبي شفيك؟ ترتاح إذا آنا حلفت؟".

أومأتُ لها مؤكدا مثل طفل. ألصقتْ وجهي بين رقبتها وكتفها تُمسِّد مؤخرة رأسي:

- "يلعن أبو السرّة.. والله، إللي رفع السما، ما تدخلها وآنا موجودة!".

رفعتُ ذراعيّ أطوقها بشدَّة. سألتني:

- "لكن ليش؟".

***

يحدث الآن 8:43 PM

يتصل كلانا، أيوب وأنا، بحوراء. لا رد. هاتف بيت آل بن يعقوب. لا رد.

تتشبَّث حِصَّة بدِشداشتي:

- "أروح معاكم!".

يرجونا أيوب التزام البقاء في المقر، في حين يذهب هو إلى ابنة عمِّه في السُّرَّة. أنهضُ من الأرض أُزيل السُّخام عن دِشْداشَتي:

- "أروح معاك!".

ينبِّهني:

- "السرَّة!".

أهزُّ رأسي أؤكد:

- "أروح معاك".

هو يحسب قطيعتي مع السُّرَّة لا تزال. تجاوز استغرابه ينظر إلى الصبيَّة. تنظر إليه. ينظر إليّ يسأل:

- "وحظر التجوّل؟".

وكأن الحظر يطالنا أنا والصبية وحدنا.

أُجيبه:

- "الحافظ الله..".

نركض نقطع السلالم نزولا. أحمل حِصَّة بين يدي. يسبقنا أيوب يحمل مصباحه اليدوي. الجثة، بين الطابقين الثالث والثاني، ممسوخة الملامح في الظلام، يجثم تبَّاع الجِيَف بمخالبه على صدرها، يدسُّ منقاره الأسود المعقوف يمزِّق لحمها. صرختْ حِصَّة: "تبَّاع الجِيَف!". حجبتُ عينيها بكفِّي لِئلا تنتبه إلى الجثة أسفل الطائر. باب البناية يكشف عن نور مضطرب في الخارج. يطفئ أيوب مصباحه. يطلُّ من وراء باب البناية على الشارع. يرفع رأسه يتحقَّق من عدم وجود قناصة على أسطح البنايات. ينظر شمالا. يتجاوز الباب يُغمغم:

- "عيال الكلب!".

أتبعه، أُمسِكُ بيد حِصَّة، أستوضح سبب الشتيمة. أجده يقفُ على مبعدة من سيارته والنيران تشتعل فيها. ألتفتُ يمينا نحو الرصيف المحاذي للإشارة الضوئية.

- "سيارتي هناك..".

أركض، بقدر ما يسمح به عَرَجي، صوبَ السيارة. يتبعني أيوب. يتنبَّه إلى كومة الخردة على العجلات. "سيارتك سكراب! تمشي؟". أومئ برأسي. يشير إلى الواجهة الأمامية يستغرب خلوها

من الزجاج. يسألني: "حادث؟". أجيبه: "بعدين أقول لك". يكـــاد يقول شيئا. أطمئنه بألا يقلق. أقود سيارتي بلا أنوار. يعبثُ أيـــوب بأزرار المذياع: ".. وذلك إثر انفجار خمسٍ وثلاثين سيارة مفخخـــة خلال أربع دقائق.. يعلن مجلس الوزراء أن كيفان منطقة منكوبـــة، ويناشد المواطنين في كافة المنـــاطق البقـــاء في منـــازلهم..". إذاعـــة الكويت، على غير عادة، لا تواري حقيقة. يصرخ أيـــوب: "غـــير صحيح!". المنصورية تشتعل. "إشاعات!". احتجاز رهـــائن داخـــل حسينية في بنيد القار. "كذب!". وزارة الداخلية تهيب بالقناصة عدم التعرض للطيور السوداء؛ وحدها كفيلة بانتشال الجثـــث. "كـــلام فاضي!". جرحى في اشتباك الروضة فجر اليوم. أُخـــرسُ المـــذياع. يُطمئِن أيوب: "صدقني إشاعات". لا أرد. بيوتٌ عن يميني تحتـــرق. جبلٌ، من إطارات السيارات، يشتعل عند مخرج الـــدائري الرابـــع. يتأفف أيوب يحثّني على الاستدارة:

- "بسرعة!".

أستدير بسيارتي نحو مخرج آخر. تمدُّ حِصَّة ســـبَّابتها الصـــغيرة همس:

- "عمي.. شوف فوق!".

أنظر إلى البدر يقارب اكتماله يتيح لنا تمييز الأشياء في الظلمة. "شَيْ يخوّف!"، يقول أيوب. أنتبه إلى سبَّابة حِصَّـــة، لا شـــأن لهـــا بالبدر. تلقي النيران ضوءا مضطربا على عشراتٍ من تبَّاعة الجِيَـــف

تحطُّ فوق أعمدة الإنارة المعطلة. عند الشارع الدوَّار أسأل أيوبا: "وين؟". يصيح بي أن أتجِّه إلى مخرج الدائري الخامس. أتبعُ توجيهاته أقود سيارتي بذاكرة صِفر. يهاتفُ ابنة عمِّه. لا رد. جبل ناري آخر يسدُّ مخرج الدائري يخلِّفُ دخانا كثيفا أسود. مثله يقطع الطريق المؤدي إلى شارع تونس. آخر تُشاهد نيرانه من بعيد، يشي باستحالة العبور إلى طريق الفحيحيل مقابل مستشفى هادي. الجابرية محاطة بالجبال النارية من كل صوب. "وين؟"، أسأل أيوب. يلتفتُ إليّ:

- "الجسر!".

أُذكِّره بحواجز الملثَّمون. يرميني بسؤاله:

- "عندك خيار غيره؟".

ألوذ بصمتي. يخمِّنُ سبب تردُّدي. يصرخ بي:

- "لا تقول لي اِنك ما تَبي تدخل السرَّة!".

أواصل القيادة نحو الجسر:

- "دخلتها اليوم الظهر..".

أدريه يستغربُ قولي وأنا الذي ما أقتربتُ من السُّرَّة منذ ثلاثة وعشرين عاما:

- "دخلت السرَّة؟!".

يكرِّر قولي يدفعني أؤكد:

- "رحت بيت فهد أسأل عنه..".

يعقد حاجبيه كأنني أذكره بما نسيه. يمسك هاتفه يجري اتصالا. ينظر إليّ قبل أن يبعد الهاتف عن أذنه. تبهت ملامحه. يقول:

- "عبدالكريم عبدالقادر!".

يجري اتصالا آخر. يطلق زفرة طويلة:

- "الجهاز مغلق!".

ينظر إلى ساعة معصمه.

- "الساعة تسع وعشر! وينهم؟!".

* * *

الفصل السابع

أثثتُ عالمي الخاص، أول انتقالي إلى الروضة، مفسحا مجالا أكبر لعزلة أقلقت والديَّ. حتى وقت ذهابي إلى المسجد، كنت أشعرني وحيدا لا أعرفُ المصلين. صوت الإمام غير مألوف، حتى كلامه لم يعد مفهوما. رائحة السجاد لا تشبهها في مسجدنا القديم. ما من عمود بين أعمدة المسجد يتعرَّفني إذا ما أسندتُ ظهري إليه. استغربَ والدي ملاحظاتي أثناء عودتنا إلى البيت مشيا. سألني: "جاي تصلّي والا تشمّ السجاد وتعد العواميد؟!". لم ينتظر أجابتي. استطرد يقول إن الله الذي صلينا له في مسجد مريم الغانم هو الله في مسجد الروضة، هو الله في كل مكان: "لكنك تبالغ".

أَلِفتُ المنطقة بعدما صار أبو حيّان التوحيدي أكثر من مجرد اسم لشارع أسكن فيه. تعرَّفتُ إليه أكثر فور انتقالي. أعوِّضُ فقد علي بن أبي طالب الشارع القديم. أسَّستُ لعلاقة جديدة. أمضيتُ أياما في مكتبة الفيحاء العامة أبحث عن التوحيدي بين الكتب. ألتهم صفحاتها. أنا لم أقرأ شيئا كهذا في حياتي. أقفُ عند اطمئنانه وعلاقته بربِّه وثقته بعفوه ومغفرته حتى في ساعات موته، وأنا الذي، في تلك السِّن، بسبب

والدتي وأمي حِصَّة، صار الخوف وحده يؤطر علاقتي بالله. كتبتُ قصة، ذات مساء، فور عودتي إلى غرفتي، متأثرا بما قرأته في المكتبة عن التوحيدي حين أجاب صحبه، لقاء وعظهم وتذكيرهم بمقام الخوف عند لقاء ربِّه، أوان احتضاره: "كأني أُقدِمُ على جنديٍّ أو شرطيٍّ! إنما أُقدِمُ على ربٍّ غفور". ما كدتُ أُنهي قصتي على الورق حتى انتابتني رعشة تلاها استغفار أفضى إلى تمزيق أوراقي قبل حرقها على رصيف بيتنا الذي لا حوش له ولا قوَّة تجذبني إليه. كنت أتبع بنظري دخان أوراقي يتصاعد إلى السماء. أرفع رأسي. أنظر إليها. أحسبُ دخان قصتي كفَّارةً عن ذنب كتابتها، لعل الله يغفر، ولعل السماء تبقى مكانها. أدريها لن تقع على نحوٍ وصفته جارتنا العجوز قبل سنوات. ولكنني كنت مؤمنا أن شيئا ما سوف يحدث. أطمئِنُّ إلى صوت أمي حِصَّة داخل رأسي: "عَفَيَه على وليدي". لم أشعر بندم إزاء حرق أوراقي، وقد كان التوحيدي ذاته قد أحرق كتبه قبل موته، كنت أبرِّر لنفسي كلما كتبتُ قصة وأحرقتها. كنت أكتب، زمن السُّرَّة، لأن هناك من يتلقى كتابتي، يحرِّرني منها، يفهم ما أقول له، أشهد تأثيرها على وجهه، يرافقني رقيبا أثناء كتابتي إليه، ينتقي معي كلماتٍ يفهمها. الكتابة التي اتخذتها في الروضة ملجأ صارت مقلقة. أبثُّ فيها كلَّ أسئلتي متجاوزا حدود والدتي وأمي حِصَّة. أعاود قراءتها. أرتعد. أحيلها رمادا. صارت علاقتي بأبي حيَّان بين مدٍّ وجزر. أفهمه ولا أفهمه وأنا أحمل إرثا ثقيلا يمنعني من التفكير. غريبٌ أن لا يفهمك إلا إنسانٌ رحل منذ ما يقارب الألف عام. أتمهَّلُ في قراءة كلماته عن الغريب: الغريب الذي لا اسمَ له فيُذكر، ولا رسمَ لهُ فيُشْهَر، ولا طيَّ له فيُنشر، ولا عُذرَ له

فيُعذر، ولا ذنب له فيُغفر، ولا عيب عنده فيُستر.. وأغربُ الغرباء من صار غريباً في وطنه، وأبعد البُعَداءِ من كان بعيداً في محل قربه.

كان ضاوي، إذا ما شاهد سيارتي، مقابل مكتبة الفيحاء العامة القريبة لبيت خالي حسن، ينضمُّ إليّ. أشمُّ رائحة دهن العود قبل أن يهمس في أذني: "السلام عليكم". يفضي لي، هامسا، قلقا نقلته إليه والدتي: "عمتي بالها مشغول عليك". يتفحَّص عناوين الكتب على الطاولة أمامي. سألني، ذات يوم، ماذا أقرأ. أمسكَ بكتاب مفتوح على صفحة سيرة موجزة لصاحب اسم الشارع حيث أسكن. نبَّهني بحب: لا تقرأ أي شيء. ربَّتَ على كتفي يقول إنه يفهمني. "اِنت ضايع"، قال لي. خشيتُ أن يشرع بعظات الجمعيات الدينية التي يحفظها. ولكنه نظر إليَّ باسما متحاشيا استنكارا بدا على وجهي: "ولهان عَـ السرَّة؟". اشتممتُ رائحة نبقٍ طازجٍ في داخلي. أجبته: "آنا ما أقدر أروح". صحَّح: "اِنت ما تَبي تروح!". هززتُ رأسي مذعنا. أطبقَ الكُتب على الطاولة أمامي يقول:

- "آنا مثلك.. مِن يوم اختفى أبوي كرهت المكان..".

تفرَّس ملامحي كأنه يقرؤني من الداخل. أردفْ:

- "وانت، لأنك تحبّه، ما تقدر تزوره ضيف!".

استقام واقفا. اتسعت ابتسامته يُنهي:

- "وإللي يجيب لك السرّة في الروضة؟!".

***

يحدث الآن 9:16 PM

محطة وقود الجابرية عن يميني. السيارة في حاجة إلى. يقـاطعني أيوب: "بعدين!". أشير إلى عدَّاد الوقود: "ما في بـانزين!". تُنـبِّهني حِصَّة إلى وجود مُلثَّمين في المحطة عن يميننا. يصرخ أيوب يدفعني لأن أسرع نحو انعطافة آخر الشارع المؤدي إلى الجسر. سيارة شرطة تبعثر الظلام بوميض يراوح بين الأحمر والأزرق وراءنا. أُخفِّف سـرعتي أُحاذي الرصيف الأيمن. تتجاوزنا السيارة تعتـرضُ طريقنـا عنـد المنعطف. يترجل شرطيٌ شابٌ تطل عيناه من وراء كمَّـام. تـنحني حِصَّة أسفل المقعد الخلفي. كفُّ الشرطي على مسـدَّسٍ في حزامـه وكفُّه الأخرى تحمل مصباحا. يتقدَّم صوبَنا يتفحَّص سيارتي المهترئة، وجهاز اللاسلكي يوشوش في حزامه. أترك سيارتي أسحب رجلـي العرجاء. أناوله بطاقتي الشخصية. ينقل مصباحه بين وجهي أمامـه ووجهي في البطاقة. ينحني أمام النافذة ينظر إلى أيوب: "هويتـك". يستجيب أيوب. يرجوه أن يسمح لنا بالعبور نحو الجسر من أجل..، يقاطعه الشرطي بأنه لو تساهل معنا إزاء خروجنـا وقـت حظـر التجوّل، فلن نسلم من رصاص الجيش، وإن سلمنا منه..، يبترُ جملته يشير بيده صوبَ الجسر:

- "يذبحونكم!".

التفتُ إلى حيث يشير. مُلثَّمان، أعلى الجسر، يمسكان بجثة يلقيانها في نهر البَين. يُطلق آخرون أعيرة نارية في الهواء. أومئ للشرطي برأسي متفهما. أرجوه بأن يجد لنا طريقة للعبور. أشرح له فحوى رسالة وردتنا من أهلنا في السُّرَّة:

- "لو ما عبرنا.. يموتون!".
- "لو عبرتوا.. تموتون!".

لعلَّ وجهي يشرح ما لا أتمكن من قوله. أختنقُ بكلمات الرجاء. يبتعد مقرِّبا جهازه اللاسلكي إلى فمه. يسأل عن طريقٍ سالكة. يأتيه الرَّدُ مُشَوَّشا. الجابرية مطوَّقة بالنيران. ينصحه الصوت بأن يعود إلى مركز الشرطة. يرفعُ الشرطي كفتيه يهزُّ رأسه. يأمرنا بالعودة إلى حيث جئنا وإلا فالموت لنا بالمرصاد. يقول بصوت مخنوق إن البلاد تشتعل. لا رجال إسعاف ولا دفاع مدني ولا متطوعون قادرون على انتشال آلاف الجثث. وحدها تبَّاعة الجِيَف تقوم بالدور. أتذكر الجثة في سلالم البناية. يترجل أيوب من السيارة يتوسل إلى الشرطي أن يفعل شيئا. يجيبه الشرطي قاطعا: "ما يصير". يؤكد ملوِّحا ببطاقة أيوب، بأن اسمه يكفل له عبور الحاجز الأول. ولكن قد ينتهي به الأمر طافيا في نهر البَين إذا ما مرَّ بالحاجز الثاني. يطلق أيوب زفرة طويلة يتلفَّت حوله. يتحكم بصوته خشية انتباه رجال الجسر. يكزُّ على أسنانه. يقول للشرطي بين رجاء وغضب بأن يفعل شيئا. يرفعُ الشرطي رأسه يمشط أسطح البنايات بنظره. يذكِّره بالقناصة لو أطلنا البقاء. يرمي أيوب هاتفه المحمول ومحفظته على مقعد السيارة. يدير لنا ظهره يهرول

نحو الجسر. أهمُّ أتبعه. يمسكُ الشرطي بـــذراعي. يرتفـــع صـــوتي: "أيوب!". يلتفت إليَّ وقد أدرك الرصيف المقابل الممتـــد إلى الجســـر. يُقرِّبُ سبَّابته إلى شفتيه: "هششـــــــــ!". ينسَلُّ بين شجيرات جافَّة. ينحدر بين الأحراش يختفي. يدفعني الشرطي نحو سيارتي:

- "صاحبك مجنون..".

تُسنِد حِصَّة كفَّيها إلى زجاج النافذة تصيح:

- "وين عمِّي أيوب!".

ينتبه الشرطي، مُكمَّم الوجه، إلى وجودها في المقعد الخلفـــي. يوجِّه مصباحه صوبَها. يرفع حاجبيه:

- "حِصَّة؟!".

تهزُّ رأسها من وراء الزجاج توافقه. يعنِّفها بصوت خفيض:

- "قلت لك لا تتركين البناية في الليل!".

تلامس أُذناها الحمراوان كتفيها. يرقُّ صوته يسألها:

- "لقيتي أبوك؟".

يبدو الحزن على ملامحها. ينظر إليها عاقدا حاجبيه. ينحني على زجاج النافذة يحدِّق في كفِّ الصبيَّة المسند إلى الزجاج. يفتح الباب. يمسكُ بيدها يوجِّه مصباحه إلى راحة كفِّها. ينظر إليّ جاحظًا يسألني من نحن؟ أنظر إلى جهة اختفاء أيوب لا أحيرُ جوابا. يهزُّ كفَّ حِصَّة يريني ما تحمل في راحتها. يعاود سؤاله نافد الصبر. ينتابني خَرَسٌ.

يشير بسبَّابته نحوي:

- "اِنتو؟!".

يناولني بطاقتينا، أنا وأيوب. يأمرني بأن أتبعه، على ألا أترك مسافة كبيرة بين سيارتينا تلافيا لرصاصات القناصة. يرتفع نعيب تبَّاعة الجِيَف مهيبا مثل صافرات إنذار بعيدة. أمدُّ يدي ناحية الجسر أرجوه ينتظر عودة صاحبي. تبدو الدهشة في عينيه يسأل:

- "صاحبك؟!".

يدفعني بذراعه صوبَ الرصيف المقابل حذِرا. نقف بين شجيرات الرصيف. أُكمِّم وجهي بكفِّي. يشير بذراعه أسفل الجسر. أعرف أيوبا أكثرنا اندفاعا. أعرفه أشدُّنا إيمانا بدورنا. ولكن فكرة عبور النهر سباحة! عدا زَنَخ الرائحة، ماذا لو شرب من مائه؟ أتبعه بنظري مدركا منتصف النهر يسبح على مهل. عشرات من تبَّاعة الجِيَف تحطُّ على الضفة المقابلة. يكشف عنها ضوء البدر وبراميل النار فوق الجسر. تقفُ مثل عجائز حدباوات. تتمايل بعباءاتها السود الرَّثة. تغني نعيبا يصدر من أغوارها، يضفي على المكان خوفا فوق خوف. تتقافز مقتربة أكثر نحو التقاء الماء باليابسة. كأنها تنتظر سفينة تعود من بعيد. ولكن السفينة.. ولكن أيوب..

أين أيوب؟!

***

الفصل الثامن

اجتمعنا في ديوانية بيت الروضة، فهد وضاوي وصادق الـــذي عرَّفنا إلى أيوب ابن عمِّه. شابٌ لطيـــف، كنـــت أراه، مـــرورا، في الأعياد يزور جدَّته زينب. سرعان ما انضمَّ إلى الشِلَّة. كانت أعمارنا تراوح بين العشرين والثانية والعشرين. فعلها ابن خالي. بثَّ روحـــا كانت قد غادرتني في البيت الكئيب لم أتصور عودها في غير محلِّهـــا. هو لم يُحضر السُّرَّة تماما. ولكنه فعل ما بوسعه. اســـتغرقني الأمـــر سنوات لأدرك أن وقوفه معي، تلك الأيام، كان بسبب قلقه علـــيّ وبدافع صرفي عن كتبٍ أقرؤها. لم يكن قادرا على إقناعي بـــالكفِّ عن تدخين يستهلك صحتي، ولكنه تمكن من إبعادي عن كتب مـــن شأها أن تفسد عقلي. هذا ما قاله بعد سنوات. كـــان أبـــو حيّـــان التوحيدي قد اختفى تماما إلا من اسمه في لافتة على رأس شـــارعنا. وكان ابن خالي قد اختفى تماما بعد دخول آلة العـــود إلى الديوانيـــة يحملها فهد. يخفيها عن أبيه الذي أقسم بالله: "لو دخل العود بـــيتي أكسره على راسك!". هو الرجل نفسه الذي كان يقـــرِّب مشـــط البروش إلى فمه يغني لعبدالحليم. لكن، على رأي أمِّه: "الحيّ يقلب".

كنت أسأل فهدًا متجاوزا تذمره على أبيه: "شلون فوزية؟". يكتفي بالرد: "عمتي زينة". لا يختم إجابته بما يرضيني: "تسأل عنك". فيما يدير صادق ظهره لنا، يواجه شاشة التلفزيون، يلعب الـ Playstation، أستلقي على ظهري أنفخُ دخان سيجارتي تجاه فتحة التكييف المركزي في السقف. يزعجني هدوؤها. كان على أبي ألا يتخلى عن الكنديشة. كنت أفتقد هديرها وانتفاضها ورائحة الغبار وقت تشغيلها.

قرفص فهد على الأرض الرخامية، يحتضن آلة العود يعالج مفاتيحها يُدَوزِن أوتارها. أدهشني كيف له، خلال شهور قليلة، أن يتعلم العزف بهذه المهارة. تمكّن من أن يصير عبدالكريم لمن يريد، في حين فشلتُ في أن أظل عبدالقدُّوس لمن أردت. صار يقرأ الشعر وهو الذي، غير كتب المدرسة، لم يفتح كتابا. ترك في الديوانية، عند زاوية العود، دواوين شعر. يبحثُ عن كلمات رصينة، كما يصفها، تليق ألوانها ومذاقاتها وروائحها ومواسمها بصوت عبدالكريم إذا ما قابله ووافق أن يغني من ألحانه ذات يوم. انهمك في زاويته الأثيرة يبحث في دواوين الشعر. "أووووه"، صاح ممتعضا يبعثر الكتب أمامه. التفتنا إليه نستوضح. قال: "هذي نشرات أخبار مو دواوين شعر!". راح يُعدِّد ما تدور حوله القصائد: هضبة الجولان السورية، مجزرة صبرا وشاتيلا، مقتل أطفال مدرسة بلاط الشهداء في العراق، حرب أهلية لبنانية، حرب عراقية إيرانية، اختطاف طائرة الجابرية، تفجير المقاهي الشعبية، غارة أميركية على ليبيا، أطفال فلسطين! أنهى مُفخِّما صوته: "كان هذا الموجز وإليكم الأنباء بالتفصيل!". رحنا

نضحك إزاء شكله غاضبا. سأله أيوب: "وحُب.. ما في حُب؟". هزَّ رأسه: "في حُب.. ولكن من له مزاج يقرا الحُب وسط الحــرب!". علَّق أيوب: "هذي كلها دواوين شعرائنا قبل سنة تسعين!". تنـاول فهد عوده راح يغني أغنية سمَّى لونها. لم أسأله يوما عــن حــوراء، مكتفيا بتتبع أحوالهما خلال عزفه وغنائه في الديوانية، مثـل سُـوير الليل لا يملُّ يغني، يتحرى من أنثاه استجابة. يُجيب جهاز الرَّد الآلي في هاتف غرفته: "تحمَّل بالصبر وآنا أتحمَّل.. فؤادي لأجل عينك كم تحمَّل.. وتصبَّر علَّها في يوم تنحل". ما تمنيت شيئا، في تلك الأيـام، كأمنيتي بأن يحقق الاثنان أمنيتهما. لعلها في يوم.. تنحل، ولكن، في يوم من عام 2000، في ساعة حسبها عمِّي صالح مباركــة، وقــت أخبره ابنه برغبته في الزواج، أجابه: "اِتفو عليك!". لعن الساعة التي جاء فيها ابنه برغبته مقرونةً باسم بنت الجيران. عمِّي عبَّاس أجــاب زوجته، التي جاءته تُمهِّد لموضوع ابنتها، بأنه يزوّج ابنته كلبا علــى أن يزوجها لولد "صويلح". وأنا، وحدي أنا، كنت مفجوعًــا بمــا يردُني من كلام صالح وعبَّاس. لم أعــد أحمــل احترامــا لأي مــن الرجلين. أوجعني اتفاق فهد وحوراء على عبارةٍ كرَّراها: ليتهما مــا عادا من الأسر! وأوجعتني أكثر إجابة ردَّدتُها في سرِّي: "يا ليــت"، غير مبالٍ إن أمضى الاثنان حياهما يردِّدان: "وين راح أبــوي؟ راح البصرة!". رغم موت البصرة في الأغنية منذ العام تسعين، وقتَ اتخذنا الــ چَبرة بديلا عن البصرة في الأغنية. كان كبيرا عليَّ أن أنصت إلى ما يُنقل إليَّ من كلام أبويهما بتفاصيله رغــم رصــدي لعلاقــة الجارَين صغيرا. كلامٌ سوف يصبح مألوفا في سنواتٍ مقبلــة، تبثُّــه

الإذاعات والتلفزيونات ومواقع الإنترنت ويُكتبُ بأصباغ الرَّشِ على أسوار البيوت، يُحمِّل أولاد فؤادة وأنصارهم ما فوق طاقتهم لإخفائه بعد استعصاء علاجه. أي كراهية تكشَّفت لي أيامنا تلك. تمنيتهما طفلين، جَهال، صالح وعبَّاس، يقفان أمام والدتي، في زيِّهما المدرسي، تصفع شفاههما تخرسهما إلى الأبد. أُمنيتي تلك بدت مضحكة تافهة، لأنها تشملُ كثيرين، يظهرون في سنوات قليلة مقبلة، لا مقدرة لأحد على إخراسهم. يموت واحدهم في سبيل أن يُخرس الآخر. يُصادر مفتاح الجنَّة، رغم أن المفتاح عند الحدَّاد، والحدَّاد يَبي فلوس، والفلوس عند العروس، والعروس تَبي عيال، والعيال يَبون حليب، والحليب عند البقر، والبقر يَبون حشيش، والحشيش يَبي مطر، والمطر عند.. الله!

صادق الذي حسبته غافلا، منشغلا مع ألعاب الفيديو، لم يكن. صارحني بأنه كان يغض الطرف تفاؤلا بنهاية مأمولةٍ، ولأنه يثق بشقيقته، ولأن: "فهد أخوي وأعرفه"، على حدِّ قوله. بعد رفض أبيه لم يتوانَ يُقحمني وسيطا أنصح فهدًا بعدم مطاردة شقيقته، لأن هذا نصيبهما، والخيرة فيما اختاره الله. طالني ما طالني من تجريح إزاء رسالة نقلتُها إلى فهد. غضب. غضبت حوراء. اتفقا ينهيان وساطتي بأن لا خيرة فيما اختاره عبَّاس وصالح. شدَّدا: النصيب ما نختاره نحن!

أعرف فهدًا نحيلا مُذ كنا. فرقٌ بين نحول وضمور. كان يتآكل من الداخل. يبدو ذلك واضحا في وجهه الأصفر. في صوته. في عينيه وما حولهما. كان صاحبي يذبل. يمسك عوده. يغني بما يشبه استسلامًا، أغنية صفراء: "لو الشجر له نصيب في بارد ظلاله.. ما

حَرَّق القيض جفني وأنت فـــ أهدابـــي". كان صادقًا قد اختفـــى هو الآخر من الديوانية. لم يحتمل أغنيات صاحبه تشي باختفاء حوراء من حياته. صرنا بالكاد نجتمع فهد وأيوب وأنا. فقدتُ الأمل تماما في نهاية تمنيتها لعلاقة شهدتُ تشكُّلها صغيرا. هاتفتُ صادقًا أرجو عودته بعدما حقَّق ما أراده في منع شقيقته من وصل فهد. اشترط: علـى أن يكفَّ عزفه وغناءه السخيف! أهمل فهد عوده داخل حقيبة جلديـــة في الزاوية نزولا عند رجائي. عاد صادق إلى ديوانيـــة الروضـــة. وعـــاد ضاوي بعد انتفاء سبب قطيعته. استأنف جهاز البلايستيشن نشـــاطه. وعادت رائحة دهن العود التي أفتقدها مرَّتين، الأولى برحيـــل أمـــي حِصَّة، والثانية بابتعاد ضاوي عن ديوانيتنا. الديوانيـــة الـــتي أحببتـــها صارت مكانًا مَقيتا ومصدر قلق، بين حال فهـــد وحـــوراء، وحالـــة جديدة ظننتني تركتها ورائي في السُّرَّة. ما إن راحت أنظار العالم تتجه صوبَ نيويورك في تفجيرات سبتمبر 2001، حتى صار أمرها شـــغلنا الشاغل في الديوانية. ضاوي يدافع. يبرِّر. يستميتُ يبرهن بأن الأمـــر برمته لعبة لتشويه الإسلام. يعارضه صادق شاتما تنظيم القاعدة ومـــن هم في صفِّهم، في حين يسخر أيوب من الإثـــنين في ذروة انفعالهمـــا. طال جدلهما ذات ليلة، نال من رموزٍ دينية في كلتا الطائفتين. يُـــذكِّر واحدهما الآخر بحوادث ماضية ينسبها لطائفة ضد. يوغلان في إثبـــاتِ حقٍّ، يستشهدان بالله، يتحدّى واحدهما الآخر، عودة بالتاريخ إلى زمن النبوَّة وما تلاه. لم أبذل أي محاولة لإسـكاتهما، مـــأخوذا بســـردهما للتاريخ كل وفق مصادره ورؤيته وإرث ثقيل انتقل إليه من أســـلافه. أقفُ تارة مع هذا، أخرى مع ذاك. هَمَسَ فهد لأيوب أن يناوله العود

من الزاوية حين بلغ ارتفاع الأصوات حدًّا مزعجا. أسند العود إلى حجره يُغني مغمضا عينيه رافعا وجهه إلى السقف: "لو مشيت بالعناد والتحدّي.. الله معاي.. الله معاي!". انتفض الاثنان، ينظران إليَّ، كأن صلحا قد نُقِض. انصرف ضاوي يتبعه صادق. فتح فهد عينيه ينظر ناحية الباب: "الدرب إللي يودِّي ولا يجيب".

لم تكفّ زوجة خالي حسن، في ذلك الوقت، تهاتفني تسأل عن ضاوي. من هم أصدقاؤه. أين يذهب. ولماذا انقطع عن الديوانية؟ لم أكن أعرف الكثير.

مضت شهور خمسة على حالنا تلك، قبل أن يستعيد وجه فهد لونه القديم، ويلوِّن الديوانية بالأزرق يوم غنَّى: "ساعة الفرحة". عاد صادق بعد قطيعة. فهمتُ أن شيئا يجري في السُّرَّة. كان موقف أمي زينب حاسمًا يوم أقسمتْ، بكل المقدَّسات؛ الله بسمائه، والنبي محمد، والإمام علي، وحليب أُمي حَسيبة، وثديي الذي أرضع، على ابنها الذي أصرَّ بأن الزواج غير متكافئ، تُذكِّره بأمها حَسيبة، وكيف أن لا شيء اعترض زواجها من أبيها كاظم: "تزوجوا وعاشوا سنين.. كُل شي ماكو!"، قالت تستسهل الأمر. نقلَ لي صادق ما أفضت به جدَّته. لولا قَسَم والدتي تجاه السُّرَّة لما تأخرتُ أطرق باب بيت أمي زينب أقبِّل جبينها. محقة حوراء حين قالت إن أمي حِصَّة، بوجود أمي زينب، لم تُمت. سوء معاملة جارها لم يثنها عن عزمها. ارتدت عباءتها، تجرُّ خطواتها متكئةً على عصاها، تكرر طرق باب صالح، رغم اعتلال صِحَّتها. صدَّها. مرَّة. مرتين. كرَّرت زيارتها ثالثة. يقيتْ في الحوش رافضة دخول منزل من لا يقيم لها

وزنًا. هزّت رأسها: "عين حِصَّة ما غمّضت!". قالت له والدموع في عينيها. "عين حِصَّة تشوف". بَهَت أبو فهد. أخبرته بأنها تريد أن تموت مغمضة عينيها على أهل بيتها، على أن يكون ابن حفيدها، من فهد، آخر ما تراه بينهم. استطردتْ قبل أن تمضي إلى بيتها: "إللي بيني وبين أُمَّك أكبر من كلاواتك اِنته وعبَّاس!". مضت تمشي على ثلاث وهي تمدُّ سبَّابتها صوبَ الحديقة الصغيرة في الحوش: "أشهَد سِدرة حِصَّة علِيك!". قالت كلمتها الأخيرة، تاركة عائشة وفضيلة تبذلان ما في وسعهما لإنهاء الموضوع. فيما بقيتُ أنا بعيدا أنصتُ إلى تطور الأحداث من فهد وصادق. لم يكن أمرهما سهلا. يتعطَّل كلما سار بضع خطوات. اشترط أبو صادق، إن كان لا بد من الزواج، أن يُعقد وفق المذهب الجعفري في حين عارضَ أبو فهد محذرًا ابنه إن تنازل في البدء: "باكر يلبسونك عمامة!". اتفقنا، صادق وفهد وحوراء وأنا، على تسوية الأمر بدعم من أمي زينب، حين أنهت كلامها لنا: "روحوا اِنتو". تزوج الاثنان، في مارس 2002، على ألا يُفصِحا إن كان زوجهما قد تم على مذهبِهُم أم على مذهبِنا. والتزمتُ وصادق بعد إمضائنا شاهدَين، على عقد الزواج، ألا نفشي أمر المذهب لأحد. أتذكر كيف كنا، ضاوي وصادق وأيوب وأنا، نجهِّز فهدًا يوم زفافه وكأنه زفاف جماعي. قمنا بترتيب كَل شيء، في حين سافر صالح إلى العُمرة واعتكف عبَّاس في بيته تلافيًا لحضور الزفاف. انتظرته وصادق يُنهي حَمَّامهُ المغربي في السالمية، في حين ذهب ضاوي وأيوب يُحضران الدِشْداشة والغترة والبِشت من محلِّ عَلامين البنجابي. لا نطيل البقاء في قاعة الانتظار

الصغيرة في الصالون. أتلصَّصُ وصادق على فهد مــن وراء البــاب الزجاجي الذي لا يتيحُ البخار رؤية ما وراءه. أسأله ضاحكا: "هــا! شلون مِعرِسنا؟". يردُّ: "شباب! نزل مني نفط!". ضحكتي صــارت ابتسامة. لو أن صاحبة القول ترى حفيدها اليوم!

عزمنا على الانطلاق إلى صالة شيخان الفارســي للأفــراح في السُّرَّة، مقر زفاف الرجال، بعد تجمعنا في ديوانية الروضة. لنستأنف احتفالنا بفهد، بعد عُرس الرجال، نزُفّه إلى عروسه في القاعة الماســية في فندق شيراتون العاصمة، حيث حفل النساء. مــا أســعد فهــدًا مساؤنا ذاك. يوزِّع ابتساماته على كل شيء في الديوانية. بدا مختلفا، بذقنه الحليق وحرصه على إبقاء شاربيه طويلين منخفضين عند زاويتيّ شفتيه، خلافا لإزالة الشارب تماما حسب موضة دارجة. يُميل عقاله مثل عبدالكريم تماما. يجلس ثابتا على الأريكة في الديوانية لِئلا تتجعَّد دِشداشته. يمنعنا من التدخين كيلا يُفسد الدخانُ رائحة البخور ودهن العود في ملابسه. لم يتزحزح من مكانه إلا لزاوية الديوانية عند المبخر والعطور العربية التي وضعتها والدتي لهذه المناسبة. حتى وقت صــلاة العشاء بقي ساكنا خوفا على دِشْداشَتِه: "أصَلِّيها بعدين". يهاتف أمه يمازحها إن كان بوفيه العشاء في الشيراتون يضـمُ مطبَّــق سَــمَك. تستعجله تنهي المكالمة. ينهيها: "مياااو!".

ما إن فرغنا من صلاة العشاء يؤمنا ضاوي حتى اســتقام فهــد يحمل بِشتَهُ أمام المرآة يتأكد من سلامة مظهره قبل خروجنا. لكــنَّ أيوبا يشير إلى زاوية الديوانية: "هات العود". استغرب ضاوي عاقدا حاجبيه. غمز له فهد: "أقصد دهن العود يا شيخ!". دسَّ ابن خــالي

يده في جيب دِشداشته يناول فهدًا زجاجة صغيرة: "دهن عود من مكّة.. ولا في عرس أمك تحصِّل مثله!". ضحك فهد وهو يمسح العود على ظاهر كفّيه ورقبته. مدَّ يده بالزجاجة إلى ضاوي. رفض الأخير استعادتها يقول إنها هدية يوم زفافه.

تركنا الديوانية. كنت مرتبكا أكثر من فهد الذي اشترط أن تجمعنا سيارة واحدة، هو وصادق وأنا: "أبيكُم معاي". لوَّحتُ له بكاميرتي أخبره بأني سوف أتبعهم من أجل تصوير مسيرة مُصَغَّرة سنقيمها في الشارع. أكّد ألا حاجة للتصوير فأمه متأهبة مع المصوِّرات في قاعة الفندق تاليا. أشار إلى ضاوي: "أو هو يصوِّر". نظر ضاوي إليّ لم يُحِر جوابا. فتحتُ باب سيّارتي. كرَّر فهد باهتا: "أبيكُم معاي!". أطبقتُ الباب أدير المحرك. أشرتُ إلى ساعة معصمي. أتفهم دافع ارتباكه وقتَ سفر أبيه للعُمرة يوم زفافه. انطلق صادق بسيارته يصحبُ فهدًا، تبعتهما سيارة ضاوي يصحبُ أيوبا، في حين لحِقتُ أنا بالسيارتين مهملا كامرتي على المقعد إلى جانبي. ضجَّ شارع دمشق بنفير سيّاراتنا، ووميض إنارتها، نزُّف فهدًا. يستعرض ضاوي بسيارته يرسم دوائر على الإسفلت. سرعان ما انتقلت حالنا إلى السيارات في الشارع عند تقاطع الإشارة بين الروضة والعديلية. مضينا إلى مدخل السُّرَّة، شارع طارق بن زياد، أو شارع محظوظة ومبروكة. انعطفتْ سيارة صادق يمينا نحو صالة شيخان الفارسي للأفراح، لحقتْ بها سيارة ضاوي، تنزلق على الإسفلت، يظهر من نافذتها نصف أيوب ملثّما بغترته. مضيتُ أسلك شارع دمشق عائدا إلى الروضة.

* * *

يحدث الآن 9:27 PM

يركض الشرطي إلى سيارته. يشعلُ وميضها. ألحق به أستمهله لحين أتأكد من وصول أيوب إلى ضفة السُّرَّة. ينظر إلى الساعة في معصمه. يرفض. بعد ثلاث دقائق تبدأ المروحيات بتمشيط المنطقة. ولكن. لا استثناء. أرجوك. لا رجاء. أركض نحو سيارتي أتبعه. وصور أيوب في النهر تحاصرني. أتأكُل النار ضاويا ويبلع النهر أيوبا؟! بعض البيوت على الشارع تشتعل. تأكلها النيران ولا سيارات إطفاء في الجوار. أنا أَلِفتُ شعور الخوف منذ زمن. ما ينتابني الآن يجاوز الخوف. ألتفتُ إلى حِصَّة في المقعد ورائي. على شفتيها ابتسامة وفي عينيها قلق. أستمد من طفولتها أبوَّةً تمنحني تماسكا. أرفعُ غطاء الدُرج أسفل مرفقي أتناول زجاجة العطر. تُقرِّب حِصَّة وجهها بين المقعدين الأماميين. يرتفع صوتها: "كلونيا أم بنت؟!". تمدُّ كفَّها مبسوطة. تسحبها. تناولني كفَّها الأخرى الخالية من رسم الفأر. أصبُّ قليلا من السائل الذهبي في راحة كفِّها. لا أسألها كيف تعرَّفت إلى العطر القديم. تتنشَّق العطر في نفسٍ عميق: "أبوي يحب كلونيا أم بنت!". تقطع صمتي بصوت خفيض: "وآنا أحب أبوي". أصوات مروحيات الاستطلاع تقترب من بعيد. أدنو بسيارتي من سيارة الشرطي أكثر. أدير مؤشر المذياع. إذاعة الكويت تندم، على ما يبدو، لعدم مواراتها حقيقةً قبل قليل. تبثُّ أغنية: عَمار يا كويتنا.. عَمار يا أُمّنا.

- "أعرفه.. عبدالكريم.. أبوي يحبه..".

أبتلع إجابتي: "وانتي تحبين أبوك". يبدو أنك ووالدك تحبان الكثير يا حِصَّة. أستعيد وجها قديما يصاحب الصوت في المذياع ولا أجيبها: "وفهد يحبه". أتلفت. ترصد عيناي الدمار. تسمع أذناي الـعَمار. أدير مؤشر المذياع يأكلني خجل. هو الأمر ذاته مع أولاد فؤادة. في ذروة انحدار كلِّ شيء نتغنى: "هذي بلادٌ تطلب المعالي". كذبنا. ولأن مِن الكذَّابِ يمرُّ صدقٌ كثير، تمنينا لو أننا نصدق في هذه وحسب. تقطع سيارة الشرطي الدوَّار. أتبعها. إذاعة أخرى تبثُّ سورة قرآنية: ﴿إِذَا وَقَعَتِ الْوَاقِعَةُ (1) لَيْسَ لِوَقْعَتِهَا كَاذِبَةٌ (2)﴾. أذني مع الإذاعة. عيناي تجوبان الجوار. دويٌّ انفجار عظيم يشقُ سكون الليل. يرتعش الشارع تحت عجلات السيارة. صوت الإذاعة يواصل: ﴿خَافِضَةٌ رَافِعَةٌ (3) إِذَا رُجَّتِ الْأَرْضُ رَجًّا (4) وَبُسَّتِ الْجِبَالُ بَسًّا (5)﴾ حِصَّة أسفل المقعد الخلفي تحاكي الانفجار صراخا. محطة الوقود وراءنا تصير نارا بعلوِ بناية. ﴿فَكَانَتْ هَبَاءً مُنْبَثًّا (6)﴾. تزداد المسافة بين سيارتي وسيارة الشرطي. أزيد سرعتي أتبعه. نقطع شوارع الجابرية باتجاه الخط السريع. عند منعطف أخير، بالقرب من متحف طارق رجب، يوقف الشرطي سيارته أمام أحراش تحاذي سورًا من الشبك المعدني يطل على الشارع الرئيس. يطفئ وميض سيارته. صوتٌ يتخلل التشوشات في جهاز اللاسلكي في حزامه. لا أتبين من كلامه عدا اسميّ قرطبة والعديلية. يوجِّه الشرطي سبَّابته صوبَ نفق مشاة مظلم يؤدي إلى الرميثية. أتمسكُ بالمقود: "وسيارتي؟". يحذرني. لا يخلو الأمر من خطورة. الحافظ الله.

يفكر قبل أن يشير إلى ما وراء الأحراش. إلى جانب النفق. هناك شقٌّ في الشبك المعدني يتسع لمرور سيارة يفضي إلى خارج الجابرية. يستمهلني. يمضي نحو سيارته. يعود بمقصِّ أسلاكٍ معدنية يناولني إياه. لربما جبال الإطارات المشتعلة تسدُّ مداخل السُّرَّة. أحدِّق في عينيه. أسأله الخروج معنا. الجابرية تشتعل. يؤكد بما يشبه استسلاما: محطات الوقود في الجابرية وقرطبة والروضة والعديلية.. كل المناطق أكلتها النيران.. "وين أروح؟!".

يشير بذقنه إلى الشارع. تبتسم عيناه من وراء الكمَّام. يمدُّ كفَّه يصافحني:

- احموا الناس من الطاعون..

***

الفصل التاسع

لم يعتب فهد على انصرافي عن حضور زفافه. تفهَّم حجَّةً ما نطقتُ بها. غفر لي معانقا حين وجدني عند بوابة الشيراتون، قبل منتصف الليل، منتظرا إياه لأزفُّه إلى عروسه. اكتفى ضاوي يصافح فهدًا، عند مدخل الفندق، يهنئه قبل انصرافه متحجِّجا بالتزامه بموعد آخر. لم نلزمه بالبقاء متفهمين تحاشيه الفرقة الموسيقية في القاعة التي تنتظر دخولنا. لا أدري أي القلبين كان يخفق أسرع، قلبي أم قلب المِعرِس، ونحن نقطع الممر نحو القاعة، لنقطع ممرا آخر، في منتصفها، يفضي إلى منصَّة العروسين. ترتفع أصوات الطبول عاليًا كلما اقتربنا. وصلنا إلى خالتي عائشة في آخر الممر ملوَّنًا وجهها. تمسِكُ بطرف حجابها أسفل ذقنها، تفوحُ خليطا من عطور، فيما بدا الحجاب مرتخيا بالكاد يغطي شعرها المنفوش. شرحت لنا سريعًا كيف ندخل وبأي سرعة نمشي إلى المنصَّة. انفجرت الزغاريد في وقت واحد فور دخولنا وراء فهد. يمشي في المقدِّمة بخطى وئيدة على إيقاع قرع الطبول. كانت القاعة مظلمة إلا من دائرة ضوء تحيطنا، نقودها أو تقودنا على مهل نحو وجهتنا، ترانا النسوة ولا نراهُنَّ. فيما ارتفع

صوت فطومة ممسكة بالمايكروفون: "يا معيريس، عين الله تَراك.. القمر والنجوم تمشي وراك". يرتفع رأسي، لا إراديا، أنظر إلى السقف أتحقَّق مما لا أدري. انعطف فهد، خارج بقعة الضوء، خلافا لكلام خالتي عائشة، بشكل أربكنا نحو مقاعد الحضور الجانبية المظلمة. أُضيئت القاعة بالكامل. انحنى فهد على رأس بِيبي زينب يقبله. يقبِّل يدها. ارتفعت الزغاريد أكثر. تبعناه، صادق وأيوب وأنا، بالمثل نفعل. كانت تسند كفَّيها إلى عصاها لا تكتمُ بكاء فرحها. بدت في كامل زينتها رغم التعب البادي على وجهها. توصي فهدًا على حفيدها محذرة: "عين الله تراك!". قرَّبَ صادق وجهه إلى جدَّته: "قومي اِرقصي يُمَّه زينب!". ضحكت تشيرُ له أن يقرِّبَ أُذنه. أفصحت بفمٍ نصفه مفتوح: "ماكو أغنية عراقية!". احمرَّت أُذُنا صادق يتلفَّت حوله يفتعل ابتسامة وقتَ خالَطَ الحزن ضحكي.

تحلَّقت قريبات العروسين حولهما تلتقطن صورا أثناء انصرافنا. خالتي عائشة توجِّه المصوِّرات مثل مخرجة محترفة. لم أشاهد من حوراء عدا ذيل ثوبها الأبيض. كانت قد غُطيت برداء لؤلؤي اللون، يستر كتفيها ورأسها. نسيتُ قلق الشهور السابقة فور ما طبع فهد قبلته على جبين زوجته. جلستْ كتمثال لم تُبدِ تجاوبا مع تهنئتنا: "مبروك". وكأني أرى الفرح في عينيها الكحيلتين ووجنتيها الحمراوين وراء ساتر وجهها.

كنت أمضي تاركًا صادقًا وأيوبًا يهنئان خالتي فضيلة، وقت سكتت فطومة تُفسح وقتا للـ DJ يُحيّي المِعرِس بأغنية لعبدالكريم

اختارها حوراء. لمِحتُ فوزية ثابتة في مقعدها. حَدَقتاها صوبي مباشرة. أبعدتُ نظري إلى الباب مرتبكا. التفتُّ لها ثانية. عيناها باردتان نحو الأرض. شتمتُها في سرِّي كم تبدو فاتنة، بثوبها الوردي وشعرها الأسود الداكن. هي الطفلة إياها التي كانت ترقص في الأوبريت القديم. فراشة وردية تحلِّق في حدائق الأغنيات والبهجة. لا بهجة في وجهها رغم الأغنيات. هو الوجه ذاته. هو الأنف سَلَّة السيف. هو الشعر الذي يجاوز منتصف مؤخرها يمحو ذكرى آلة الحلاقة القديمة، وهي البشرة السمراء التي أُحب. هي هي. إلا جسدها لم تزده السنوات سوى ماذا؟ أشحتُ بنظري بعيدا عنها وعن خيالاتي. استفاق شيء في داخلي وقتَ هَمَدَ صوت عبدالكريم وأُخرِسَت الطبول في رأسي. صرتُ أنصتُ إلى أغنيتها القديمة في أعماقي: "بنقول لكم سالْفَهْ.. وللسامعين كافَّة.. أحلى السوالف". تركتُ القاعة وفوزية وبِيبي زينب والعروسين وأحلى السوالف ورائي.

انتقلت حوراء إلى السكن، في جناح علوي، في بيت أهل زوجها بعد منافسة مجنونة بين النسيبين على محل الإقامة. شرع كلاهما يقحم نفسه، في حياة الزوجين، نكاية بالآخر. كان الأمر مضحكا في البدء، وكان مادة للتندُّر في ديوانية الروضة، عندما كانت الخلافات سطحية، أو عندما كانت تبدو كذلك، وقت تأثيث جناح العروسين. "أبوها يقول إسفنج البغلي أحسن، وأبوي يقول إسفنج الجريوي!". قاطعه أيوب: "يحيا American Mattress!". فهد لا يضحك مقابل ضحكنا. يواصل: "أبوي يقول إلكترونيات

LG وأبوها يقول Panasonic". ولأنني لمحتُ الجدِّية في وجهه، سألته: "ليش؟". أجابني، بقناعة الرجلين، مَثَلا دارجا: "دهننا في مكبَّتنا!". استرجعتُ أسماء الشركات والوكلاء التي ذكرها توًّا، أردُّ واحدها إلى طائفة، مدركا إلى أي حدٍّ وصل بهما الأمر. راح فهد يتحدَّث عن اختيار أبيه ونسيبه لأسماء بعينها في حال رُزِقا بولد أو بنت. ختم مهوِّنا: "اِحمد ربّك أبوك وأمك ما عندهم هالسوالف!". فرغ من تأثيث سكنه. ملأ مكبَّتهُ دهنا من هنا ودهنا من هناك إرضاء لطرفين لن يرضيا أبدا، لعله يتحاشى مضايقاتهما.

بعد شهور سبعة من زواج فهد، هاتفتني زوجة خالي حسن في الديَوانية. لم أفهم منها كلمة بين لهاثها وصراخها عبر الهاتف. ولم أستوعب حقيقة ما يجري وقت بثّ التلفزيون خبرا عاجلا عن هجمات لشباب كويتيين ضد جنود مشاة في قاعدة أميركية في جزيرة فيلكا. قُتل اثنان من منفذيها. أُلقي القبض على متهمين كثر لم يُفصَح عن أسمائهم. أكدت زوجة خالي أن ضاوي أحدهم. حبسنا أنفاسنا في الديوانية نترقَّب مصيره. أفرجت النيابة العامة، بعد أسبوعين، عن اثني عشر متهما من بينهم ضاوي الذي بقي صامتا. لم يفصح عما جرى له وقتَ احتجازه. لم يفصح عن شيء عدا حزنه على بقائه معتقلا، على ذمة التحقيق، وتخلُّفه عن صفوفِ مُشيِّعين قُدِّروا بالآلاف رافقوا المجاهدَين إلى مثواهما الأخير. كان يعرف أحدهما. يتحدَّث عنه بإجلال؛ رجلٌ وعد وأوفى. كنا نستمعُ إليه يُفضي بحرقة: رحمه الله، عاهد نفسه على الانتقام وقتَ عرض تلفزيون الكويت مشاهد للمجازر الإسرائيلية في خان يونس في غزة.

فعلها وانتقم. تدخل صادق: ومن قال إن خان يونس في فيلكا؟! نهض ضاوي بعينين حمراوين ووجه صارم. قابله صادق نافخا صدره. لا يفصل بين أنفيهما سوى مسافة صغيرة. "يهودي!"، قال ضاوي. ردَّ صادق: "أشرف منكم!". تداركنا الموقف، فهد وأيوب وأنا، بعدما أوشك الاثنان على اشتباك بالأيدي.

عادت المنافسة بين النسيبين اللدودين في الشهر الأخير لحمل حوراء، فبراير 2003، وبعد معرفتهما بجنس الجنين ذكرا، شرعا يؤكدان على أسماء اختاراها لحفيد مقبل. يحذِّر كلاهما من اختيار أسماء بعينها، في وقتٍ كانت فيه أمي زينب بعيدة في جناح وِحدة جراحة القلب في مستشفى مبارك. تضيِّقُ عينيها أملا في قراءة شريط الأخبار أسفل شاشة التلفزيون الصغيرة، يأكلها قلقٌ إزاء أخبار استعداد القوات الأميركية لخوض حرب محتملة على العراق. توصي ابنها: "إذا فِتحَو الحدود، أمانة، تَرحون بيًّه لهناك.. عَدلة چِنت لو ميتة". تنتفض فضيلة: "بعد عمر طويل اِنشالله". تلتفت أمي زينب إلى حوراء. تشير لها أن تقترب. تمسح بطن حفيدتها بكفِّها: "وِانتي! يَمته تجيبين؟". تبتسم حوراء. تُردف جدَّتها: "لا تتأخرين".

يفضي لي فهد بكل ما يجري هناك، بعيدا عني. يصفُ لي خوف حوراء. وحينما طمأنته بأنه شعور طبيعي لأي امرأة تخوض تجربة ولادة أولى، هزَّ رأسه: "حوراء خايفة على أمي زينب". ينهي حديثه: "وآنا بعد". أردِّد داخلي: "وآنا بعد".

ابتسم فهد وهو يمدُّ لي يديه يحمل صغيره في ممرِّ مستشفى الولادة: "حسن.. على اسم خالك حسن". تذكرتُ وجه خالي في

ذاك النهار، يوم أُزيحَ عنه اللثام. نظرتُ إلى الصغير نائما بين يديّ. رددتُ إلى فهد ابتسامته. أذكّره: "وعلى النظاراتي حسن". افتعل ارتباكا: "هششش!"، برَّر: "كنا جَهال!". كنت أنظر إلى وجهه تمرُّ في خيالي حياتنا في ثوان. قط المطابخ صار أبا لقطٍّ صغير يُشبهه. وعندما طال وقوفي في ممرِّ المستشفى سألته عن حوراء. أجاب: "الأهل بخير". هززتُ رأسي متفهما قبل أن أمضي إلى خارج المستشفى. نحن لم نعد أطفالا كي يُسمح لي بالدخول أهنئها بمولودها الأول. "سلِّم عالأهل"، قلت له.

أتمَّ الصغير يومه الثاني في مستشفى الولادة. حمله فهد تاليا إلى غرفة العناية المركزَّة في مستشفى مبارك. لم تقوَ أمي زينب على حمله بين ذراعين مثقلتين بأنابيب المغذيات، وأصابع موصولة بأسلاك قياس نبض القلب وضغط الدم. لم تقوَ كلاما. بالكاد ابتسمتْ عيناها لمرأى حسن الصغير، قبل أن تطبق جفنيها ببطء. تُغمض عينيها بسلام.

قرأتُ إعلان نعيها في صحف اليوم التالي. أرملة الحاج عبدالنبي عبَّاس محمد. لم يشفع لها لقب عائلةٍ، كان عريقا، بذكر اسمها صراحةً، لِئلا تُكشف هويتها. ماتت من دون اسم. سقطت ورقتها الأخيرة وقت سقوط عِراقها بأكمله.

* * *

9:42 PM يحدث الآن

"عمي.. تقدر تشوف؟!".

تستعيد حِصَّة صوتها بعد استنفاده صراخا صاحَبَ تفجير محطة الجابرية. أقود سيارتي ببطء بلا أنوار. متمهلا كما لو أن للسيارة ذراعين تتحسَّسان الطريق. أجيب سؤال الصبيَّة مؤكدا. نعم. رغم أني لا. الظلام، هنا، أشدُّ من سواه. كأني تركت البدر ورائي في الجابرية. شيءٌ يشبه سُحُبا، أو غُبارا عالقا في السماء يزيد الليل عتمة. أتذكر أمي حِصَّة تحذِّر فهدًا: "أقدر أشوف في الظلمة". هي تقدر على أشياء كثيرة، وحدها تقدر. أخشى لو أشعلتُ أنوار السيارة أن تدرك الرصاصات دربا يقودها إلينا. أنعطف يمينا مع ارتفاع الطريق نحو شارع دمشق. في سوادٍ يجنِّب سالك الدرب بشاعة مألوفة؛ تِلال رمادية في حذاء الرصيف، وحجارة ومتاريس وأوساخ على جانبي الشارع. لا أرى شيئا هنا. وحدها الرائحة تنشط كما لو أننا قرب الجسر. أنصتُ إلى صوت عجلات سيارتي تخوض في ماء يُغرقُ شارع دمشق. شعور يعيدني إلى الطريق أسفل الجسر، وقتَ بدأ يطفح بمياه المجاري قبل بضع سنوات. أترانا إزاء نهر جديد يُمهِّد لظهوره؟

همس حِصَّة: "ممكن أسأل؟". هي لا تكف عن السؤال منذ حرَّرها أيوب من المصعد. آه يا أيوب. تتخذ الصبيَّة من صمتي رخصةً لسؤالها:

- "عمِّي.. يقدر الإنسان يتنفَّس تحت الماي؟".

دافِعُ السؤال يُلزمني صمتا عن إجابةٍ تعرفها. تُفكر في أبيها. أفكر في أيوب. يخبو صوت الماء تحت العجلات. يختفي عند دخولنا شارع طارق بن زياد. اسم الشارع، في العادة، يجرُّني إلى ذكريات نشأتي. هذه المرة لا أفكر في شيء لولا أن حِصَّة راحت تستعرض معلوماتها حول مسلسل عُرض لأول مرة قبل ولادتها بسنوات طوال. شارع محظوظة ومبروكة. مستشفى الطب النفسي. فؤادة والفئران الآتية. هي، بسبب إذاعتنا، تعرَّفت إلى المسلسل. تابعت حلقاته على الـ يوتيوب، وأحبَّته كما تقول، لولا نهاية لم تعجبها. تسألني لماذا هربت محظوظة ومبروكة، في الحلقة الأخيرة، إلى مستشفى المجانين؟ لماذا لم تواجها الفئران؟ تروح الاثنتان، في مشهد أخير موشوم بالذاكرة، تجريان هلعا داخل رأسي في هذا الشارع. لا أجيب الصبيَّة بأن هربهما جاء دافعا لأولاد فؤادة بعد سنوات ليغيروا المشهد. لا تنتظر حِصَّة إجابة لسؤالها. يقودها صمتي إلى غيره. "عمي.. البيت بعيد؟". أشير لها أمامي باتجاه ما لا أراه: "شارع علي بن أبي طالب". يدفعها الاسم تسأل:

- "رضي الله عنه أم عليه السلام؟".

على من تتذاكين يا صغيرتي؟! استهلكني زمنٌ طويلٌ لكي أكون في موضع أمي حِصَّة، أمام سؤالٍ أزعجها حول موقع حديقة الحيوان بين العُمَرِيَّة والعُمَيرِيَّة. في ظلامنا هذا لا أجد مهربا من سؤالها. لا حمامة تحطُّ على سورٍ قريبٍ تصرف الصبيَّة عن سؤالها. لا قفص عن

يميني ألتفتُ إليه وأنبِّهها أشغلها: "شوفي شوفي!". أشير إلى دجاجاتٍ تنظر إلى السماء تناجي الله. ولا بائع صُرَّة يبذل كل ما في حنجرته من قوة، ينادي خام خااااام، يبسطُ صُرَّته على الأرض، يجنبني مواجهة سؤال طفلة ترغب في معرفة من أكون، وأنا نفسي لا أعرف. أتجاوز دوَّار السُّرَّة. أمضي قُدُما. بين مدرسة حمود برغش السعدون وثانوية جابر المبارك. بعض البيوت مضاءة على الشارع. هدير مولِّدات الكهرباء، أسفل أسوارها العالية، ينثُرُ حياةً في صمتٍ يشبه الموت. تسألني الصبيَّة عن البيت الذي نمضي إليه. لو كنتُ غيري لعنَّفتها على كثرة أسئلتها. أجيبها: "بيت أمي حِصَّة". تشهق. تسألني إن كان هو بيت العجوز راوية الحكايات في سلسلة ابن الزرزور. أومئ لها موافقا. يرتفع صوتها: "قول والله". ولا أقول.

هنا القطعة 3 في السُّرَّة. شارع علي بن أبي طالب. تبدو المنطقة أفضل حالا من الجابرية، لكن من يدري إلى متى؟ بعض بيوت الشارع، من بينها بيت آل بن يعقوب، تكشف نوافذه عن إنارة. أترك سيارتي محاذاة الرصيف. سيارات بيت آل بن يعقوب، ومعها سيارة حوراء، مثقوبة الإطارات. أترجل ممسكا بيد حِصَّة أتقدَّم نحو الباب. تفلتُ يدها تمضي نحو النخلات الثلاث تتفحَّصها بملامح محبطة. أكبسُ زر الجرس. دقيقة صمت لا تفضي إلى رد. أُقعي أسفل الباب الحديدي. تتقدَّم الصبية نحوي. همس في أذني: "هذا بيت أمي حِصَّة؟!". أنظر إلى جفافٍ طالَ برحيَّة وسَعمرانة، وخُضرةٍ خجولة في سعفِ إخلاصة، ولا أحير جوابا. أهمُّ أدسُّ كفِّي في الفراغ أسفل الباب. المسافة لا تسمح. بالكاد أمرِّر أصابعي. ملمس المزلاج

الصدئ لا يشبه ملمسا قديما أعرفه. أحاول عبثا إخراجه من ثقب البلاط بلا جدوى. تجلس حِصَّة على ركبتيها. تدسُّ كفَّيها الصغيرتين تعالج المزلاج. تنجح في رفعه. تستقيم واقفة. تدفع الباب إلى الداخل تسبقني إلى الحوش.

* * *

الفصل العاشر

لآثار الحروب تجلياتها، ليست مخلفات السلاح أبشعها. أي هلع تلبَّس والدتي وقتَ انطلقت صافرات الإنذار، تحسُّبا لصاروخ يتسلل من الناحية الشمالية المقصوفة، تنعق فوق مباني المدارس. هيأَتْ ركنا في البيت أحالته ملجأ وقت الخطر. لا تني تهاتف أبـــي وأخوتهـــا تتوسل إليهم البقاء في أماكن آمنة. طار النوم من عينيّ والدي خشية تدهور سوق الأوراق المالية المنتعش بحال عدم الاستقرار الذي خـــيَّم على الكويت وقتَ قصف بغداد. تهاتفني أمي كلَّ ساعة تطمـــئن إلى وجودي: "والله لو طلعت من الديوانية وقت صفَّارات الإنذار..". لو أنها تدرك خطورة ما يجري داخل الديوانية! ابتعدتُ أحمـــل هـــاتفي ألومها. هي بأسلوبها هذا تظهرني أمام أصحابـــي خوّافا. إجابتـــها جاهزة: "من خاف سلم!". كان التلفزيون يعرض مشاهد مباشـــرة لقصف بغداد. نيران وأدخنة وقذائف وأصوات طيران حربـــي. كنا نتابع في صمت. لا أدري ماذا يدور في رأس كل واحد منا في نوبـــة خرَس. صوَّبتُ عينيَّ إلى الشاشة و لم أشاهدها. تذكَّرتُنا صغيرَين، فهد وأنا، نتقمَّص جنديين عراقيين نهتف، نُهوِّس، ونَعِدُ الأمة بنصر من الله

قريب. تذكَّرتُنا، صادق وفهد وأنا، نجمع حجارة صارت تلاً في حوش آل بن يعقوب، لعلنا نصير أطفال حجارة. تذكرتُ فوزية و"بلادٌ تطلب المعالي". تذكرتُ صالح وصورة الرِّيس. تذكرتُ عبَّاسا وصورة روح الله. تذكرتُ أمي حِصَّة تُبَجِّل فهد الأحمد، الشيخ الشهيد، الرجل، الذي حارب اليهود. تذكرتُ حديثها الليلي عن زوجها مُنصِتا إلى خُطَبِ، الزعيم، جمال عبدالناصر، يطرب لحديثه. تذكرتُ كلَّ شيء، وعيناي على الشاشة ثابتتان. تذكرتُ، وأدركتُ كم كنا فئران تجارب في معمل كبير يُديره من؟

دوَّى صوت انفجار في التلفزيون يُخلِّفُ حِمما تلوِّن الشاشة. ضاوي أشدنا تأثرا. صارم الملامح لا تخفي عيناه الحمراوان ما يعتملُ في داخله. هزَّ رأسه يستشهد بحديث النبي؛ أخرجوا المشركين من جزيرة العرب. انفعل. أمسكَ أيوب بالريموت كونترول يكتُم صوت التلفزيون. دخلنا في حرب تسميات، بين ضاوي وصادق، غزو العراق أو تحريره. لا أدري كيف يجرُّنا كل نقاش إلينا في النهاية. القاعدة الأميركية في جزيرة فيلكا. الأساطيل الأجنبية في مياه الخليج، العربي تارة، والفارسي تارة أخرى. بدأت الملاحظة كمزحة يناكف بها واحدهما الآخر. اتخذتْ المزحة منحى خطيرا. اختلفا. ارتفع صوتاهما. كان اسمه. صار. قبل بعد. في خرائط قرون مضت. حقيقة. ادعاء. تزوير تاريخ. قاطعتهما مستخِفًّا بجدِّية لا تناسب الموضوع. أدعو كلاهما لتسمية خليجه وفق قناعته وإنهاء الأمر. اتفقا بردِّهما: "ما يصير!". دارت العجلة من جديد. خليج فارسي. خليج عربي. تدخل فهد: "تسكتون والا أجيب العود؟".

صاح ضاوي وقتما اتسعت رقعة النار في الشاشة الخرساء. عجز حرف الراء يجد له مكانا في لسانه: "حرام!". سأله فهد أي حرامٍ في أن يُقتل قاتِلَ أبيه: "هذا وإنت ولد شهيد!". امتقع وجه ابن خالي ترتعش شفتاه. هو الذي يأمل عودةً لأبيه، أو ربما شهادة تليق به. هو الذي أمضى سنواتٍ لا يعرف مصيرا لمفقود يراوح بين نعتين لا يدرك أحدهما؛ أسير أو شهيد. يصفعه النعت المخاتل يفتح أبواب الاحتمالات على مصاريعها. تدخَّل صادق يحاول إقناع ضاوي بضرورة ما يجري: يموت أحدهم لتعيش أنت! استعدتُ مشاهدَ لبرٍّ مِشْرِف، قبل تقسيمه، وقتَ دخول آليات الحَفر؛ الجرابيع المذعورة والضُبَّان المشرَّدة والكلبُ ضحية اللُّغم. صرتُ أفكرُ في مصير طائر الصِّرد الرمادي. انصرفتُ عن مشاهد قديمة. تذكرتني بعيدا، لا يعنيني من أمر العراق شيء عدا أن بِيبي زينب أطبقت عينيها قبل أن ترى النيران وإرثها الرمادي، وقلق انتابني على حين غفلة لفكرة وجود خالي حسن في معتقلاتٍ عرضة للقصف. والناس هناك؟ كنت أسأُلني. وجدتني منجرًّا وراء عاطفتي تجاه من لا يربطني به عدا عجوز ماتت قبل أيام. استعدتُ وجوه عبداللطيف المنير وجاسم المطوع وخالي حسن وجنودا عاثوا في بلادي فسادا، حرائق آبار نفط وألغام، ولافتات ضخمة تحملُ شعار "كي لا ننسى"، أستمدُّ منها مبرِّراتٍ فشلتْ تقنعني بعدالة ما يجري. تذكرتُ الصور الصامتة على شاشة التلفزيون. وأصوات صافرات الإنذار لا يصدُّها زجاج نوافذ الديوانية، تتماهى مع نشيج ضاوي الذي صار يبكي مثل طفل أمام الشاشة. شُلَّت ألسِنتنا ينظر واحدنا إلى الآخر. جَمَعَنا سؤال لضاوي

لم نجرؤ على لفظه: على من تبكي يا ابن الخال.. على ما يصير رمادا في الشاشة أمامك، أم على يقين مباغت لموت خالي حسن.. هناك؟

ومع شكوك حول مصير الخال، جاء اليقين بمصير ابن فهد وحوراء. مات حسن الصغير. رغم بقائه حيًّا، تحفظه جدَّتُه عائشة من الفناء، في كاميرتها الديجيتال. ثمان وعشرون صورة بعدد أيام عمره قبل أن يأخذ الصغيرَ الموتُ في حضن أُمِّه. انحنت عليه تُلقمه ثديها. مالت عليه. غَفَت. غفى. استيقظت. وجدته بين ذراعيها أزرق الوجه. لم تستعطف صرخاتها ملك الموت الذي مضى بروح رضيعها بعيدًا. نشط خلاف النسيبين، رغم حزنهما، في ذروة الفاجعة. في أي من المقبرتين يُدفَن الصغير. مقبرتنا. مقبرتُهُم. وكأن إحدى المقبرتين تُفضي إلى نار وأخرى تُفضي إلى جنة. اختفى فهد يحمل صغيره. عاد بوجه جامد، يجيبُ من يسأل عن مكان دفنه: "في التراب".

أُقيم لحسن الصغير عزاءان. أحدهما في حسينية والآخر في بيت آل بن يعقوب. يقف فهد، صباحا، يتقبَّل التعازي هنا، وعصرا يتقبَّلها هناك. غاب عن الديوانية. صار قليلا ما يزور. بقي إلى جانب حوراء ينقلها من عيادة نفسية إلى أخرى. كان ضعيفا، ولكن ضعف زوجته أجبره أن يتحلى ببعض قوّة. ساءت حالة أم حسن. لم تعد تسمح لزوجها اقترابا. يطمئنها: "الله يعوضنا بغيره". تنفجر في وجهه باكية. تنشب أظفارها في ثديها الأيمين تُدميه. تصيح: "ما أبيه!". اضطر فهد لإبقائها في مستشفى الطب النفسي، إذعانا لأوامر أطبائها، خوفا عليها من نفسها. يُخبرني صادق؛ لا تحسُّن في حال

شقيقته. تقضي ساعات صحوها، في غرفة المستشفى، ساهمةً تنظر إلى النافذة. تصيح فجأة. تطبق كفَّها على ثديها تعصره. تكزُّ على أسنانها: "ما أبيه!". يتحلّق حولها الأطباء والممرضون يحقنونها بأدوية مهدئة يُقيِّدون رسغيها إلى طرفيّ السرير. أمضت سنة في المستشفى. في ذلك الوقت انتقل عبَّاس وعائلته إلى بيت جديد في الرميثية. يقول صادق إن قرار انتقالهم جاء بسبب صعوبة البقاء في البيت بعد رحيل أمي زينب. ويعزو فهد السبب إلى ضيق نسيبه بجيرة لم يعد يحتملها مع أبيه. لا يتردَّد يُفضي: "بصراحة.. أحسن!".

في لقاءاتي القصيرة مع فهد، وحدنا في الديوانية، كان يحدِّثني عن زوجته بحسرة. تُهاتفه: "ولهانة عليك". يأخذه الفرح إلى المستشفى. تصرخ به: "اِطلع برَّه!". هالات سود تحيط عينيه. أوشك أن ييأس من شفائها رغم تأكيد الأطباء: مسألة وقت. طال الوقت. هَجَرَ جناحهما الجديد منذ انتقال زوجته إلى المستشفى. صار المكان، من دونها، موحشا. انتقل للنوم في غرفته القديمة مقابل غرفة فوزية. أُهاتفه ليلا، يجيبني عبدالكريم: "يا طول الليل من دونك، يا طول الليل.. يا طول الوقت من دونك، يا طوله حيل". يُلحقُ الأغنية بصوته مُسجَّلا: أنا غير موجود حاليا، الرجاء ترك رسالة. أدريه يسمعُني: "فهد.. اِرفع السمَّاعة". لا يرفعها. أردفُ قبل أن أنهي مكالمتي المسجلة: "أدري تسمعني.. أنطرك في الديوانية". لا أمكثُ أكثر من ربع الساعة حتى أسمع صوت ارتطام باب سيارته. يدخل الديوانية بوجه شاحب. أصُبُّ له الشاي في الاستكانة. أناوله إياها. "قول". يُمسك باستكانة الشاي يُقلِّبُ سُكَّرها. يقول: "أبوي قال،

ما دام ما بينكم عيال، طلِّقها!". يقول إن فضـيلة تتـهم عائشـة: "سحَرَتْ بِنتِي". فلتت مني ضحكة. "الأمر جدّي"، قـال منفعلا. فضيلة مؤمنة تمامًا بما قالته لها امرأة تدَّعي كشف الغيب. التعويـذة مدفونة تحت سِدرة أمي حِصَّة. يتجدَّد تأثيرها كلما مـرَّت بها أم حسن دخولا أو خروجا من البيت. قال وهـو يحملِـقُ في الأرض: "صار لي يومين أحفر تحت السِّدرة.. ما لقيت شي". تدارك وهـو يغتصب ابتسامة: "لقيت جوازك القديم!". من شأن مفاجأة العثـور على جواز سفرٍ، دفنَّاه قبل أربعة عشر عاما، أن تـثير اهتمـامي في ظرفٍ غير ظرفي ذاك. تزاحمت الكلمات على لساني، ولكن أيا منها لم تلفظه شفتاي. كان يشعر بأن لعنة تطارده بسبب أهلـه، وكـأن أمي زينب، برحيلها، تركته وزوجته بلا بركـة. أشـار إلى زاويـة الديوانية ما إن فرغ من شرب شايه. ناولته العود. اكتفى يعزف، من دون غناء، لحنا مألوفا. رحتُ أبحث عـن كلماتـه بـين أغنيـات عبدالكريم: ما أصعبك.. كل يوم لك حالٍ جديد، مرَّة قريب مـرَّة بعيد!

نظر إلى عينيّ، ذات ظهيرة، يسأل إن كـان قـرار زواجهمـا صائبا؟ هززتُ كتفه: "فهد!". أشاح بنظره بعيدا: "آنا تعبان". بـين فقد ولد، وزوجة توشك أن تفقد عقلها ترفض الإنجاب، وتـدَخُّل الأهل في شؤونه، لم يقوَ على شيء، بعد قوله: "ما تَبيني"، عـدا أن يحجب وجهه بكفَّيه. يهتزُّ جسده. يكتمُ صـوته. طلبـتُ منـه أن يأخذني إلى المستشفى. أدريه ينزعج. ولكن: "يصير أزور اِخـي؟". مسح وجهه بكفِّه يجيب محرجا: "يصير".

قاد سيارته صامتا. أو لم يكن صامتا تماما ما دامت الأغنية تدور في مشغل الأقراص في السيارة. بلغنا السادسة والعشرين تلك السنة، 2004، وهو لا يزال كما أعرفه طفلا ومراهقا. أستعيد كلامه، صغيرا، عن مطربه الأثير: "يغني لي بروحي". أنظر إليه في المقعد جانبي صامتا منصتا، أسألني بعد مرور كل تلك السنوات: هو وعبدالكريم، أيهما مخلصٌ للآخر؟!

"علينا وضْعنا مكتوب، نعيش البُعد ياالمحبوب، مشينا والزمان دروب، وليالي الحزن تطوينا".

أمدُّ يدي أخفض صوت الأغنية. أسأله: "شلون فوزية؟". يبعد يدي عن المذياع. يعاود رفع الصوت:

"تعبنا واحنا نتأمل، نَبي أحلامنا تِكمَل، وضاع إللي نَبيه أوَّل، وضاعت كل أمانينا".

ضغطتُ زرَّ مشغل الأقراص أُخرسه. التفتُّ إليه: "ما ضاعت.. صدقني!". اغتصب ابتسامة.

كانت أول مرَّة أزور فيها مستشفى الطب النفسي في منطقة الصباح الصحية. مكان خانق يشبه المستشفيات في الأفلام المصرية القديمة. بلاط عتيق مثل بلاط حوش أمي حِصَّة. جدرانٌ باهتة بيضاء مصفرَّة. تفحصتُ الممرات ووجوه الممرضين. لا شيء يشبه المكان الذي أعرفه صغيرا في مسلسلٍ صوَّر لنا المستشفى، رغم بؤس حكاياته، مكانا يضجُّ بالحب، بالضحك والمقالب. سبقني فهد إلى

غرفة زوجته، قبل أن يأتيني صوته: "تفضل". دفعتُ الباب. يجلس صادق إلى جانب أيوب الذي يزور ابنة عمِّه، في حين يُرتِّبُ فهد حجابها يُخفي خصلاتٍ بَدَت ظاهرة من شعرها. يهمسُ في أذنها: "حبيبتي.. شوفي منو جاي يسلِّم عليك". نظرتْ إليّ في صمت. عيناها الكحيلتان استدعتا ذكريات طويلة في ثوان. عاودتْ النظر إلى النافذة. ترك صادق الغرفة يمسك هاتفه المحمول الذي شرع بالرنين: "هلا يُبه"، أجاب قبل أن يختفي وراء الباب. أخذتُ أستدرج حوراء للحديث. شلونك؟ لم تجب بغير الصمت ووجه ثابت صوبَ النافذة. ذراعاها طليقتان رغم قيدَين معدنيين يحيطان رسغيها. تبدو في حال لا بأس بها. عاد صادق، يُمسكُ هاتفه المحمول، يخبر فهدًا: "أبوي يسأل عن أبوك إذا كان هني والا لأ". صار كلاهما يسأل عن مواعيد زيارة الآخر تحاشيا للقائه. يزور واحدهما المستشفى بما يشبه جدولا محدَّد الساعات. قليلا ما يزور صالح. وإذا فعل فإنه يفعل من أجل فهد وحسب. يتدخل أيوب بأن الإثنين في حاجة للعلاج هنا، حتى لو استدعى الأمر جلسات علاج بالكهرباء تُمحي ذاكرتيهما المريضتين. ضحك صادق: "مثل محظوظة ومبروكة". ضحك فهد رغم حزن وجهه. لفتتني تنهيدة نمَّت عن حوراء. ارتسمت على وجهها نصف ابتسامة. شجَّعتْ أيوبًا يحيكُ نكاته. نظر إليها يدعوها تخمِّن من رأى في ممرِّ المستشفى قبل دخوله غرفتها. لم تبدِ تجاوبا. أردفَ: "الدكتور شرقان وأبو عقيل يركضون وتلحقهم فؤادة بمصيدة الفيران!". نصف الابتسامة، على وجهها، صار ابتسامة كاملة. الابتسامة الكاملة صارت ضحكة. الضحكة أعادت اللون إلى

وجه فهد الأصفر. اللون في وجه فهد بثّ في داخلي سلاما. السلامُ في داخلي حرَّك شفتيّ: "الحمد لله". لم يمضِ وقت طويل حتى جاء عبَّاس. "شلونها؟"، سأل قبل أن يجلس إلى جانب ابنته. كانت قد أخذت دواءها قبل دخولنا بنصف ساعة. أمسك أبوها بجريدة كانت على الطاولة الصغيرة. ثبَّتَ نظارته الطبية على طرف أنفه. هزَّ رأسه عاقدا حاجبيه لخبر على الصفحة الأولى. كانت الأخبار تملأ الصحف عن مجازر تحدث في العراق، وتصفيات لطائفة ضدَّ أخرى، بعد سقوط نظام كتم أنفاسها لعقود. وفي ردٍّ فعلٍ لما تتعرض له الطائفة هناك، حشد البعض، هنا، لتظاهرة تحمل شعار نصرة إخواننا في العراق، ضد طائفة معتدية توالي الجمهورية الإيرانية، في إشارة صريحة لاسميَ الطائفتين. كان في مقدِّمة المتظاهرين أعضاء برلمان يمثلون تيارا دينيا. "حمير!"، قال أبو صادق واصفا المتظاهرين، قبل أن يفرد الصحيفة أمامي يشيرُ إلى الصورة في صدر الصفحة: "هذا الحمار ولد خالك ويَّاهم!". تدخل صادق يلوم أباه: "يُبه!"، في حين إصبع أبيه لا تزال تشير إلى وجه ضاوي، في الصورة، بين الحشود الذين أصدرت الحكومة قرارا بفضٍّ تجمعهم. التفتَ إلى فهد يسأله: "صويلح أبوك ويَّاهم؟". شرع يشتمُهُم من دون تسمية. احمرَّت أذنا صادق واكتفى فهد بصمته، في حين انفرجت شفتا حوراء وهي تنظر إلى النافذة ساهمة: الفئران آتية!

***

يحدث الآن 9:53 PM

مولِّد كهرباء ضخم وسط الحديقة الصغيرة. تمامًا في موضع قفص الدجاجات القديم. يزعج هديرها ساكنات سِدرة أمي حِصَّة. تبدو الشجرة في صحة جيدة. فارعة الطول كثيفة الأوراق. أُطبق كفِّي على كف الصغيرة أمضي بعَرَجي مسرعا نحو الداخل. أتحاشى النظر إلى ما صار عليه الحوش. يبدو صغيرا ليس كالذي ملأناه ركضا قبل سنوات. هنا لعبنا عنبر. هناك وقفتُ أمام كاميرا الفيديو القديمة أسجلُ رسالة إلى والدتي. وعند الباب الأسود هذا تشبَّثنا بعباءة أمي حِصَّة نرجوها تأخذنا. هي لم تفعل، ولا استجاب الله إلى دعائها يوم ضحكت: "الله ياخذكم!". تستمهلني الصبيَّة تشدُّ يدي. تنظر إلى الشجرة مذهولة كما لو أنها في متحف مهجور. هنا تسكن الجنيَّات؟ أُجيبها بضيق صدر: "بعدين".

أمشي بحذر في الممر القديم. يبدو الوضع طبيعيا في بيت لا أعرفه. السجاد الفارسي سماوي الزرقة صار رخاما باردًا. اختفت الكنديشة من الجدار. تقوم بدورها فتحات التكييف المركزي في سقفٍ بلا نقوش، ولا تتدلى منه الثريات الكريستالية. حلَّت مكانها إضاءة السبوت-لايت تنتشر مثل نجوم قريبة. أنا لا أعرف هذا البيت لولا صور يغص بها جدارٌ مقابل. فهد الرضيع. الطفل. المراهق. المعرس. وصور أخرى لجميع مَن مرُّوا من هنا.. أمي حِصَّة وتينا

وصالح وفوزية وحوراء وحسن الصغير و.. الضباب السائل في عينيّ لا يتيح لي رؤية المزيد. هاتف حوراء على منضدة في منتصف غرفة الجلوس. ألتقطه. أدسُّه في جيب دِشداشتي.

- "ما في أحد في البيت عمي".

تضغط كفّي. أمضي أطرق أبواب الغرف. أفتح واحدا تلو الآخر. غريبٌ في بيتٍ غريب. لا أحد هنا فيما يبدو. أرتقي درجات السُلَّم أستعين بالدرابزين على آلام ركبتي. غرفة فوزية أولا. أطرق بابها. لا رد. أدفع الباب. أدخل بقدمي اليمنى. كأن مسًّا كهربائيا يصيبني فور ما تطأ قدمي السجاد الوردي. كلُّ شيء هنا كما تركته آخر مرَّة. الميداليات على الجدران. الصور القديمة للأمير وولي العهد وأعلام الكويت. الفستان الوردي المنفوش. أشرطة الفيديو وروايات إحسان عبدالقدُّوس مهترئة مُصفرَّة الأوراق، وكرسيي القراءة في مكانهما. أُشيح ببصري إلى الزاوية ورائي. ينتصبُ تمثال أمي حِصَّة بعباءتها الكالحة قرب السرير. وجود الصغيرة يُلزمني أبقى كبيرا. تناولني حِصَّة منديلا من حقيبتها. انتبهتْ إلى دموع لم أشعر بانهمارها غزيرة على وجهي.

- "عمِّي.. اِنت تبكي؟".

أهزُّ رأسي. أعزو سبب دموعي إلى الرائحة في طور حموضة تحرق العين. تستلُّ نفسا عميقا. تنفخُ صدرها. تتلفَّت في الجوار:

- "لكن.. ما في ريحة هني!".

تتقدَّم نحو الفستان الوردي المعلَّق إلى الجدار. ترفع رأسها تنظر إليه. تقول بأنه يشبه فستان الفتاة في رسمِ الصفحة الأولى من قصص سلسلة ابن الزرزور. أومئ برأسي من دون أن أقول إنها لو رأت صاحبة الفستان صغيرةً لأدركت أنها الفتاة إياها. يرِّن هاتف حوراء في جيب دِشداشتي يومض برسالة. لا أتردَّد أقرؤها تحمل رقم صادق: "إذا رجع فهد.. أنا أرجع". أرمي بثقلي على سرير فوزية ورائي. أهاتفه على الفور. مرة. ثلاث. عشر. الجهاز مغلق. نصف الهمِّ يسقط عن كتفي. نصفه يثقل كتفي الثانية. أعبث بالهاتف أبحث عن رسائل أخرى. لا شيء عدا رسالة قبل أيام ثلاثة من عبدالكريم.. أعني من فهد، يردُّ على رسالة لحوراء تدعوه فيها ليفكر في أمر الطلاق. كتبَ في ردِّه: "بَوَدّعك يا ليل العذاب.. بَوَدّعك، وأرحل على متن السحاب.. وبتشوفني مثل الضباب.. مثل الوهم.. مثل السراب". تخرج العبارة من بين شفتي لقاء صورٍ يضجُّ بها رأسي:

- "فال الله ولا فالك"..

تسألني حِصَّة:

- "عمي.. فيك شي؟".
- "لأ".

تنطفئ الكهرباء فجأة. تنتفض حِصَّة تلتصق بي. ترتعش مثل حمامة مبتلة: "ما أحب الظلمة!". أُطمئنها. لا شك في أن مولِّد

الكهرباء قد خلا من الوقود. ننتبه إلى صوت في غرفــة الجلــوس في الأسفل. تعتصر ذراعي تشدُّها إليها:

- "في أحد تحت!".

أمدُّ سبَّابتي أمام شفتي: "هششششـــــــ". أحملُ ثلاثا من ميداليات الجدار مستعينا بضوء الهاتف. ألفُّ شرائط الميداليات حول قبضــتي أُثبِّتُ المعدن إلى ظهر كفِّي. تتبعني حِصَّة. تهذي. تســتعيد صــورا لاقتحام بيتها. يرتفع صوتها. الملثَّمون. عمِّي عمِّي.. الملثَّمون. جاؤوا إلى هنا. أُمسك بكتفيها أهزُّها: "لا تخافين!". خوفها يــواجهني بمــا يعتمل في داخلي، وهو ما لا أحتمله في لحظــتي هــذه. أســحب خطواتي أقترب إلى السلَّم. أحدهم يقول: "باب الحوش مفتــوح!". أطل برأسي على غرفة الجلوس في الأسفل. رجلٌ عجوزٌ بلحية طويلة يحمل مصباحا يدويا، وامرأة منقَّبة و..

***

الفصل الحادي عشر

مطلع 2005، كنا في ما يشبه عنق زجاجة، امتدَّ بقاؤنا في قاعها طويلا، لا ندري إلامَ تفضي فوَّهتها. كان كل شيء غريبًا من حولي. ألحظه، منذ سنتين، ولا ينتبه إليه الآخرون، أو ربما يفعلون ولكن! أسرحُ، وقوفا عند إشارات المرور، مع أغنيات عراقية ترتفع من السيارات حولي، بعد صمت دام ثلاث عشرة سنة منذ عام تسعين. كان أول شيء خرج من العراق، بسقوط نظامه، هو أغنياته، الرديئة منها والأصيلة. لا أدري هل صَمَتَ الناسُ عن غنائهم سنوات الحِصار، أم أن أغنياتهم لم تكن لتعبر حدودنا الشمالية. أستدعي أمي زينب من الذاكرة. لو كُتبت لها حياة، أتعود بِيبي زينب. يرتفعُ صوت ناظم الغزالي في حوش بيتها. لا تضطر إلى خفض صوتها مداراةً للهجةٍ تُهمة. ترقص في زفاف صادق على أغنية عراقية، ثم تموت باسم عريق لعائلة عراقية شهيرة؟ تبتعد الأغنيات في الشارع. تصير نفير سيارات ورائي، ينبهني إلى الإشارة الخضراء.

كان الجوّ ملوثًا. نتنشَّق الهواء الفاسد دونما انتباه. صار لهواتفنا المحمولة دورٌ جديد. ابتدعناه بأنفسنا. يكفي واحدنا فتح البلوتوث في

هاتفه ليعي إلى أي حدٍّ نحن نعيش في مكان موبوء. صـــورٌ ولقطـــات فيديو، يتبادلها الناس، لرجال دين وخُطبٍ دينية وفتاوى ومعجـــزات مفتعلة. اضحك مع المعمَّمين. مناظرة بين الشيخ والسيِّد. مباهلة فلان وفلان. شاهد جهل النواصب. مؤامرات الـــروافض. كنـــا نتنشَّـــق كراهيتنا كما الهواء، لا مفرَّ منها. صار كلّ شيء بين الـــــــ هُـــم والــــــ نحن صراحةً. حتى إذا ما تصفحت اليوتيوب بحثا عن أغنية أو مشهد من مسرحية كوميدية، لابد وأن تأخذك التعليقات أسفل اللقطة إلى مكان بعيد. تصنيف المطرب أو الممثل. رافضي ناصبـــي. القـــيء الذي انتشر في الإنترنت تسلّل إلى القنـــوات التلفزيونيـــة. قنـــوات متخصصة. مناظرات يتابعها أُلوف. بين السيِّد والشيخ، من يُفحِم من. وأنا، في كل مرَّة، أغلق التلفزيون، أطبق شاشة الكمبيوتر المحمـــول، أو الهاتف، لاعنا عبَّاسا وصالحا وكأنهما يقفان وراء كل ذلـــك. لا أدري أن في كل بيت صورة عن أحدهما. أتخيَّل الغد، ولا غـــد يجمعنـــا في أرض مضطربة، مثل حوش أمي حِصَّة، يجمعنا تارة، يفرقنا أخرى.

صرتُ اكتب القصص في جريدة الراي، بدعمٍ من أيوب الذي التحق بالعمل فيها. أفسحَ لي زاوية أسبوعية أنشر فيها قصصي، أُمرِّرُ خلالها ما أريد قوله رمزا، وكأنني أغسلُ كفّي مـــن ذنـــبٍ جمعـــي نمارسه. في كل مرَّة أكتب فيها تكون فوزية هي قـــارئتي الضِّـــمنية، أستمدُّ منها محبَّة، تُشبه عينيها، للأرض والناس. كانت قصصي تدور في شارعنا القديم. قصص كتبت نفسها بلا تصرُّفٍ من خيالي إلا في ما يخص الأسماء. اتخذتُ أسماء بديلة لنا وللسُّرَّة. قصـــص أصـــدقاء ثلاثة، صاروا خمسة؛ تركي، مهدي، مشعل، جابر وعبدالله!

لم تكن والدتي راضية عما أكتب لـولا أن زاويـتي صـارت مقروءة. تشيد صديقاتها بكتاباتي. والدي لا شأن له بـي، عـدا تكراره سؤالا عن جدوى الكتابة. لم يكن متحمَّسا لما أكتـب مـا دامت الكتابة لا تدرُّ دخلا. كانت قد تضخَّمت ثروته أكثر من أي وقت مضى، ينوي بناء بيت جديد. يأخذني بعيدا عن بيت أوشـك يصيرُ بيتي، بعد ثماني سنوات، ساهمت الديوانية، رغم كلِّ شيء، في جعله مكانا محبَّبا. أقنعته والدتي بأن يكون بيتا في الخارج، لأن البيت في الخارج ذخرٌ إذا ما حدث وأن! فقدت والدتي اطمئنانهـا زمـن تفجيرات العام خمسة وثمانين، وفي التسعين فقدت ثقتها تماما. ونزولا عند رغبتها واقتناعا، كان البيتُ في لندن. في تلك الأثنـاء، حقَّـق والدي ثروة طائلة، ضاعفت أرصدته في البنوك، مستفيدا من الوجود الأميركي في العراق. امتلك أسطول شاحنات يراوح بـين ذهـاب وإياب في طريق شمالية أغلقت حدودها سـنوات. يـوَرِّد طعامـا ومعدات طبية وِفقَ عقودٍ أبرمها مع الجيش الأميركي. كنا في ذلـك الوقت، معظمه، في الديوانية، نلعبُ ورقا وصل إلى الكويـت، مـن العراق، بكميات محدودة وثمن باهظ، اشتراه صادق مـن أحـدهم. أوراق اشتهرت بعد سقوط النظام العراقي. تحمل كل ورقة صـورة من صور المطلوبين في النظام. كان ابن خالي قد قاطع الديوانية بسبب والدي: "أبوك يشتغل معاهم!". لامني على صمتي. صرخ في وجهي عندما أخبرته بأن والدي لا يعنيني: أموال أبيـك ملطخـة بالـدم. اختفى. بقي الدم ماثلا في طعامي وشرابـي وكل شيء في البيـت؛ بلاطه وسقفه وجدرانه. وحين سألتُ والدي، قال إنني لا أفهـم. لا

أفهم ماذا، استفهمته. أجاب: "من صادها عشَّى عيالـه". صـادها والدي.. و..

وردتني أخبار ضاوي، لاحقا، من أمي. صار معظـم وقتـه في ضيافة جهاز أمن الدولة، لزوم تحقيقات لا تنتـهي حـول حادثـة اشتباك، في منطقة أم الهيمان، بين قوّات الأمن وجماعة مسلَّحة تتبـع تنظيم القاعدة، اتخذ لها الشارع مسـميات عـدة بـين مجاهـدين وإرهابيين. كانت الكويت في حال اسـتنفار أمـني مقيـت. ولأن لضاوي ملفٌّ في وزارة الداخلية، كانت أصابع الاتهام تطاله في كـل جريمة أمن دولة. طالتنا التحقيقات بسبب ارتباط ضاوي بـديوانيتنا التي حامت حولها شبهات. أجفلتُ أمام أسئلة المحقِّق حيـال سـبب تجمُّعنا في الديوانية، وعلاقتنا بمن لا نعرف، والأماكن الـتي يتـردَّد عليها ضاوي. "سجاير وعود وبلايستيشن وورق لعب!"، هذه هـي ديوانيتنا، قلت للضابط قبل أن يخلي سبيلي. قال إن قصصـي الـتي أنشرها في الجريدة لا توحي بأن لي توجها، مثل ابن خالي، عدوانيا. ما كنت أدري أنهم، في أمن الدولة، يقرأون القصص! ضاوي الـذي أحضر السُّرَّة في الروضة، والذي كان صـاحب فكـرة تجمعنـا في الديوانية، صار سببا في إقفالها وتشظي روّادها. قاطعها صادق وأيوب في البدء، إثر نقاشات حول اقتتال الطائفتين في العراق: "يلعن أبـو إللي دَخَّل ضاوي الديوانية!"، قالا. ديوانياتنا الـتي جمعتنـا حـول البلايستيشن وورق اللعب، صارت تجمعنا في أحاديث يرويها كـلٌ على طريقته؛ خلاف تاريخي بين وبين.. لولا موقف فلان لما كان.. سقوط الخلافة العبَّاسية في بغداد بسبب. وإذا مـا تـدخلتُ أُنهـي

الحديث صرتُ رجعيا أُصادر حريتهم في التعبير وصارت ديـــوانيتي مكانا خانقا. توسلت إليّ أمي ابتعادا عن المشاكل: "بلا ديوانية بـــلا عوار راس!"، تقول إن أصحابـــي مثل خيشة الفحـــم، لا بـــدَّ وأن تترك أثرا على دِشْداشَة حامِلها. أردتُ إحراجها أذكرها بأن أحـــد أصدقائي هو ابن شقيقها. لم تكترث: "كلهم!".

بقي فهد، وحده، يتردَّد بين حين وآخر كلما جرَّه حـــنينٌ إلى عودِه الممنوع في بيته. كانت حوراء قد تجاوزت محنتها تماما إلا مـــن رغبتها في الإنجاب. كلما حاول فهد اقناعها ترجوه أن ينسى الأمر. استقرَّت أسابيع في بيت الرميثية لدى والديها، تحصِّنها فضيلة بآيات فك السحر. تغسلها بماء السِدر، قبل عودتها إلى بيت صالح. لم يكفّ صاحب البيت يضغط على ولده: "طلِّقها". تفتَّتت ديوانيتنا إلى مقاهٍ عدة. نجتمع فيها بين حين وآخر، اجتماعات مشروطة من جانـــب صادق وأيوب؛ على ألا يكون ضاوي موجودا. وإذا ما جاء ضاوي صارت اجتماعاتنا حكرا علينا، هو وفهد وأنا. خصَّص أيوب شـــقةً كانت للَّهو، بديل ديوانية الروضة، في بناية يملكها أبوه في الجابريـــة. تجمَعُنا، بعيدا عن ضاوي، فهد وصادق وأيوب وأنا.. أنا الذي أكره لعبة شدِّ الحبل. صرتُ الحبل.

***

يحدث الآن 10:05 PM

أُلقي بالميداليات عند قدميّ. بين غرفة فوزية والسلَّم. أراقب الداخلين في الأسفل يحملون مصابيح يدوية. الصبيَّة تحضنني من الخلف. خطوط الضوء، تمتد من المصابيح، تتداخل وتبتعد في الظلام. حوراء تبحث عن هاتفها المحمول فوق المنضدة وسط غرفة الجلوس: كان هنا.. أنا متأكدة! ولداها يمسكان بيديّ امرأة. أهي فوزية؟ من سواها يرفع رأسه إلى السقف أبدا كمن يحصي نجوما تَلِدُ أخرى؟ المرأة المنقَّبة والعجوز الملتحي يلزماني تردُّدا قبل نزولي. منذ أحالوا النقاب واللحية إلى مصدر رعب ونحن نحسبُ الخطوة بيننا وبين أصحابها. تقف المرأة إلى جوار الرجل العجوز. يمسك الأخير هاتفه يعبث بأزراره. يُطمئن حوراء بأنها سوف تعثر على هاتفها. حوراء تبدي قلقا إزاء السيارة المهشَّمة عند الباب. يرّن الهاتف في جيب دِشداشتي. ينظر الجميع، باستثناء فوزية، إلى أعلى السلَّم. أهبط تتبعني الصبيَّة. خطوط الضوء تلتقي عند وجهي. الهاتف في يدي يومض باسم أبي سامي. أصافح الرجل الذي لا يشبه رجلا أرعبني بكلبه السلوقي طيلة سنوات طفولتي. لا يتعرَّف إليّ لولا أن حيَّتني حوراء. ولا أتعرَّف إليه لولا اسمه على شاشة هاتف حوراء في كفِّي. يركض الولدان نحوي يعانقاني: "عمي.. عمي!". يسألان:

- "وين راح أبوي؟".

أجلس على ركبتيّ أبادلهما عناقا. أنظر في عينيّ أمّهما تحملان سؤالا سكتت عنه: "ووين راح أخوي؟". تشعل المنقّبة شموعا فوق المنضدة منتصف غرفة الجلوس. تلتفت إليّ تهزُّ رأسها بما يشبه تحية. تشير حوراء نحوها تُعرِّف:

- "أم سامي.. فلورنس".

أبادلها التحية. فوزية، في ضجّة الأسئلة، تنظر إلى السقف صامتة. تبدو أخرى. مكتنزة بلا عافية. منطفئة بشعر أشيَب وبشرة أقرب إلى الرمادي من سُمرةٍ قديمة. ينتشر البهاق في جبينها ووجنتيها يرسم ما يشبه قارات عالم مجهول. تُضيِّق عينيها الخاليتين من النور. تستحيل أُذُنا كبيرة تنصتُ إلى صوتي. تتخذ شفتاها شكل ابتسامة يُعجزني فكُّ رمزها. أتقدَّم صوبها مادًّا كفِّي:

- "فوزية شلونك؟".

تتسع ابتسامتها. تهزُّ رأسها وروح الطفلة تغمر وجها شاخ قبل أوانه:

- "زينة"..

حتى صوتها لا يشبه صوتها. تُنبِّهها حوراء إلى كفّي الممدودة:

- "مدّي إيدِك فوزية".

تتردَّد. تمدُّ ذراعيها أمامها تحرِّكُ أصابعها في الهواء. بياض عينيها يختفي وراء حُمرة لامعة. أتردَّد. أقرِّبُ وجهي بين كفَّيها المكتنزتين. تُمسك أُذنيّ. وجنتيّ. تُمرِّر إصبعًا مرتعشةً بين أنفي وشفتي. دموعها تنثالُ على وجنتيها:

- "كتكوت.. هذا اِنت؟".

أومئ برأسي بين كفَّيها. تديرُ وجهها. تميل رأسها تقرِّب أُذُنـــا صوبـــي تتحرّى إجابة. أتدارك: "هذا آنــا". ولا أقــول لهــا إن الكتكوت صار ديكًا منتوف الريش لا يجيدُ شـــيئا عـــدا الصـــياح: الفئران آتية. والفئران لا تخشى ديوكًا لا تجيد إلا الصياح بين بـــيض مكسور. "تفضلوا"، تدعونا حوراء إلى الجلوس وهي تفرقع أصابعها. يستأذن أبو سامي وزوجته. يقول إنه لن يشغِّل المولِّد الكهربائي لِئلا يلفت الانتباه. ينصرف. تشرع حوراء تخبرني عن اتصال وردها قبل أكثر من ساعتين: نصحني مجهولٌ بأخذ الحيطة بعد حرق المقر. الدور على البقية. نية محتملة لاقتحام بيوت أولاد فؤادة وتصفيتهم. لم يمـــر وقت طويل على المكالمة. طرق أحدهم الباب. عجزتُ عن التصرف. أرسلتُ إلى أيوب أخبره. خرجتُ بالولدين وفوزية من باب الكراج الخلفي إلى بيت أبـــي سامي. كنت مرتبكة حتى أني نسيتُ هـــاتفي هنا.

يرقُّ صوتها. تسألني عن فهد وصادق بوجه مِلؤه الأمل: لم يكن أحدهما في المقر أثناء حرقه.. أليس كذلك؟ أجيبها بصـــوت يشـــبه صوتي: وحده ضاوي. تكمِّمُ فمها بكفَّيها: "ضاوي؟!". أهزُّ رأسي

صاغرا: "ضاوي". تتفرَّس وجهي. تسألني عن حاله. أعجزُ عن القول. يصفرُّ وجهها. تبكيه. أو ربما تبكيني. أتذكَّر رسالة صادق في هاتفها. أقفزُ على فجيعتي. أُخبرها بأمر الرسالة. تقرؤها. اطمئنانها على شقيقها يضاعف قلقها على زوجها. "وفهد؟"، تسألني. أتذكَّر رسالته الأخيرة لها: "بَوَدَّعك يا ليل العذاب.. بَوَدَّعك، وارحل على متن السحاب". أجيب: "خير.. اِنشالله خير". ضربات قوية على الباب لا تنبئ بخير. تشهق حوراء تضم ولديها. تلتصق بي حِصَّة. تؤكد أنهم الملثَّمون. هكذا ضربوا باب البيت قبل اختطاف أبيها. سوف يقتحمون المكان. لن يمكثوا في الخارج طويلا. بكاؤها المكتوم يصير أنينا حادًّا. سائلٌ دافئ أسفل فخذي تتشربه الأريكة. أتقدَّم نحو المنضدة أطفئ الشموع. أحمل الصبيَّة بين ذراعيّ. أدعو الجميع إلى الاختباء في الأعلى. تسبقنا فوزية نحو السلَّم. نتبعها، هي المبصرة الوحيدة في عتمتنا.

* * *

الفصل الثاني عشر

كنت أظننا انسلخنا عن محيطنا، منذ صرنا المحيط. منذ أزلنا الصور عن الجدران. منذ قطعنا كل خيط يربطنا بالماضي. إلا أن حرب تموز 2006، بين قوّات حزب الله في لبنان والجيش الإسرائيلي، أظهرت وجها آخر، للكويت، كان غائبا سنوات طويلة. شيء شبيه جرى قبل ست سنوات وقتَ انسحبت القوات الإسرائيلية من الجنوب اللبناني. سرعان ما انتشرت صور أعلام الحزب الصفراء، تُلصق على زجاج السيارات، تفاعلا مع بيانات أمين عام الحزب الذي صارت صوره تحتل أركانا في بعض الديوانيات. حتى أيوب الذي لا همَّ ديني يؤرقه أو موقف سياسي يشغله، رفع العلم الأصفر في شقة الجابرية لأيام. لم يقتصر الأمر على طائفة بعينها. لم يكن نصرا خاصا بِهُم. احتسبتْ كلتا الطائفتين نهاية الحرب انتصارا يسع الجميع. إلا قِلَّة، من بينها ضاوي الذي كان متحفظا يذكرنا بتورط الحزب باختطاف الطائرة الكويتية في أواخر الثمانينيات، ووالدي الذي لم يرَ في الأمر إلا خرابا للبنان وضرب السياحة فيه. كل على ليلاه يغني. كأني بأمي حِصَّة لو بقيَت على

قيد حياتها، تضمُّ اسم أمين عام الحـــزب إلى أسمـــاء "الرجـــال" في قائمتها.. زوجها، والزعيم جمال عبدالناصر، والشيخ فهد الأحمـــد.. كنت أرصد ما يجري حولي لا رأي لي. ينـــاكفني صـــادق: "ولـــد أمك". هو يدري أن لا رأي لوالدتي في شيء. لأن كلَّ شيء يـــدعو إلى الخوف. ولأن: من خاف سلم! ربما هو محق. ظنَّ بأنني ســـوف أنتفض: "آنا ولد أبوي!". ولكنني لم. ليس حبا بوالدتي، لكن.

رنَّ هاتفي المحمول في وقتٍ متأخر من الليل، منتصـــف 2007، يومض باسم فهد. كنت أحاربُ نعاسي أُحرِّرُ قصَّة قبل إرســـالها إلى الجريدة. اتصاله يحملُ مصيبة، قلتُ لنفســـي. "آنـــا مـــن الظُهـــر في المستشفى"، قال لي. أجبته، بين نوم وصحو، دونما سؤال عن ســـبب: "أغيِّر ثيابـــي وأجيك". لم أدرِ حتى في أي مستشفى كـــان. نزعـــتُ البيجاما أرتدي دِشْداشَتي. ركبتُ السيارة. ما كدتُ أشعل ســـيجارةً حتى وردتني رسالته النصيِّة: "مستشفى حسين مكِّي جمعة". ســـحقتُ سيجارتي في منفضة السيارة قبل أن أشعلها. ارتعش هاتفي المحمول بين يدي أعاود قراءة الرسالة. حسين.. مكِّي.. جُمعة. المستشفى الـــذي يتشاءم الناس من لفظ اسمه. يشيرون له رمزا مثلما يشيرون إلى المرض الذي يفتكُ بالناس في أجنحته، خشية أن يسمع المرضُ اسمـــه علـــى ألسنتهم، يحسبهم ينادونه، يستجيب. يستعيضون باسم آخر غير اســـم مشؤوم؛ المرض الخبيث.. الشين.. المرض الذي عافانـــا الله، أو اســـمٌ أكثر لطفا وِفق اللغة الإنكليزية: كانسَر. طمأننا الطبيب بـــأن الـــوَرَمَ يُصيب النساء بعد الخمسين في الغالب. حوراء لم تتم ثلاثينـــها بعـــد. "الله كريم"، قال طبيبها. هلعٌ على وجه فهد كأنه حامـــل المـــرض.

اطمئنان على وجه حوراء كأن الجزء المصاب في جسدها لا يخصُّها. فضيلة لا تنفك تقرأ آيات فك السحر على ابنتها. مرَّت أيام بطيئة لحين ظهور نتيجة الفحص. كنا نُمنِّي أنفسنا بأن الورم الذي استوطن ثديها الأيمن لا يعدو كونه ورما حميدا. ولكنه لم يكن. "أختي مجنونة!"، قال صادق، بعد أيام، في أحد ممرات مستشفى حسين مكِّي جمعة. كان طبيبها لطيفا. مهَّدَ لها. لم يكن اكتشاف الورم الخبيث متأخرا جدا، ولم يكن مبكرا في الوقت ذاته. شرح لها وسائل علاج متاحة، آخرها، أسوأها، لا سمح الله؛ بتر الثدي. يقول صادق إن شقيقته قفزت على علاجاتٍ محتملة إلى علاج أخير. سألت طبيبها عن احتمال البتر. أجابها الطبيب آسِفا: "احتمال وارد". لم تمهله يبثها تفاؤلا. قاطعته قبل أن يستطرد. تضمُّ كفَّيها أسفل ذقنها. تهزُّ رأسها تبتسم بفرح لا يشبه إجابته: "مشكور.. مشكور دكتور".

ليت استئصال الأورام، كلها، يتم بالسهولة التي استُئصل فيها ورم حوراء ببتر ثديها بعد ثمانية شهور من اكتشاف المرض. وبين رغبة صالح بانفصال الزوجين، وإيمان فضيلة المطلق بسحرٍ دبَّرته عائشة، دفنته في مكان ما، كان فهد في المنتصف. لم يغير شفاء حوراء الكثير. بعض الأورام لا يكفُّ نموًّا إلا بموت الجسد، يقول فهد. ليتهم يموتون جميعًا، ندفن واحدهم، نكايةً، في مقبرة الآخر، ونعيش نحن. لمته وأنا أتفهم ضغوطا يواجهها. أجابني: "يا أخي نَبي نعيش!". غيرت الموضوع أسأله عن زوجته. حوراء سعيدة، قال. وقتَ تحسَّست صدرها بعد العملية الجراحية أخبرته، بصوت منهك، بأنها مستعدة، الآن، للإنجاب. ولكن الأمر لم يكن يسيرا

وقتذاك. ليس قبل خمس سنوات، أو ثلاث على أقل تقدير، كما أخبرها طبيبها. "خمس سنوات من دون إنجاب وامرأة ناقصة عقل ودين و.. ثدي!"، قال صالح لفهد، يحضُّه: "طلِّقها!".

جلستُ وفهد، وحدنا، بعد أيام في الديوانية وقتَ هاتفه أبوه يسأل: "عبَّاسو ويَّاهم؟!". ما كنت أعرف شيئا لولا أخبرني فهد عن إقامة مجلس تأبيني، في جامع الإمام الحسين، لأحد عناصر حزب الله. كانت الصحف قد أشارت إلى اسمه قبل عشرين عاما ضمن المتورطين في قضية اختطاف طائرة الجابرية. كان، وِفق ما يراه الطرفان، نَفَقَ أو استشهد، في سوريا قبل أيام. سألته بعدما أنهى مكالمة أبيه من دون أن يجيبه، إن كان عبَّاس هناك بالفعل. أطلق زفرة يقول: "عمي عبَّاس وصادق". أسندتُ جبيني إلى كفَّي ألعنُ مسرحية تافهة. جميعنا أبطالها. يديرها مخرج فاشل أو ربما ذكي إلى حدٍّ نجهله. احتقاننا الطائفي وصل حدًّا لا رجعة بعده. في الوقت الذي كان فيه المُؤَبَّن في اللامكان، انشطرنا نصفين، ننشغل بمصيره: في الجنَّة، لا، في النار. ولم يكن في النار عدانا، وقتَ صار، ما أمضينا حياتنا نخفيه في نفوسنا، يتمثّل في مقالات على صفحات الجرائد صراحة، أو سجالات علنية في البرلمان، ينصرفُ إليها الناس، في الوقت الذي كنت فيه ساذجا لا أزال أكتب قصصا رمزية في حذر!

هاتفني أيوب، بعد التأبين بأيام، من مكتبه في جريدة الراي، يخبرني عن عزم بعض الحركات السياسية على إقامة ندوة وِحدة وطنية، وفقا لتسمية صارت دارجة، تضُم شخصيات سياسية ودينية بارزة من الطائفتين. "ضروري نتلاقى هناك". أيوب البارد في طبعه

كان جادًّا كما لم أعرفه من قبل، وهذا أمرٌ يرضيني، يرضيني جدا، أنا الذي يأكلني القلق إزاء مصيرٍ مُحتمل، لا أحتمل أن أكون وحـــدي. كنا في حاجة مُلِحَّة إلى من يشير إلى الجرح صراحة، وإن اســتدعى الأمر فتقه وهدر دمه الفاسد. استبشرتُ خيرا بالندوة لعلــها تفعـــل شيئا، أو على أقل الأمل تقول. هاتَفَ أيوب كُلاًّ من فهد وصـــادق وضاوي: "الساعة سبع ونص، يوم الثلاثا". هاتفني ضاوي يستغرب اتصال أيوب واهتمامه: "إقامة الندوة حقٌ يراد به باطل!". توســلت إليه بأن يؤجل حُكمه وحِكَمَه إلى ما بعد مساء الثلاثاء.

في صفٍّ المقاعد الأخير، جلسنا أربعتنا، في حين حَمَلَ خامسُنا كاميرته وآلة التسجيل يُحضِّر لتغطية أحداث الندوة. غصَّ المكـــان المفتوح بالحضور. هبَّ المنظمون الشباب يتحققـــون مـــن ســـلامة الإضاءة والصوت. كانت مسرحية مجانية ساخرة. تهزأ بنـــا، نحـــن الحضور، بشكل فجٍّ. اصطفَّ ضيوف الندوة. وزراء سابقون ورجال دين وأعضاء برلمان، وراء المنصة كلٌّ ينتظر دوره خلف مايكروفونه. يبدأ أحدهم خطبته بالصلاة على النبـــي محمد وعلى آله وصـــحبه. يبدأ آخر بالصلاة نفسها، ولكن، وقوفا عند آلِه من دون صَـــحبِه. يتفاعل نصف الجمهور مع هذا، ونصفه الآخر مع ذاك. تحدثوا كثيرا وأنا أتململ في جلستي. كنت أستمدُّ صبري من الأمل في وجه أيوب وهو يغيِّر زوايا التصوير. يحضِّرُ لخبر نظيف ينشره في غدٍ متَّسِـــخ. لا أدري ما الذي سوف يكتبه في تغطيته للخبر. كنت ألتفت إلى فهـــد وصادق وضاوي في استغراب إزاء استخفاف رجال المنصة، وقـــتَ صفَّق الجمهور بحرارة، وارتفعت الهتافات:

- وحدة وحدة وطنية!

كتم صادق ضحكه إزاء شعاراتٍ مجانية. نظر إليّ يتظاهر بأنه يُمسكُ قلما يرسمُ على باطن كفّه دائرة صغيرة. ضغطها بسبَّابته مرارا. هززتُ رأسي: "يا ليت!". وقف أحد الضيوف، المعروفين بفسادهم المالي، يخطب. تظهر صورته وراءه على شاشة كبيرة. يحرِّكُ ذراعيه بروحٍ مسرحية وأداء تعبيري مبالغ. يصرخ والزبد يتجمَّعُ في شدقيه:

- رغم العاصفة.. تجمعنا عاطفة.. ولا تفرِّقنا طائفة.. و..

انفلتَ لساني عند أذن فهد:

- "شوف ابن الكلب اِش قاعد يقول؟".

استغرب فهد الشتيمة على لساني. أنا نفسي استغربتها. ضَغَطَ على ركبتي:

- "عادي عادي.. نشوف اِللي بعده".

انتقل المايكروفون من يدٍ إلى أخرى. الأصوات تختلف والكلام واحد. اتفقت العمامة واللحية والبِشت، السياسة والدين، ليلتنا تلك، على الكلام ذاته: "الأمور طيبة ونحن بخير". ختم عضوٌ في البرلمان بأن ما يجمع الطائفتين أكبر، وأن لا صحة لما يشيعه المتربصون بأمن الوطن حول صدعٍ بين الطائفتين، وكلام صوَّر لنا بلادنا جنَّة، وأن كل ما يجري لا يعدو كونه كذبا وافتراءً وخيالا في نفوس مريضة.

وكما ينبغي، كان لا بد أن يستشهد بحديث النبي حول الفتنة ولعنة الله على من يوقظها. أُصِبتُ بخيبة كبيرة. أنا الذي أُقفِلَت ديوانيتي وأوشكتُ على خسارة أصحابي جرّاء سُمٍّ تجرعوه في بيوتهم صغارا. أنا الذي عانقتُ خرسي منذ رفعت والدتي كفَّها تُهدِّد بأن تصفعني على شفتيّ إن أنا تفوَّهتُ بكلمة. تذكرتُ مشاجرتي الأولى في المدرسة. كأنها حدثت للتوِّ. الدماء على قميص صادق. الذُّل في وجه فهد، يبكي، بين صبيين يمنعانه عن نجدة صاحبه. إغماءتي على الرصيف البارد وسقوط سِنِّي. ارتعشتُ. جفَّ ريقي. صرتُ أنصتُ إلى قرع طبولٍ في صدري، كأن أحدهم هزَّ سِدرة أمي حِصَّة في داخلي مطلقا جنيّاتها. وقفتُ أرفع ذراعي ما إن بدأت مداخلات الجمهور. لم ألتفت إلى صادق وفهد ورجائهما لي بأن نرحل. يُسخِّف صادق انفعالي: "تحب الدراما". انتبه فهد إلى حالي. سألني:

- "ليش معصِّب؟".

كانت المداخلات كلها للحضور، من الشخصيات المهمَّة، في مقاعد الصَّف الأول، بما يشبه اتفاقا مسبقا. رفعتُ صوتي أمدُّ ذراعي عاليا:

- "مايكروفون مايكروفون!"

لا أدري ما الذي بدر مني لينهض ضاوي من كرسيِّه مرتبكا يربِّتُ على كتفي. نفحتني رائحة دهن العود في كفِّه:

- "اِذكر الله!".

أجبته: "هذي مسخرة!". أتذكر كلمات سقط معظمها من ذاكرتي. كنتُ أردِّد: "احنا مو بهايم يضحكون علينا هَذول!".

أحدنا كان في عالم آخر، ضاوي أو أنا. كان يُبسِّط الأمر ولم أكن أراه بسيطا. يدفعني إلى الصراخ كلُّ ما خنقته داخلي، منذ طفولتي، إزاء كراهية لم تزدها الأيام إلا نموًّا. أدار الحضور رؤوسهم ينظرون نحونا. بدا الحرج على وجه ابن خالي، في حين لازم فهد وصادق مقعديهما كأنهما لا يعرفاننا. أمسَكَ ضاوي بذراعي يعصرها. همسَ:

- "هَدِّي هَدِّي.. يجيب الله مطر".

لم أقصد أن أعيِّره بعلَّة في لسانه. ولكنني فعلت. أجبته أصرخ في فورة غضبي:

- "ما أبي مطَوّْ.. أبي المايكوُّوفون!".

أفلتَ ضاوي قبضته عن ذراعي. جلس إلى جانب صادق وفهد. سؤالٌ واحد بصقته في وجوه أراجوزات المنصة. ما دامت الفتنة نائمة. ومادام ذلك الشيء المبحلِق المتربص بنا شيئا آخر غيرها. وما دُمنا ملائكة إلى هذا الحدّ، وما دامت بلادنا جنَّة، وأمورنا طيبة ولا خوفٌ علينا في ظل حكومتنا الرشيدة: ما الذي يدعوكم إلى إقامة مثل هذه الندوة؟!

سحبتُ غُترة أحد المنظمين بعدما سحبَ المايكروفون من يدي غصبا قبل إتمامي. مثل أولاد المدارس. قابلني بصدره. قابلته بصدري. دفعني دفعته. شتَمَ أمي شتمتُ أسلافَه. ضربني ضربته. لا أتذكر عدا أصوات تشتُمنا. غُتَرٌ على الأرض، أنعل تتطاير. فهد يضرب بعقاله. صادق يدوس بطن أحدهم. أيوب يُنزل حامل الكاميرا على ظهر شاب يمسك بخناق ضاوي. البعض يردِّد: "اذكروا الله يا جماعة!".

ذكرنا الله في مخفر الشرطة وقتَ إمضائنا على تعهدٍ بعدم تكرار الفعل. كانت ليلة وِحدة وطنية بامتياز! من دونها، ما كان لديوانية الروضة أن تفتح بابها من جديد. تجمَّعنا، نحن الخمسة، من دون تحفظ. تحلَّقنا في اليوم التالي حول الجرائد نقرأ عناوينها: مندسُّون يفسدون ندوة الوِحدة الوطنية! قهقه أيوب لقاء الوصف. رفع قبضته عاليا يُفخِّم صوته: "فلتحيا جماعة المُندسين!". رفعَ فهد قبضته، وصادق وضاوي بالمثل يضحكون: "عاشت عاشت". التفتَ إليَّ أيوب يسأل: بماذا تفكر؟

***

يحدث الآن 10:28 PM

لا أفكر في شيء عدا كوني في صحبة امرأتين وثلاثة أطفال إزاء خطر قريب محتمل. نقطع درجات السُلَّم صعودا في طابور أوله فوزية وآخره أنا. أحمل حِصَّة بين ذراعيّ بثوبها الرطب. يرتفع هدير مولِّد الكهرباء في الحوش فجأة. إضاءة السبوت-لايت تصحو من نومها. يتكشَّف لنا الخوف عاريًا في وجوهنا. حِصَّة بين ذراعيّ في شبه إغماءة. أحدنا يخاف العتمة، والآخر، في وضع اختباء، يخاف النور. يرن هاتف حوراء. المتصل أبو سامي. يقول إن سيارة سوداء تقف عند باب بيت آل بن يعقوب. ترجَّل أحد ركابها. تسلَّق سور البيت. قفزَ إلى الداخل. تخور قوى حوراء. تجلس على السلَّم. تحضن ولديها: "راح نموت!". أرجوها أن تُسرع إلى الأعلى. رجلاها لا تساعدان. همهم بما يشبه هذيانا: "نَبي نعيش". صوت أحدهم يفتح باب الممر المؤدي إلى غرفة الجلوس في الأسفل. يرتطم الباب بالحائط بقوة. من شأن أي صرخة أن تبثَّ ذعرا في نفوسنا، إلا صرخة أيوب:

- "حوراء.. يا حوراء.. وينكم؟!".

يركض الصغيران تتبعهما أُمُّهما إلى الأسفل. يسقط أيوب على ركبتيه مُنهكا عند مقدمة السلَّم. عاريا إلا من سروالٍ داخلي أبيض

مضمَّخ بالدم، وعلى جسده أشياء تشبه طحالب. يرفع رأسه ينظر إليّ وحِصَّة يغالب ابتسامة: "شفت السكراب عند الباب.. عرفت اِنكم هنيّ". أجلسُ على السُلَّم ألتقط أنفاسي. أتركُ الصبيَّة إلى جانبي. أُحدِّق في عينيه ولا أجيب. يدريني غاضب من تصرُّفه عند الجسر. يستلقي على ظهره يضحك بوجه حزين، أو يبكي بوجه فرِح، إزاء موتٍ مجاني أوشك يأخذه: "كنت راح أموت". أنظرُ إلى ساعة معصمي أحسبُ وقتا أمضاه منذ اختفائه في النهر. يعتدل في جلسته يبرِّر تأخيره: عدا رصاصات رجال الجسر.. تبَّاعة الجِيَف صارت تهاجم الأحياء! لولا تلقاه رجال دورية متطوعون في سيارتهم وأقلّوه إلى هنا، لما وصل وهو يحمل كلَّ هذا. يقول ذلك وهو يشير إلى جروحٍ أدمت جسده. كأنه ينتبه للتوِّ إلى عريه. يطأطئ: المعذرة. تصعد حوراء إلى الطابق العلوي. تعود بدِشداشةٍ من دَشاديش فهد. يرتديها أيوب بعد اغتساله.

تجلس حِصَّة على الأرض. ترسمُ فئرانا على كفوف الصغيرين المستسلمين لها تماما. تفتح حوراء التلفزيون. تقلِّب قنواته. الفضائية الكويتية تهيب بالأهالي الابتعاد عن مناطق الخطر، وتَجنُّب المرور بسبعة شوارع رئيسية، والتزام المساكن تجنبا للميليشيات. أسماء المناطق تظهر على الشاشة في حين يقرأ المذيع النشرة. شارع دمشق يطفح بمياه المجاري. تظاهرة سلمية في شارع القاهرة رغم حظر التجوّل. سكَّان حَوَلّي يُخمدون النيران المشتعلة عند مدخل شارع تونس. الخالدية؛ اشتباكات في شارع طرابلس بين مسلحين وعناصر أمن. السالمية؛ شارع بغداد تحت سيطرة المتمردين، والأهالي يطالبون برفع حظر

التجوّل لتسهيل خروجهم إلى أماكن آمنة. ضاحية عبدالله السالم؛ انفجار عبوّة ناسفة بين مسجد فاطمة ومحطة الوقود في شارع صنعاء. إغلاق شارع المسجد الأقصى من دون ذكر أسباب. تنتقل النشرة، بعد بثّ أسماء الشوارع السبعة المحظورة، إلى كيفان؛ صور لرجال الدفاع المدني ينتشلون جُثثا تحت أنقاض البيوت المطلة على شارع فهد براك الصبيح. أنظر إلى وجه فوزية واسم المنطقة على الشاشة. أمدُّ يدي إلى حوراء أنتزع منها الريموت كونترول. أُخرس صوت التلفزيون خشية انتباه فوزية إلى ما يجري في كيفان، وقد دأب الجميع منذ زمن على إخفاء أي خبر سيىء يمسُّ منطقتها الأثيرة. أتابع الصور على الشاشة وأفكر في فوزية. هي ليست في حاجة إلى كل تلك المواراة. لا شيء في أخبار الإذاعة والتلفزيون يشير إلى مكان تحبُّه. هي لا تدري بأن حديقة الأندلس صار اسمها حديقة واحة كيفان، وأن مسجد عبدالوهاب الفارس، الذي أُحرِق قبل أسبوع، هو نفسه المسجد الذي دَرَج الناس قديمًا على تسميته بمسجد بن عبيدان نسبة إلى إمامٍ أحبَّت القرآن في صوته. هي تجهل أن مسرح المسعود صار مسرح التحرير، ومسرح التحرير صار معتقلا بعدما غصَّت السجون بالمتمرِّدين والمشتبه بهم. لو أنها لم تفقد البصر يوما، وأمسكتْ بالصحف، قبل عشر سنوات، لقرأتْ قرار المجلس البلدي؛ تغيير اسم شارع إشبيلية إلى شارع فهد براك الصبيح. هي مطمئنة تماما بأن ضررا لم يمس أماكنها المحببة، وأن الجثث في نشرة الأخبار تُنتشل في شارع بعيد عن شارعها.. لو أنها سمعت خبرا بثّتهُ الإذاعة قبل قليل. وقتَ كنتُ أبحثُ عن دربٍ آمن يُخرجني من الجابرية: كيفان منطقة منكوبة!

يقطع أيوب خيالاتي بانتزاعه الريموت كونترول من يدي. يطفئ التلفزيون. ينظر إليّ يسأل عما جرى لنا فجر اليوم.. صادق وفهد وأنا. أُشيح ببصري أنظر إلى حِصَّة وقد أوشكت تُنهي عملها على كفوف الصغيرين. ترسم علامات X تشطبُ الفئران. يصرُّ أيوب: "وينهم؟". تُردِّد حوراء سؤاله مثل صدى: "وينهم؟". أنا أعرف تماما ما جرى. ولكنني..

- "ما أدري وينهم..".

***

الفصل الثالث عشر

أمضيتُ شهورا أبذل كل ما في رأسي لإقناعهم. جماعة وطنية، حقيقية، أطيافها تضم أعضاء من كافة الأطياف. نحن. ندق ناقوس الخطر ونسمي الأشياء بأسمائها. نحن في حال مقرفة. "الأمر لا يستدعي"، قال صادق بعدما ضحك على ما يراه مبالغة من جانبي: "تسوِّي من الحبَّة قُبة". لم يمهلني أشرح بأن الحبَّة بالفعل صارت ورمًا خبيثا: "جماعة بخمس أعضاء بس؟!"، قال مستنكرا. فيما أبدى ضاوي تحفظا، التزم فهد الحياد: "إللي تتفقون عليه". وحده أيوب كان متحمِّسا مثلي، ربما أكثر. عرض أن يكون مقرّ الجماعة، إن اتفقنا، في شقته. بناية أبيه في الجابرية. عارضه ضاوي: "لما تنظفها من المنكر". تجاوز أيوب قوله. وعد بأن يفسح لي مساحة أكبر في الجريدة: "اِنت تكتب.. والجريدة ما تمانع". مضت أيام نعمل، أيوب وأنا، كل ما في وسعنا لتحقيق الفكرة. قال فهد، بعد أيام، إنه اقتنع تماما بأهمية المشروع بعدما أبدت حوراء وفوزية اهتماما. قال بأنهما أول المنضمين إلى الجماعة: "صرنا سبعة!". رفع ضاوي ذراعيه بما يشبه استسلاما. وجَّه كلامه إلى فهد:

- "الله يوفقكم، لكن آنا ضد الاختلاط، إما آنا أو زوجتك وعمتك!".

تحكَّم فهد بأعصابه:

- "صلّ عالنبـــي يا شيخ!".

صلَّى ضاوي على النبـــي وآله وصحبه. أردف صادق يُحدِّد: "الأخيار المنتجبين". عقد ضاوي حاجبيه:

- "كل أصحاب النبـــي أخيار..".

أجابه صادق بلا مبالاة:

- "أخيار عندك إنت!".

الخيبة التي أصابتني في الندوة المسرحية، أصابتني في الديوانية ليلتنا تلك. في كلٍّ منا عبَّاس وصالح يظهران وقتَ نوشك على اتفاق. كنا قد أمضينا شهورا من دون أن نخطو خطوة تجاه تأســيس الجماعــة. خشيتُ إن تفوَّهتُ بكلمة أفسد كلَّ شيء. أدريــني إن لم أحقِّــق مشروعي فسوف يكون الأمر بمثابة فكِّ ارتباط مع من بذلت كل ما فيَّ من أمل لإبقائهم أصدقاء. كان أملي الأخير بنا. نحن الخمسة، وقد صرنا سبعة، أن نفعل شيئا. كنت أنقِّل نظري بينــهم، أُنصِــتُ إلى آرائهم، أبحثُ عن أي شيء يُثبِتُ لي عكــس قــول والــدتي عــن أصحابــي: "خيشة فحم!". فحمٌ لا يقفُ ضرره على تــرك آثــاره السوداء على ثيابــي. فحمٌ يتَّقد يوما ثم يصير رمادا، لعله الرمــاد،

الذي لا توَّرثُ النار غيره، كما حذَرت أمي حِصَّة قبل سنوات طويلة. راح فهد يقنع ابن خالي بأن دور حوراء، في البيت، يقتصر على إنشاء مدونة وموقع إلكتروني للجماعة: "أين الاختلاط في ذلك؟". تدخَّل صادق محبطا من تبرير فهد. "آنا أخوها وفهد زوجها ما عندنا مانع". تجاوز ضاوي قول صادق. سأل فهدًا:

- "وعمتك؟ الله يلطف بحالها، ضريرة.. شنو دورها؟".

أجابه:

- "عمتي، الله يسلمك، ذاكرتها مهمَّة. عندها سوالف ومخزون أغاني وطنية ولا أرشيف وزارة الإعلام.. واحنا محتاجين..".

قاطعه ضاوي:

- "أغاني؟! الله يوفقكم، لكن آنا ضد الأغاني.. إما آنا أو عمتك!".

ارتفعت الأصوات في جدل يقنع واحدهما الآخر، في حين لاذ صادق بصمته. سأله فهد عن رأيه. أجاب والدماء محتقنة في أذنيه:

- "الله يوفقكم.. لكن، إما آنا معاكم.. أو ضاوي!".

أيام مضت على حالنا تلك. توسلت إليهم أن ينصتوا إليّ. الأمر أبسط من كل تعقيداتهم. مدونة إلكترونية وصفحة على الفيسبوك وإذاعة إلكترونية ومساحتي الأسبوعية في الجريدة. هذا في البدء، ثم

نتَّسع بأنشطتنا، ولكلٍّ منا أن يعبِّر عن رأيه فيما لا يخـــالف هـــدفنا. وجْهُ أيوب دافعي الأول لمواصلة الحديث رغم مقاطعتهم. لم أنزعج، كانت نقاشاتهم، رغم اختلافاتهم، تطمئنني بأنهم مؤمنـــون بأهميـــة الفكرة. لم نتَّفق تماما لولا نشرت الصحف، أيامنـــا تلـــك، صـــورًا لعبارات مسيئة لصحابة النبـــي على سور أحد المساجد، وخبرا آخر حول إطلاق نار على زجاج نوافذ حسينية. "وين رايحين؟!"، قـــال ضاوي كأنه يستشعر، للتوِّ، خطورة الحال. أجابه أيوب بأننا، نحن، من يحدِّد وجهتنا. تردَّد ضاوي: "لكن..". قفز أيوب يقبِّلُ جبينـــه: "الله يخليك بدون لكن! لازم نشتغل عالموضوع". ابتسم ضاوي كما لم أره مبتسما من قبل: "يجيب الله مطر". راح أيوب يجوب الديوانية يزفنُ مصفِّقا. يهزُّ كتفيه يمشي بخطواتٍ مدروسة. يردِّدُ أغنية شـــعبية قديمة: "طِق يا مطر طِق.. بيتنا جديد.. مِرْزامْنا حديـــد". عـــدوى التصفيق انتقلت إليَّ، إلى فهد وصادق، ندور نحن الأربعـــة حـــول ضاوي الذي افتعل ثُقلا لم يوارِ ابتسامته. تصفيقنا صار مجنونا، وزفان أيوب بلغ حدًّا تخاله في حفل زار ينقصه الطـــار والبخـــور. كنـــت أنصتُ إلى ارتطام قطرات المطر على إسفلت الشارع. كنت أشـــمُّ رائحة التراب الرطبة. كانت السماء تُمطر سخيَّة داخل رأسي.

اتفقنا ألا تكون جماعتنا مدعومة من أي جهة أو حركة سياسية أو دينية أو حكومية، حتى لا نمثل إلا أنفسنا. بقي اســـم الجماعـــة. صاروا ينتقون الأسماء اقترح أيوب: الناقوس في حين اختار ضـــاوي اسم: جماعة وأد الفتنة. لم يلتفت إليه صادق وفهد حيث اتفقا علـــى اسم: مثل أول. كنت أهزُّ رأسي رافضا اقتراحاتهم. نحن في حاجة إلى

اسم مخيف. اسم يبثُّ الرعب في نفوس الناس من خطر مقبل إن بقينا على حالنا. التفتَ صادق صوبـــي:

- "طيِّب.. اِنت اِختار اسم..".

مرَّرتُ نظري على وجوههم قبل أن أُفضي:

- "جماعة أولاد فؤادة..".

حدَّقَ ضاوي في وجهي:

- "فؤادة منو؟!".

استلقى فهد على ظهره يقهقه ما إن قلتُ لضاوي إنها فـؤادةُ مسلسل على الدنيا السلام، مُدرِّسة التاريخ المجنونة، فؤادةُ الفئـــران الآتية التي بحَّ صوتها، تحمل مصيدة الفئران، تنادي: احموا الناس مـــن الطاعون. بالكاد تحكَّم فهد بضحكه. سألني مبحلقا:

- "فؤادة تخوِّف؟! فؤادة تخوّفك اِنت بروحك.. ما تخـــوِّف الناس!".

اعتدل في جلسته يفتعل جدِّية:

- "خلاص يكفي ضحك.. جد جد، اِنت صاحب فكـــرة تأسيس الجماعة، واِنت تختار لها اسم".

تمسَّكتُ برأيي:

- "جماعة أولاد فؤادة. وشعارها: الفئران آتية.. احموا الناس من الطاعون!".

أجاب محبطا:

- "لكن الاسم مسخرة يا أخي!"

كانوا ينظرون إلى وجهي يتحرّون إجابة جادة. أنهيتُ:

- "الوضع كله مسخرة!"

***

كُلُّهم سَفَلَهْ
القتيلُ ومَنْ.. قَتَلَهْ
يدَّعونَ.. بأنَّهمُ.. يحمِلونَ
الصليبَ إلى "الجُلْجُلَهْ"
وهُم.. يحرقون العروقَ
إذا.. برعمَت.. سُنبلهْ

علي السَّبْتي

الفائز الرابع

رَماد

يحدث الآن 11:05 PM

"ما أدري وينهم!".

ألوذ بالصمت. أكره اختناقي بعبراتي مثل طفل. أتذكرني، معهما، فجر اليوم. أتصنَّع السعال أشدُّ حبال صوتي. لا يزال أيوب وحوراء يصوِّبان نظرهما إلى وجهي يتحرَّيان إجابة. فوزية تُميل رأسها. توجِّه إليَّ أُذُنا تتحسَّس صوتي. تكرِّر سؤالهما: "وينهم؟".

"الذي أدريه كنا معا. نحن الثلاثة. نحتفي على طريقتنا وقتَ أتمت الهدنة يومها الأول بعكس سابقاتها من الهدن. فرغنا من بثِّ آخر البرامج بعد منتصف الليل. اخترنا أغنية "بلادٌ تطلب المعالي"، يا فوزية، نملأ بها صمت الإذاعة ساعات الليل إلى حين استئناف البثِّ مع نشرتك الصباحية يا أيوب. خرجنا من مقرِّ أولاد فؤادة إلى الروضة. "نروح بيوتنا؟"، سألتهما وأنا لا أتخيلني في مناسبة كتلك أُنهي يومي مثل أي يوم عادي. "لأ طبعا"، أجابني صادق. كان صاحب الاقتراح. حديقة جمال عبدالناصر: "نتعشى هناك". ضحكت. من أين جاءتك الفكرة والحديقة ميتة منذ سنوات طويلة؟ قال إنه في حاجة إلى مكان بعيد عن الناس. قال إنه يشتاق إلى مكان قديم. في الحقيقة كنت مثله. أنا دائما أشتاق إلى مكان قديم. أوقفنا

سياراتنا في الساحة المقابلة للحديقة نحمل أكياس الطعام. لم يكن لفهد أن يوافق على الذهاب إلى أي مكان لولا كرهه العودة إلى البيت منذ خروجك يا حوراء تطلبين الانفصال. كان يشتاق للولدين. ولا داعي لأن أقول إنه كان يشتاقك أيضا. لم تمر ساعة من دون أن يمسك بهاتفه يتحرى رسالة صوتية منكِ. أنا لن أواصل حديثي إن واصلتِ البكاء. هاكِ. جفِّفي دموعكِ. حسنا. أمضينا ساعات ثلاثًا. ساعات موغلة في القدم. آه لو كنتِ معنا يا فوزية! الحديقة التي لم يتمكن مطعم ماكدونالدز من إحيائها منذ احتل أحد أجزائها، أحيتها ذكرياتنا. كانت عُلب وجبات الأطفال وألعابها البلاستيكية تتناثر على الأرض عند مدخل الحديقة مقابل المطعم المهجور. انحنى صادق يلتقط كرة مطاطية صغيرة، تحمل شعار المطعم الشهير. تلفَّت حوله كمن يخشى أن يراه أحد. أنت تعرف ابن عمِّك يا أيوب. مجنونٌ. ولكنك لا تعرف إلى أين قاده جنونه قبيل فجر اليوم. نظر إلينا يُنقِّلُ الكرة بين يديه. يسأل: "تلعبون؟". تبادلنا النظر في ما بيننا، فهد وأنا، واحدنا ينتظر من الآخر تشجيعا. نزعنا أنعُلنا. طوينا دَشاديشنا. لففنا أطرافها حول خصورنا. لم يفُه واحدنا بكلمة. كانت عيوننا تضحك بما يشبه خجلا. راح صادق يبحث، أسفل سِدرة عتيقة، عن حجارة مسطَّحة متفاوتة الحجوم، والكرة المطاطية في يده. لم يتردَّد فهد يعاونه. لا أدري ما الذي أصابني وأنا أشعرني أتضاءل وأنكمش داخل دِشْداشَتي. صارت واسعة فضفاضة طويلة الكُمَّين. نظرتُ إلى وجهيّ فهد وصادق. لم يعد لكل منهما شارب كثٌّ ولحية نابتة. فهد بوجه أسمر أملس وعينين واسعتين وشعر أسود داكن، فيما

اكتست وجه صادق حُمرة قديمة وانتشرت البثور على وجنتيه. شمَّرتُ عن ساعديّ. رحت أجمع معهما حجارة تصلح للغرض. ذرعنا الحديقة. لا شيء فيها يشبه الحديقة عدا بعض أشجار عملاقة تحاذي السور تقاوم الجفاف، ومراجيح صدئة مهملة على أرضية إسفنجية سوداء مغبرة. بنينا هرما صغيرا من سبعة أحجار وفق قانون لعبة عنبر. رحنا نشكل فريقين. أحدهما ناقص. تبادلنا الأدوار بقذف كرة ماكدونالدز على هرم الحجارة السبعة. تناثرت على الأرض مثل بناء مقصوف. دفع واحدنا الآخر لالتقاط الكرة. تمرغنا بالتراب والعشب الجاف مثل قطط الشوارع. يرمي واحدنا بالكرة يصوِّبها إلى رأس الآخر في خروج مجنون على قوانين اللعبة. ركضَ فهد يضحك. تبعه صادق يضحك. لحقتُ بالإثنين غارقا في العرق والضحك. انتقلت الكرة من الأيدي إلى الأقدام. ركلها فهد بعيدا. أخذا يجريان نحوها. تقمَّصتُ خالد الحربان. صرتُ أُعلِّق على أداء فهد بصوت مرتفع: "مُؤَيَّد الحدَّاد معاه الكرة.. يعدِّي.. يروح..". سدَّدها بركلةٍ قوية. مرَّرها بين رجليّ صادق. "قووووووووول! الله الله الله مُؤَيَّد الحدَّااااااد.. يا سلاااااام!". ألقينا بأجسادنا المتعبة على التراب نلتقط أنفاسا غالبها الضحك والسعال. اعتدل فهد في جلسته يمسك أسفل ظهره يتوجَّع. أعاد لي صورة قديمة لأبيه مقرفصا على الأرض. خرجت كلماتي من فورها أنصحه بألا يستحمَّ ليلا. مزحةُ أمي حِصَّة لأبيه قبل سنوات طويلة لم تدفع حفيدها اليوم للضحك. امتقع وجهه. قطَّب صادق حاجبيه في حزن. دفع فهدًا لأن يتحقَّق من صندوق الرسائل الصوتية في الهاتف. أمسك فهد بهاتفه. لم يكن

صوتك حاضرا في صندوق الرسائل يا حوراء. اغتصب زوجك ابتسامة: الصندوق ماله مفتاح! خالط حزنٌ ملامح فرحٍ يرسم حنينا على وجه أخيكِ. "ياااااه!"، قال صادق قبل أن يسأل فهدًا:

- "شنو اِللّي ذكّرك بالأغنية؟!".

تلفّتَ فهد حوله. قال:

- "هو نفسه اِللّي ذكّرك بالحديقة..".

واصل صادق ترديد الأغنية. يفتح فمه على اتساعه مثل طفل لا ينقصه حماس: "والمفتاح عند الحدّاد". شاركه فهد صارم الملامح مثل عبدالكريم: "والحدّاد يَبي فلوس". ما كادا ينهيان أغنيتهما: "والمطر عند الله"، حتى فتح صادق أكياس الطعام. رحنا نأكل بشهية أطفال جوعى. لم نجتمع نحن الثلاثة على هذا النحو، متحرِّرين من كلٍّ شيء، ديوانيتنا ومقرِّنا وبيوتنا، منذ تركتُ السُّرَّة عام 1997، قبل ثلاثة وعشرين عامًا. صار واحدنا يتحقّق من ذاكرة الآخر. هل تذكر أبا سامح وأغنية عَبي لي الجَرَّة؟ طبعا، وأنت.. هل تذكر أمي زينب تدفع عربة السوق المركزي على الإسفلت؟ مشاجرتنا الأولى. مدرسة النجاح. الأستاذ دسوقي ذو الشفتين الغليظتين. الأستاذ مُرهف. مجمَّع الأنبعي ومكتبة البدور ومجلة الرياضي. قصص أمي حِصَّة وجلوسنا في الحوش وقتَ انقطاع الكهرباء سبتمبر 90، ونجم سهيل، في مثل هذا الوقت تماما، قبل ثلاثين سنة. بطولة الصداقة والسلام. بيت الزَّلْمات. الحَبال والقُمبار وسوق الذهب في

البصرة. فوزية والشوكولاتة واعتكافها في غرفتها تقرأ روايات إحسان..".

- "آنا؟!".

تقاطعني فوزية تسأل وقد لفتها اسمها في حديثي. يلتفتُ إليها أيوب وحوراء. أجيبها: "أنتِ". تضيِّقُ عينيها الباهتتين تقول إنها لا تتذكر عدا ما كنتُ أقرؤه لها. أُذكِّرها. فوزية! روايات إحسان عبدالقدُّوس. كنتِ تقرئينها. يوم كنتِ مبصرة. تتسع عيناها. كأنها تحاول أن تتذكر. تشيح بوجهها بعيدا. تطأطئ: لم أكن مبصرة في حياتي. أنظرُ إلى وجهها لا تسعفني الكلمات أرد. تشير بسبَّابتها إلى أذنها: "كمِّل القصة". أسألها باهتا: "أي قصة؟". تجيب: "قصة فهد وصادق". أُكمل قصتهما ناظرا إلى وجهها:

"سألني فهد عن مسودة روايتي إرث النار وقتَ تحدثنا عنكِ وروايات إحسان. لم أُجبه وأنا متكتمٌ منذ بدأتُ في كتابتها. منذ قرَّرتُ أن أكتبنا عراة كما نحن؛ فهد وصادق وأيوب وضاوي وأنا. من دون أقنعة تركي ومهدي ومشعل وعبدالله وجابر التي دأبتُ على الاختباء وراءها. انتبه صادق إلى تحفظي. ابتسم وهو يمسك ساندويتشا، يقول: أتدريان ما أشتهي؟ لم ينتظرنا نخمِّن. أجاب: سندويتشات جابر المصري؛ معكرونة بالكاتشاب. ضحك فهد في حين أطبق الحنين شفتيّ. أجابه ساهما: وأنا أشتهي طبخ أمي حِصَّة مع أچارها الحاذق. رنَّ هاتفه باتصال من خالتي عائشة. قلقةٌ عليه وقد قاربت ساعة الفجر رابعتها. طمأنها، وهو ينهض من الأرض،

يزيل نتفَ الحشائش عن دِشْداشَتِه، بأنه سوف يعود إلى البيت على الفور. قال قبل أن ينهي المكالمة: "يُمَّه.. مشتهي مطَبَّق سمك". أنهى مكالمته ينظر إلينا: "غدانا اليوم مطبَّق سمك". خربش الهواء بكفِّه: "مياااو!".

***

الفصل الأول

أكثر من ثلاث سنوات مضت منذ العملية الجراحية التي احتفت بها حوراء. أخبرها طبيبها باستعداد جسدها للحمل. ووفق خطة علاجية تحت إشرافه أنجبت في 2012 ولدين توأمين. صارا دافعا مضاعفا لفهد، أكثر من أي وقت سبق، كي يؤمن بأهمية جماعة أولاد فؤادة، وقد مضى على تأسيسها قرابة الأربعة أعوام. "عشان عيالي"، كان يقول. عمدنا في السنوات الأولى لنشاطنا، كلٌّ من خلال برنامجه الإذاعي وصفحته على الإنترنت، الاقتراب من الناس باستثارة حنينهم. لم يكن الماضي مثاليا، لم نكن في حاجة للتذكير، ولكنه كان أفضل مما صرنا إليه. عملتُ على إعداد وتقديم برنامجي "حنين". أسمى صادق برنامجه "أنا التاريخ كله"، كان أشد البرامج إثارة للجدل بسبب قضايا يطرحها محاولا إعادة قراءة التاريخ، وهو ما يرفض الناس إعادة النظر فيه. "حديث اليوم" برنامج منوع يغلبُ عليه طابعٌ فنيٌّ تصدَّى له فهد متكِئًا على أرشيف عمَّته فوزية. وفيما عمل ضاوي على برنامج دينيٍّ جامع، تخصَّصَ أيوب في بثِّ النشرات الإخبارية مستفيدا من عمله في الجريدة. الطابع

القديم لإذاعتنا، والاعتماد على ذاكرة الناس البعيدة، حقّقا تفاعلا كبيرا. صارت كبريات شركات الاتصالات والبنوك تتسابق للإعلان في إذاعتنا الإلكترونية وموقعنا على الإنترنت. انتشر أسلوبنا مثل عدوى. اتخذتْ الشركات الأسلوب ذاته، عبر إعلاناتها في التلفزيون والإذاعة والصحف، للوصول إلى العامة من خلال ذاكرتهم. تسوِّقُ خدماتها عبر استثارة الناس إلى زمان أوَّل أو زمان الطيبين على حدٍّ مصطلحات صارت متداولة لا تكشف عن شيء سوى عطب الذاكرة الذي أصاب الجميع. وفيما كنا نُذكِّر المتلقين بما يحبون، كنا نمرِّر ما نريد قوله إزاء ما يغضون عنه الطرف كرها. أصابت جماعتنا في البدء قدرا لا بأس به من الانتشار. تلقاها الكثير من الناس باحتفاء كبير، فيما تحفَّظ البعض لقاء تحفظنا على الكشف عن أسمائنا ومقرِّ تجمعنا ورفضِنا الخروج في لقاءات صحفية. انشغل البعض يبحث لنا عن انتماء. الموالون للحكومة أسمونا معارضين. المعارضون اتهمونا بالموالاة. الجماعات الدينية لم ترَ فينا عدا جماعة خارجة. الجماعات المعادية للدين صنَّفتنا حركة دينية. كنت قد توقفت عن نشر قصصي في جريدة الراي. أقنع أيوب إدارة التحرير بتخصيص زاوية أسبوعية لي لا تمتُّ للقديمة بصلة. صرت أنشر فيها المقال تحت اسم ولد فؤادة. طالني، في البدء، هجوم شرس أحرجَ الجريدة، رغم أنني لا أكتب عدا ما يدور حولي. لا أفهم كيف يتعاطى القارئ مع الكاتب. يصيرُ رقيبا أشدّ فتكا من أجهزة رقابية. هم يرتكبون خطأً، أنا أكتب عن الخطأ، آخرون يلومونني على الكتابة!

كان عزائي بأيوب. وبأناس صاروا يؤيدوننا. لا أدري كيف صرنا تاليا، نحن السبعة، سبعة عشر.. سبعين.. أناس متحمِّسون تتزايد أعدادهم. طلبة جامعات وجمعيات تطوعية وناشطون، يقيمون ندوات وأنشطة فنية في الأسواق والأماكن العامة. يحملون شعار احموا الناس من الطاعون. ونحن، من بين المتفرجين، لا أحد يتعرَّفنا. مكوثنا، نحن الخمسة، معظم الوقت في المقر نعمل، قرَّبنا إلينا أكثر من أي وقت. كنت أراقب ابن خالي. كثير الصمت. تغيَّر كثيرا. يناكفه فهد يذكِّره: "والجهاد يا شيخ؟". يجيبه، أولا، بأنه ليس شيخًا. ثم يشيرُ نحو جهاز الإرسال والمايكروفون. يقول ثانيا: "هذا جهاد". وحده أيوب يشعر بما أشعر. يتقدَّم إلى ضاوي يقبِّل رأسه. كلانا يدركُ إلى أي مدى كان ضاوي حائرا بين إرث ثقيل حمله مذ كان مراهقا، وبين عقل متشكك يعيد النظر في كل شيء. لم يكن ضاوي في جهاد إلا مع ذاته. وبقدر ما حقَّقت جماعتنا تقدُّما، كانت المشاكل بين الطائفتين تتعاظم، وتصير حِمما. ثورات دول الجوار تؤجِّجُ النفوس في الداخل.

جلسنا أمام تلفزيون الديوانية، ذات ظهيرة، كمن يحضر مجلس عزاء. ننصت إلى بيان صدَّرته السلطة. حمَّلت فيه الشعب كامل المسؤولية تجاه سوء تعامله مع حريات ممنوحة. ما جُبلت عليه البلاد منذ. حرية التعبير حقٌّ أصيل لكن. الناس، بذريعة الحرية، أساءت التعامل مع. أحلتموها فتنة طائفية في الصحف والندوات العامة وداخل قبة البرلمان. صارت الطائفة مرجعا عوضا عن الدولة. خُتِمَ البيان: ".. إننا، وبحزن شديد، إزاء ما يجري اليوم من أحداث تعصف بالبلاد،

نضطر آسفين إلى فرض نظام جديد، يتوافق مع المرحلة، عوضا عن دستور 1962، لأن أمن الكويت فوق كل اعتبار.. سائلين المولى عزَّ وجل أن يسبغ على وطننا الغالي نعمة الأمن والأمان.. والسلام عليكم ورحمة..". شهدنا تظاهرات لا قِبَل لنا بها قط. أمام المساجد والحسينيات، في الديوانيات والشوارع. ولأن المصيبة، على دأبِها، تخجل أن تُقبل وحيدة، جاءت تجرُّ أصحابها. تدهور أسعار النفط. شدّ الحزام وفرض ضرائب على. زيادة أسعار الوقود. وقف دعم المواد التموينية. تخفيض رواتب موظفي الدولة إلى ما دون النصف لحين. سعر الدينار الكويتي لأول مرة إلى ما دون.

وفيما كنا ننتظر رد فعل حكومي إزاء فوضى عارمة عصفت بالبلاد، خيَّم الإحباط على الجميع، وقد علَّق مجلس التعاون الخليجي جلَّ اتفاقياته. وقتَ اضطرار دولتين، من الدول الأعضاء، لفرض التأشيرة على المواطنين الكويتيين لقاء توافدهم في ما يشبه اللجوء، بحثا عن مكان آمن لا يبعد عن الكويت كثيرا. وفيما انسحبت دولتان إثر خلافات على إنتاج حصص النفط، لا يزال الإعلام، إذاعة وتلفزيونًا، يبثُّ أغنية قديمة: خليجنا واحد.. وشعبنا واحد! وعندما سخر فهد، في حديث اليوم، من أغنية لا تشبه الحال، تم استدعاؤه من قِبل وزارة الإعلام: "إنذار أخير.. أو يُحجب موقعكم الإلكتروني ويُعلَّق نشاطكم!". جاء الإنذار أخيرًا قبل أن يسبقه إنذار أول أو ثان. كانت ضربة موجعة لأولاد فؤادة وأنصارهم. كنا نختنق ببطء منذ فرضت الحكومة رقابة مسبَّقة على الصحف بعد حلِّ البرلمان حلاً نهائيا، بصورة أسوأ مما كنا عليه في منتصف ثمانينيات القرن الماضي.

مضت الأيام سريعة والتوأم، أو حفيدا فؤادة، كما يسميهما فهد وحوراء، يكبران بسرعة. لا يتخلَّفان عن معظم جلساتنا في الديوانية. يُنصتان إلى أحاديثنا عن الحوش القديم بلهفة. لا يكُفَّان الأسئلة عن جدَّتيّ أبويهما، حِصَّة وزينب. من أجلهما وحسب كتبتُ سلسلة ابن الزرزور. ومن أجلهما رَسَم صادق لوحات القصص كما وصفتها العجوز قبل سنوات. ومن أجلهما صار فهد يقرأ عليهما القصص كلَّ ليلة قبل نومهما. يُبدل ببعض الكلمات العربية كلمات إنكليزية يفهمها الولدان.

صرتُ آخذ الصغيرين إلى البحر كل أسبوع، وقتَ بلغا خامستهما، مشترطا عليهما ألا يحدِّثاني بالإنكليزية. أبدى أبواهما تخوُّفا من تعلُّقِهما بالأجهزة الإلكترونية، ولم يقلقهما أن الولدين يتحدثان عربيةً تشبه الرموز. كنت أجد متعة خالصة في صحبتهما. لا أدري لها سببا. علاقتي بالصغيرين دفعت فهدًا يسألني مرَّة أولى أخيرة:

- "متى نشوف عيالك؟".

هو السؤال الذي ما انفكَّت أمي تردِّده. وهي إجابتي التي لم أفضِ بها يوما وأنا أقِفُ على شَفا دولة:

- "لَّما أتطمَّن على باكر..".

سرح فهد بعيدا ولسان صمته يقول: "ما راح نشوف عيالك".

ذات ظهيرة، أمضيتُ مع الصغيرين وقتا على أحد شواطئ سلوى. بين البحر والمراجيح لعلّي أبعدهما عن أجهزة إلكترونية أدمناها. أهرب من جوٍّ خانق يخيم على البلاد بصحبتهما. أحب أسئلتهما على كثرتها. أحاول فكَّ رموزها إن طعَّماها كلماتٍ إنكليزية أجهلها. وأحب أنني لا أدري أيُّهما من؟ يُشبه واحدهما الآخر مثل ولدٍ وانعكاس صورته على المرآة. توأمان تخلَّقا في مشيمة واحدة. رضعا من ثدي واحد. لهما الوجه ذاته، والصوت والحركة والأسئلة. لا تنقصهما شقاوة. كلَّما سألتُ أحدهما من يكون، أجاب باسم أخيه. يُمهلاني أفرغ من حديثي موجها كلامي إلى واحد وأنا أعني الآخر. ينفجران معا في ضحك مجنون: أنا لستُ هو.. أنا أنا!

- "عمي.. اِحنا شنو؟".

ألقى أحدهما سؤاله وهو يجري نحوي ينفض التراب عن سروال السباحة. استفهمته. تردَّد أخوه قبل أن يوضح:

- "اِحنا مثل أمي والا مثل أبوي؟".

لو أن أمي حِصَّة هنا. بماذا سوف تجيب؟ نظرتُ إلى السماء:

- "حبيبي! اِنت مسلم وخلاص.. والرسول يقول..".

تدخَّل أخوه مقاطعا. يتوسل إجابة لآخر سؤال:

- "الرسول.. مثل أبوي والا مثل أمي؟".

لذتُ بساعة معصمي. نهضتُ:

- "نروح البيت..".

أمسَكَ أخوه بذراعي وعلى وجهه رجاءٌ لسماع إجابتي وهو يقسم بأنه آخر آخر سؤال. مدَّ سبَّابته الصغيرة إلى الأعلى:

- "الله سبحانه وتعالى.. شيعي والا سنّي؟".

تقلَّصت أمعائي. خِلتُ السماء تهتز. رأيتُ كفَّ والدتي ترتفع مهدِّدة. أشفقتُ عليَّ وعليها في موقفٍ مضى قبل زمن طويل:

- "استغفر الله.. حبيبي اِنت تقول الله سبحانه وتعالى.. يعني الله أعلى من الاثنين وأعلى من كل شي".
- "أستغفر الله".
- "عَفيَه على وليدي".

ألقيتُ منشفتين على جسديهما أدفعهما أمامي إلى السيارة.

في طريق عودتي إلى الروضة. سلوى عن يميني والبحر عن شمالي. الصغيران في المقعد الخلفي. صوتٌ وقور في الإذاعة يتحدث عن فِرَق وطوائف الجن. هذه الطائفة أكثر صلاحا. الطائفة الأخرى أشدُّ فسادا. أسكتُّ المذياع وأنا لا أعرف من الجنِّ عدا ساكنات السِّدرة المخلِصات. مدَّ أحد الصغيرين ذراعه بين المقعدين الأماميين. يشيرُ نحو لافتة تصوِّبُ سهما إلى شارع المسجد الأقصى يمينا. يدريني منزعج. وعدني بأنه آخر آخر آخر سؤال:

- "عمي.. المسجد الأقصى في سلوى؟!".
- "لأ يا حبيبـــي.. في القدس".

أطلَّ أخوه برأسه بين المقعدين. قرَّبَ وجهه إلى وجهي رافعـا حاجبيه مبحلقا بعينيه الواسعتين مثل عينيّ أبيه صغيرا. سـألني آخـر آخر آخر آخر سؤال: .

- "القدس؟.. وين هذي؟!".

***

يحدث الآن 11:30 PM

"أنت متأكد أنه قال لخالتي عايشة إنه يشتهي مَطبَّق سمك؟!"

تسأل حوراء مبحلقةً وكأن في الأمر مصيبة. أهزُّ رأسي. أواصل ما توقفتُ عنده:

"تمهلّه صادق. ما زلنا في أول السهرة! اعتذر فهد متعللا بقلق خالتي عائشة. ولكي تنام أمُّه: "لازم أرجع البيت"، قال وهو ينصرف. ما كدنا نقطع الشارع حتى انتبهنا إلى مجموعتين من الشباب، في الساحة الترابية، حيث تركنا سياراتنا. سبعة. ثمانية. أو ربما عشرة. لا أتذكر. ظننتُ، وأنا أحمل سنواتي العشر خارجا من الحديقة، بأنهم يحضِّرون لاحتفال ألعاب نارية بمناسبة إتمام الهدنة يومها الأول. جلّهم مراهقون وبعضهم في منتصف العشرينيات. أكبر، ربما، بقليل. تبيَّنتُ وجوههم. أسلحةٌ في أيديهم لا تنبئ بشيء سوى قرب وقوع مشاجرة. راح صادق وفهد صوبَ سيارتيهما في حين وقفتُ أتابع ما يجري في الجوار. احتدم النقاش بين اثنين من الشباب. يا كافر. يا ملعون. يا رافضي. يا ناصبي. أنتم. نحن. سريعا صار الحوار بالهرّاوات والخناجر والزجاجات الفارغة. التفتُّ إلى فهد وصادق أدعوهما لفعل شيء. أي شيء. هل كنت مخطئا يا أيوب؟ فهد في سيارته. وقتَ أدار محرِّكها، أنزلَ زجاج النافذة: "خبول!". فتح صادق باب سيارته يهمُّ بالركوب. صحتُ به:

"صادق!". أدار رأسه ينظر إليّ من وراء كتفه: "يعني نموت عشان شوية فيران؟!". لعنتُهما في سِرِّي. ركضتُ نحو الجمع. غصتُ في الغبار. صحتُ أذكرهم بالهدنة. الهدنة يا شباب الهدنة! أنت تفهم دافعي يا أيوب. وحدك تفهم. قل إنني كنتُ على صواب. ارتفعت نداءات صادق وفهد ورائي: تعال يا مجنون! توغلتُ في الجنون أكثر. دفعتُ واحدا أُبعده عن آخر. حلتُ بين هذا وذاك. مسحتُ وجهي بظهر كفّي أزيل بصقة. يا ناصبي. لستُ ناصبيا. يا رافضي. لست رافضيا. تعالت الصيحات. عُمَر. عُمَر عُمَر عُمَر. هيهات منا الذلّة. هيهات منا الذلّة. أتذكر صرخاتهم كأنني أسمعها الآن. لا تنظروا إلى رعشات كفّي. لو كنتما معي لفهمتما. فظيع ما جرى فجر اليوم. فظيع. كنتُ خائفا. كنت خائفا على.. على.. لا أدري ولكنني لم أكن خائفا عليّ. أنت تصدقني أيوب. حوراء أنا.. أنا لم أقصد أن أتسبَّب لكِ بخسارتين. لم أفكر بأن الأمور سوف.. سوف.. أنزل أحدهم هرّاوته على ركبتي. سقطتُ أرضا. لكمني فوق حاجبي الأيسر. وجدتني بين صادق وفهد يسحباني على التراب بعيدا. أسندا ظهري إلى سيارتي. راحا يركضان إلى الجمع. صرختُ بهما مستوعبا خطورة الحال: "تعالوا يا مجانين!". جاءني صبيٌّ صغير يجري حاملا مفكَّ صواميل والدماء تسيل من رقبته. يبدو مذعورا. أشفقتُ عليه. أسندتُ كفّي إلى الأرض أدفع جسدي للنهوض. لا تقلق. أرني الجرح. رفع يده بالمفكِّ عاليا. حاولت تحاشي الضربة ولكنه سدَّدها بالمفكَّ قوية على شفتيَّ. مادت بي الأرض. أتذكرني أبصقُ دَما. أسعل بقوة كأنني أغص بحجر. ركب الصبيُّ سيارة. تمايل بقيادتها.

اصطدم بسيارتي قبل أن يفرَّ هاربا. بالكاد وقفتُ أغالب دوارا خلَّفته ضربة المفكّ. أبحث عن صاحبيّ. أرهف سمعي أتتبع صوتيهما في حلبة الغبار. ولا صوت عدا: يا أبناء الحرام، يا خوارج، يا وهابية، يا فُرس، يا خنازير! كان الأمر مفجعا. رجال دين، نالوا ما يشبه قداسة، يُشتمون بأقذع الألفاظ. لا علاقة للشجار بشعور الفجيعة الذي شلَّني. الصراخ والاتهامات بصوتيّ فهد وصادق كانت وراء فجيعتي. واحدهما يصرخ في وجه الآخر. أسندتُ جسدي إلى سيارتي. صرتُ أصفعني هكذا. هكذا. لا لا. أشدُّ من هذا. هكذا. لعلَّني أستفيق من دوارٍ ألمَّ بي. لعلَّ ما سمعته بغير صوتيهما ليس إلا. بقي جسدي ثقيلا ورأسي يدور. انسلَّ كلٌّ منهما بعيدا عن الجمع يواصلان شجارهما. اشتبكا بالأيدي. أبوك عبَّاس. أمك عائشة. يا خرا. يا خنزير. تحاملتُ على ألمِ ركبتي أجرُّ خطواتي العرجاء صوبهما. صرختي مخنوقة تمزِّق حنجرتي بسِنِّي العالقة. يا كلب اِنت ويّاه. يا عيال الكلب. يلعن أبوكم. بس. بس خلاص. فهد! صادق! سمعتُ صوتي مكتومًا في أُذنيّ يصاحبُ صفيرًا يُبعد أصوات الساحة الترابية. تلفَّت فهد إلى الأرض حوله. يبحث عن. عن حجر. انحنى على الأرض يحمل واحدا بهذا الحجم. لا لا. بهذا الحجم. أكبر بقليل. هوى صادق بقبضته على ظهر فهد. ركضتُ صوبهما أصرخ لا. لا لا. رفع فهد يديه عاليا. كنت. كنت أركض قفزا على رجلٍ واحدة. طارت نعلي بعيدا. سقطت على الأرض مقلوبة. أيوب. حوراء. لا تنظران إليّ هكذا. أنتِ تفهميني فوزية. أنا. أنا حمار أعترف. رحت نحو النعل أُعدِّلها. لا أدري بأي دافع

فعلتُ. وفاءً لأمي حِصَّة أو خشية وقوع السماء. لا أدري. تابعت الركض إليهما ولكن. ولكن. كان فهدًا قد أنزل الحجر على رأس صادق. ربما كتفه لستُ متأكدا. سقط أرضا ودماؤه ترسم خطًّا في الرمال. لو أنني لم أركض نحو نعلي المقلوبة لربما! أتذكر فهدًا يرفع ذراعيه عاليا. ثم. ثم أسند كفَّيه إلى رأسه. انحنى على صادق يهزُّه. يصرخ به: "يا حمار لا تموت.. صادق صادق!". كنت على ركبتيّ أبكي مثل طفل بلا حيلة. أبكي كما أنا الآن. ركض فهد نحو الشارع يشتم نفسه. صرخ أحدهم ورائي. يا ابن الزانية. ضربني بشيء على مؤخرة رأسي. لا أدري ماذا. أتذكر الأصوات تخبو على صوت احتكاك عجلات سيارةٍ بالإسفلت مقابل الحديقة. والصورة في عينيّ تنطفئ على صادق يحبو فوق التراب نحو سيارته. ورجل بدِشْداشَةٍ في منتصف الشارع يطيرُ في الهواء. لستُ متأكدا. ربما هو شخصٌ آخر غير فهد".

- "خالتي عايشة كانت في مستشفى مبارك مع عمِّي صالح..".

تقول حوراء ودموعها ملء وجهها. أُنقِّل نظري بينها وبين أيوب أستفهمهما. تستطرد حوراء وسط نشيجها:

- "حادث سيارة في الروضة..".

يُكملُ أيوب:

- "أقرب مستشفى للروضة.. مستشفى مبارك.. الجابرية..".

تنهض حوراء تذكّرني. عودة خالتي عائشة من المستشفى حيث عمّي صالح. خروجها ثانية بقِدر مطبَّق السمك. تصرخ بعلو صوتها تُفزع الصغيرين.

- "كل هذا وما فهمت؟!".

يلتصق التوأمان بأمّهما:

- "ماما.. وين راح أبوي؟ وين راح أبوي؟".

صاحت بنا حوراء:

- "شنو تنطرون؟! فهد في مستشفى مبارك!".

***

الفصل الأخير

في الروضة كنا. في ديوانيتي المطلة على شارع شهاب أحمد البحر، وقد أُزيلت لافتة أبي حيان التوحيدي منذ سنوات، وصار الشارع شارعًا جديدًا، مثل شوارع كثيرة، بلا ذاكرة تحتوينا. أتذكّرني يوم أُزيلت اللافتة أستعيد كلماتٍ لأبي حيّان حفظتها في مراهقتي: الغريب الذي لا اسمَ له فيُذكر!

فيما يلهو الصغيران على الرصيف أمام البيت، كنا نحضّر لاعتصامنا السلمي الثاني "آتية 2"، ضمن سلسلة اعتصاماتٍ حضّرنا لإقامتها في الساحة المقابلة لمبنى البرلمان المقفل. كنا لا نزال نعيش نشوة الاعتصام الأول "آتية 1"، قبل يوم من وقتنا ذاك. اعتصام تناقلته وكالات الأنباء صار حديث الناس لأيام. خرج المعتصمون أُلوفا، رغم برودة الطقس في مساء شتوي، يندِّدون بتصريحات أدلى بها نشطاء دينيون متشدِّدون في شبكات التواصل على الإنترنت، أدَّت إلى اشتباكات في مناطق عدة، راح ضحاياها شباب متحمسون أعماهم التطرف. احتشد الناس في الساحة بعد مغيب الشمس. يتزاحمون مثل حجاج. ترتفع همهماتهم وتخبو مثل هدير بحر. نساء

ورجال. شيوخ وعجائز وأطفال. يتقـدَّمهم، في الصفوف الأولى، شيوخ دين وشعراء ونجوم تمثيل وغناء ورياضة أحببناهم صغارا. بعضهم من شدَّة حماسه تخاله صغيرا لا يزال. بعضهم معتزل فاجأ الناس بمشاركته بعد انزوائه بعيدا عن الأضواء. البعض الآخر أصرَّ على الحضور رغم اعتلال صحته. دفعهم سوء حالنا إلى الخروج. الشاعر خليفة الوقيان يقفُ بـ بِشته الشتوي عاقدا ذراعيه أمام صدره غارقا في الصمت، ربما لم يتعرَّفه الناس، إلا أنهم يردِّدون أبياتا من قصائده كنا نتكئ عليها في إذاعتنا. عبدالكريم عبدالقادر لا يقف بعيدا عنه. يستندُ إلى ذراع ابنه وعلى وجهه غضبٌ لا يُشبهه، يتحلَّق الناس حوله يردِّدون أغنيته وطن النهار. وفيما أضحكنا عبدالحسين عبدالرضا طيلة حياته، أبكانا يومنا ذاك. بدا مُتعبا. بشارب أبيض لم نألفه. ملقيا غترته على رأسه بإهمال. اكتست ملامحه جديَّةً وحزنا. استند إلى جذع نخلة ينادي بحرقة وقد تغير صوته كثيرا: "نَبي نعيش!". يقترب منه شابٌ. يقبِّل رأسه. يرجوه ألا ينفعل، وقد بدا منفعلا متقمصا نفسه في دور تراجيدي حقيقي لم نشاهده به قبلا على خشبة مسرح أو شاشة تلفزيون. مُؤيَّد الحدَّاد يجلسُ على رصيف قريب، يجاوره خالد الحربان، يضمُ كفَّيه أسفل ذقنه يراقب الجموع ساهما. لا يواري فزغا يطلُّ من عينيه على غدٍ مجهول. وقبل انتهاء اعتصامنا بوقت قصير، ظهرت محظوظة ومبروكة، حياة الفهد وسعاد عبدالله بثيابٍ سوداء، تُمسكُ واحدهما بيد الأخرى. تردِّدان نداءات زميلتهن نزيلةً مستشفى الطب النفسي: الفئران آتية.. احموا الناس من الطاعون! أتذكرنا وسط الحشود ينظر

واحدنا إلى الآخر والدموع تفرُّ من عينيه. فهد وصادق وأيوب وضاوي، وحوراء تحمل هاتفها، تتصل بفوزية، تُسمِعُها هتافات الناس.

كنا نسترجع مشاهد اعتصامنا الأول، في الديوانية، وقتَ انشغال أيوب بنشر إعلان الاعتصام الثاني، عبر شبكات التواصل في الإنترنت. اقتحم التوأمان الديوانية بوجهين باهتين يسابق واحدهما الآخر. يسألان والدهما عن طير أسود يحطُّ على سور البيت. طير أسود الريش والمنقار والساقين. أجابهما فهد ضاحكا بأنه غراب. قطَّبا حاجبيهما. وضَّح لهما بالإنكليزية Crow. هزَّا رأسيهما ينفيان. قالا بإن للطير عينين دائريتين في منتصف وجهه، ورأس كبير يعلوه ما يشبه أُذنَين مثل أُذني القط. لم يتمالك صادق نفسه يضحك إزاء وصف القط وهو ينظر إلى فهد يرقِّصُ حاجبيه. قال: أولاد المدارس الأجنبية! في مثل سنِّهم كنا نعرف كل أنواع الطيور، المقيمة والمهاجرة. ابتسم وهو يقول للصغيرين بأن ما شاهداه هو طائر البوم. أردف يكوِّر شفتيه ينطقها بإنكليزية مفخَّمة: Owl. هزَّا رأسيهما يمدَّان ذراعيهما أمامهما مشدودتين، مثل تحية هتلر، يقولان: هذا ارتفاعه! وجدتني أضحك: إذن هو العُقاب! ولسوء حظكما لا أعرف اسمه بالإنكليزية. رنَّ هاتف أيوب باتصال من الجريدة فيما كنا نختلف على ماهية الطائر الأسود. أومأ برأسه جاحظ العينين من دون أن يفوه بكلمة عدا: "اِنت متأكد؟!". ملامحه تقول إن الأخبار التي ينقلها المتصل أكيدة. أنهى مكالمته يمرِّرُ نظره على وجوهنا وقد اصفرَّ وجهه: "مجمَّع الآڤنيوز.. راح!". لم يُتمَّ حديثه حول تفجيرات

ضخمة، دكّت المجمّع التجاري العملاق وقتَ ذروته. قاطع نفسه: بدأتْ!

صرخ به فهد غاضبًا:

"إشاعات.. إشاعات!".

تمت

نوفمبر 2017

يحدث الآن 12:00 AM

تتمتم حوراء بآيات قرآنية محتضنة ولديها في المقاعد الخلفية. فوزية صامتة. حِصَّة تراقب من النافذة خوفَ ظهور ملثمين يعترضون طريقنا. إشارة الوقود، خلف المقود، تومض تنبِّهني إلى فراغ الخزان. أتجاهله صاغرا وصور النيران تشتعل في محطات الوقود تبرق داخل رأسي. وفيما أمسكُ بمقص الأسلاك أخفِّف سرعة سيارتي محاذاة سور الشباك المعدنية، يذكِّرني أيوب: "مدخل شارع تونس". دخان الجبال النارية لا يزال، ولكن من دون نيران تشتعل. نساء ورجال عند المدخل، يحمل بعضهم مصابيح. يُضيء البعض الآخر الطريق بإنارة السيارات، في حين يزيح البعض الإطارات المكتدِّسة يفسح دربا لمرور السيارات إلى الجابرية رغم حظر التجوّل.

مستشفى مبارك بإنارة باهتة، تكشف عن أعداد لا قِبل لنا بها من تبَّاعة الجِيَف. الساحات حول المستشفى تغص بالسيارات. نترجل إلا حوراء لا تحملها ساقاها: "خايفة". يُسندها أيوب. فيما يقود التوأمان فوزية، أُمسكُ بكفِّ حِصَّة نمضي نحو البوابة. شبابٌ يعترضون دخول الطيور السوداء. يحملون رماحا كالتي حملناها في القُمبار. لا نكاد نتجاوز بوابة المستشفى، بحماية الشباب، حتى تُفلِت الصغيرة يدها من يدي. تركض في الفوضى. أناديها: "حِصَّة!". تتجاوز جرحى يفترشون الأرض. أتبعها بعينيّ. تختفي. قاعة الانتظار

حول ركن الاستقبال صارت غرفة عمليات طارئة. أبحث عن الصبيَّة. أجدها تعانق شابّا متورِّم الوجه. بجبيرة تلفُّ ساقه. يُسنده رجلان. تصيح: "يُبَه.. يُبَه!". الشاب بوجه متهلل. ينحني يعانق الصبيَّة. يرفع نظارته الطبية يمسح دموعا تفرُّ سخية من عينيه. يمسك كتفَيها. يتفحَّصها. يعاود عناقها يسألها عن أختيها. تطمئنه: "بخير.. عند الجيران". تنظر حوراء إلى طفليها تنخرط في نوبة بكاء. يهدؤها أيوب يتمنى لهما لقاءً بأبيهما. أتقدَّم نحو رجل بلباس الهلال الأحمر في ركن الاستقبال. أسأله عن النزيل صالح آل بن يعقوب. ترفع حوراء صوتها ورائي: "فهد.. فهد صالح آل بن يعقوب". ينقِّل الرجل نظره بيننا. يسأل: صالح أم فهد؟ أُجيبه: "الاثنين". يعالج أزرار الكمبيوتر. يجيب: "صالح في السرداب، وحدة الملاحظة، غرفة 4 عمومي". تُسند حوراء يديها إلى دكَّة الاستقبال تُرهف سمعها. يواصل رجل الهلال الأحمر بحثه في الجهاز: "فهد.. الدور السادس، غرفة 12 خصوصي". تنحني حوراء تُمسك ركبتيها. لا تفوه بكلمة. يميل جسدها. يتقدَّم نحوها أيوب يُسندها. يصيح بالممرضات يطلب كرسيا متحركا أو نقالة. "فهد في الدور السادس"، أقول له. يهزُّ رأسه: "روح اِنت". أركضُ أرتقي السلالم متجاوزا ألم ركبتي. الطابق الأول. الثالث. الرابع. ركضي يعود عَرَجا ثقيلا في ممرِّ الطابق السادس. رائحة مطبخ قديم تخالط روائح معقمات. أقفُ أمام باب الغرفة 12 أُحضِّر نفسي لوجع مؤكد. أملأ صدري نَفَسا كأنه أخير. أدفعُ باب الغرفة ببطء. خالتي عائشة، بعباءتها، تقتعدُ كرسيا مقابل السرير. تمسك بهاتفها المحمول بيدٍ ثابتة توجِّهه إلى فهد. جامدةٌ مثل تمثال. وهو ممدَّدٌ على

السرير لا يشبه فهدًا أعرفه. بقعة زرقاء داكنة تحيط عينه. شفاه متورمة وفم خال من الأسنان. أجزاء من رأسه حليقة تتخللها غُرز خيوط الجراحة. صدره مكشوف تملؤه المجسَّات الطبية. أنبوب أصفر يخرج من جسده يجمع سائله في كيس معلَّق أسفل السرير. أنبوب أحمر يدخل في وريده يعوِّضه ما سال على إسفلت الروضة. ولأنني هيأتُ نفسي لما هو أسوأ، تقبَّلتُ صورة فهد بطيب خاطر. خالتي عائشة صلدة صامتة. تراقب شاشة هاتفها صارمة الملامح. "السلام عليكم"، أقول هامسا. لا يتحرك فيها عدا شفتيها: "هششش". تُردف: "فهد نايم". أتقدَّم إلى السرير. أطمئنُ إلى ارتفاع صدره وانخفاضه في تنفسٍ بطيء. إصبعه موصولة بسلك جهاز منتصب إلى جواره، يصدر نغمة متقطعة لا لون لها. تُظهر شاشته خطوطا متموجة أجهل فك رموزها، ولكنها مطمئنة على أي حال. يتمتم فهد، بصوت واهن، مغمض العينين: "أحبتي المستمعين.. أُحَيِّيكم في حلقة جديدة من برنامج حديث اليوم.. تيرا رااا تيراا..". يدندن لحنا لإحدى أغنيات عبدالكريم، موسيقى خضراء يلجأ إليها عادة في فواصل برنامجه. يدخل بعدها في صمت يصحبه شخير ناعم. الصفير المتقطع للجهاز يصيرُ نغمة متواصلة. يُفزعني صوتها الأحمر. يُحيل الخطوط المتموجة في شاشة الجهاز إلى خطٍّ أفقيٍّ وحيد. أهمُّ أهزُّ جسده. تنهرني أُمُّه: "الولد نايم!". تشيرُ بعينيها إلى السلك وقد فكَّه عن إصبعه. تزيح هاتفها جانبا. تُمسكُ بإصبع ابنها تُثبِّت إليها السلك ثانية. تصمت النغمة الحمراء. يعاود الجهاز صفيره المتقطع، وتعود الخطوط الأفقية للظهور على الشاشة تقيسُ نبضات القلب

وأشياء لا أفقهها. تستأنف خالتي عائشة التصوير بهاتفها. أسألها ماذا قال الطبيب. تجيب من دون أن تبعد نظرها عن شاشة الهاتف: "هششش.. الولد نايم". أتلفت حولي. قِدر طعام مُغلَّف بورق قصدير فوق الثلاجة الصغيرة في ركن الغرفة. أقف وراء خالتي عائشة أطلُّ على هاتفها. يظهر فهد في شاشته. أُنقِّل نظري بين فهد على السرير وفهد في شاشة الهاتف يومض زرُّها الأحمر. يُفزعني فعلها. أُنبِّهها: "خالتي عايشة..". تقاطعني: "هششش!". يفتح صاحبي عينيه ببطء. تتسع حدقتاه ينظر إلى أمِّه يسألها ماذا تفعل. تجيبه والهاتف أمام وجهها: "حتى إذا قمت بالسلامة.. تشوف نفسك، وتعرف طريقك وين وَدَّاك!". يطلق تنهيدة يدفع بها ابتسامة. تفرُّ دمعة من عينه: "تكذبين يُمَّه؟". ينظر إليّ. شفتاه على حالهما بابتسامة كسولة. يتحكم بنبرة صوته ولا يكبح شهقات تُقطِّع جملته: "خلاص؟ راح صادق؟". أومئ برأسي: "صادق بخير". تتسع حدقتاه: "وينه؟ ما أشوفه معاك". أربِّتُ على كتفه: "موجود.. يسأل عنك". ابتسامته بلا أسنان تحيله عجوزا. يُردف: "وحوراء.. وينها؟ ما أشوفها معاك". أشير بيدي نحو الباب: "على وصول". يقطِّبُ حاجبيه: "اِحلف". أمدُّ سبَّابتي إلى السماء: "والله.. إللي رفع السما". يُغمضُ عينيه وهو يقول: "صدَّقتك". أمُّه لا تزال غائبة مع هاتفها كمن يتابع فيلما. يتمتم فهد بصوت خفيض: "أبي ماي". أسكبُ له ماءً في كوب بلاستيكي. أقرِّبه إلى شفتيه ويدي الأخرى وراء رأسه. شربة أولى بالكاد يبتلعها. شربة ثانية يختلج معها وريد في رقبته. يفتح عينيه بجفنين راخيين نحو الباب. النغمة المتقطعة للجهاز

صارت نغمة متواصلة. شربة ثالثة لا تتم. يسيل خيط الماء من فمه المبتسم على كفّي. تنتبه خالتي عائشة. تترك هاتفها على السرير. تُمسكُ بإصبع فهد تتحقّق من سلامة السلك. الجهاز يواصل صفيره. الشاشة بخطٍّ أُفُقي ثابت. الأرقام تصيرُ أصفارا. تفصل السلك وتعيد تثبيته وهي تراقب الشاشة. الصفير والخط كما هما لا يتغيران. تفصل السلك ثانية تلقيه أرضا. تمسك رسغَ ابنها. تضربُ ظهر كفّه كمن يعاقب طفلا. تقبِّل باطن كفّه قبل أن تسندها إلى صدره. "نام يا حبيبي نام"، تقول ثم تدير ظهرها إليه. تخرج من الغرفة ثابتة الخطى بغير عجلة. عيناي على الشاشة، على إصبعه، على المجسَّات في صدره، على عينيه الشاخصتين صوبَ الباب. تعود خالتي عائشة بصحبة ممرضة. لا تمكث الأخيرة طويلا. تركض فور رؤيتها شاشة الجهاز والصفير المتواصل. تعود يسبقها الطبيب. تناوله حقنة. يغرسها في الوريد. تناوله صاعقا كهربائيا. يزيل المجسَّات عن صدر فهد. يثبِّت الصاعق إلى صدره. ابتسامته على حالها. وعيناه صوبَ باب الغرفة رغم الصدمات الكهربائية. "البقاء لله"، قال الطبيب. غابت أم فهد في خيالاتها قبل أن تهزَّ رأسها: "اِنت ما تفهم!". يبدو الأمر مألوفا للطبيب. لا يفوه بكلمة. تكزُّ أم فهد على أسنانها. تحملق فيه: "اِنت طبيب؟ آنا ما أسرّحك بغَنَم!". تشيرُ نحو الباب: "اِطلع برّه!". يلتفت إليّ: "شدّ حيلك"، يقول قبل أن يدير ظهره تتبعه الممرضة. تمضي أم فهد ببرود نحو الباب توصده. تزيح عباءتها. تكوِّرها. تلقيها بإهمال على الكرسي. تشمِّرُ عن ساعديها. تحمل قِدر الطعام من فوق الثلاجة. تسنده إلى صدر فهد. تزيل ورق القصدير بعناية. تناولني

غطاء القِدر: "اِمسك". أمسكه ورائحة مطبخ تينا القديم تنتشـــر في الغرفة. تقرِّب خالتي عائشة شفتيها إلى أذن ولدها تهمس: "فهـــد.. حبيبـــي اِصحى.. مطبَّق السمك جاهز". تدُّس كفَّها في الرزِّ داخل القدر. تقتطع جزءا من السمكة تنتقيه بحرص. تضحك. تردِّد لازِمَته: "مياو!". تقرِّب كفَّها إلى شفتيه: "يالله.. بسم الله". لا يُبدي حراكا. تخرج كلماتي مخالفة ليقيني:

"خالتي.. فهد نايم..".

تومئ برأسها:

- "أدري.. بس لازم يصحى.. الأكل صار بـــارد.. وهـــو يحبه حار..".

تهزُّ رأسها وعيناها بلون الدم. تستطرد ببَّحة يشوبها صوت:

- "حاااار.. مثل قلبـــي..".

ابتعدُ عنهما. أُسند ظهري إلى باب الغرفة. عينا فهد موصـــبتان إلى الباب. إليَّ. تدسُّ أُمُّه أصابعها في فمه. يرتفع صوتها: "اِكـــل!". يرتفع صوتها أكثر:

- "اِنت قلت لي مشتهي مطبَّق سمك!".

تصرخ به وأصابعها بين شفتيه:

- "اِكل! اِكل! اِكل!".

ترفع كفَّها عاليًا ببقايا الرزِّ والزيت. تُنزلها على وجهه صفعًا:

- "تحسب اِنه على مزاجك تموت؟! أذبحك، والله أذبحك إذا متّ وخليتني!".

تُدخل كفَّيها في قِدر الرزِّ. تحشو فمه. تصفعه. تمرِّرُ أصابعها بين خصلات شعره تشدُّه. عيناه صوبَ الباب ثابتتان. تدفع القِدر عن جسده تسقطه أرضا. تمسكُ بخناقه تهزُّه. تضرب صدره بقبضتيها. تسند رأسها إليه. تطلق أنَّة أخالها لا تنتهي. أنَّة طويلة تشيِّعني إلى آخر الممر: آاااه.. وا حرّ قلبي حرَّاه!

أهبط السلالم مسرعا. أسقط متعثرا بعَرَجي. أشتمُ ساقي. أُدرك الطابق الأرضي. تُمسك حِصَّة بيدي. تجرُّني إلى أبيها. أنقاد إليها بلا إدراك. يمدُّ كفَّه يُعرِّفني إليه: "اسمي إبراهيم منصور". يسألني متهلِّل الوجه: "انتو عيال فؤادة؟". أتجاوزه أمضي إلى ما لا أدري: "اِحنا عيال كلب"، أقولها بصوت مسموع، يشدُّني اسمه إلى اسمٍ لم ينجح خالي في جعله ساترًا بينه وبين مصيره قبل سنوات طوال. يجري الصغيران إليّ يتعلَّقان بدِشداشَتي. يسألني واحدهما. يكرِّر الثاني سؤال الأول: "عمي عمي! وين راح أبوي؟ وين راح أبوي؟". يصيح بي أيوب مناديًا عند مدخل غرفة الطوارئ. يجلس جوار فوزية. لا ألتفتُ إليه. يتبعني: "شلون فهد؟". أجيبه متجاوزا بوابة المستشفى: "ياكل مطبَّق سمك..."، أشير بسبَّابتي إلى الأعلى: ".. فوق". يرفع رأسه إلى الأعلى. يسألني متشككا: "والله؟". أجيبه ماضيا في السير: "والله". يرّن هاتفي منبها إلى رسالة: "والله اِللي رفع السما، إذا ما

تركت الكويت.. لا اِنت ولدي ولا أنا أعرفك!". أهمُّ أقذف بالهاتف بعيدا لولا أتذكر صوتا أشتاقه تركتُ صاحبه ورائي. أصابعي تعمل من تلقاء ذاتها في أزرار الهاتف. أقرِّبه إلى أُذني: "أنا غير موجود حاليا، الرجاء ترك رسالة..". يشيعني صوت عبدالكريم في الساحة الترابية إلى سيارتي: "اِرحل مع النسيان.. وبَرحل مع سهيل". أُلقي الهاتف على الأرض. يلتقطه أيوب. يتبعني. أطبق باب سيارتي عليّ. يُدخل أيوب رأسه في النافذة يسأل: "وين؟". أُدير محرِّك السيارة زامًّا شفتيّ. يستدير مهرولا يفتح الباب. يجلس إلى جانبي. أكبس مداس الوقود بقدمي أتخيلُ رؤوسا أمقُتها. أقود مسرعا بلا إنارة. أيوب يعلم. أيوب يفهم. يسأل وكأنه يجيب: "الجسر؟".

لا أحد عند حاجز الأعلام الخضراء في مقدِّمة الجسر في الجابرية. أتابع قيادتي بسرعة أقلّ. تبَّاعة الجِيَف تحومُ مئات في سمائنا المظلمة. نعيبها الجماعي يدفعني أطفئ شهوتها. أُخمد جوعها. أفتح الدرج تحت مرفقي. أناول أيوبًا زجاجة كلونيا أم بنت. يصبُّ على إصبعه. يمرِّرها بين أنفه وشفته يستلُّ نفسا عميقا. أمدُّ له كفّي يصب فيها السائل الذهبي. أمرِّغُ به وجهي. أسلحة متناثرة على الأرض مثل أطلال ساحة حرب. صرخات ترتفع في الجوار. أواصل قيادتي متمهلا. أتبيَّن، قبل منتصف الجسر، ما تكشف عنه نيران البراميل المشتعلة. أضيء إنارة السيارة. اشتباك بينَهُم وهُم. بالسيوف وزجاجات المولوتوف والحجارة. أواصل قيادتي مسرعا. يحرضني أيوب. يصرخ: "أسرع.. أسرع!". أصدمُ الممسوخ أفرِّق التحامها. تتناثر أجسادٌ على جانبي الجسر. آخرون يرفعون سيوفهم

وحجارهم يركضون وراءنا. يلتفتُ أيوب إلى الخلف. يصيح: "بسرعة.. بسرعة". قبل نهاية الجسر، عند متاريس الأعلام السوداء في السُّرَّة، يخبو هدير محرك السيارة. يخمد. خزان الوقود فارغ إلا من الهواء. يفتح أيوب الباب. يلتفت إلى كائنات الجسر بوجه مذعور: "اِنزل.. اِركض!". أترجل أدوس عَرَجي في مقدِّمة شارع طارق بن زياد. أتخلَّص من نعليّ. لا ألتفتُ إليهما. أركض. يسبقني أيوب. يركضون وراءنا تحرسهم الطيور السوداء تُنشد نعيبها. يُبطئ أيوب. يمسكُ بيدي. نركض سويًّا. يصيح واحدنا بالآخر: اركض.. اركض.. اركض..

يركضُ، أركضُ، تحت سماء أتمنى سقوطها. قطرات على وجهي تدفعني أرفع رأسي عاليا. أرى بين غيوم متفرقة نجم سهيل يبزغُ في البعيد، وشهابا يقطع الأُفق.

تمت

سبتمبر 2020